Annual
of the Institute
of Thanatology,
Toyo Eiwa University

死生学年報 2016

●生と死に寄り添う

東洋英和女学院大学
死生学研究所編

LITHON

目　次

論文

目　　次

目　　次

〈論文〉

「良き死」の諸相

──アジアの伝統宗教の立場から──

津曲真一

はじめに

フランスの歴史家フィリップ・アリエス（Philippe Ariès）が死を巡る現代的特徴として死をタブー視する傾向を挙げたことは良く知られている。彼は西欧世界に於ける死の歴史とその変容を緻密に描き出した『死と歴史』(*Essais sur l'histoire de la mort en Occident: Du Moyen Age à nos jours*, 1975）の中で、現代に於いて死は人目に晒されることが忌避され、死に対する悲嘆は禁止され、喪の制度も事実上廃止されていると主張している。こうした傾向は20世紀初頭のアメリカではじまり、次いでイギリス、オランダ、フランスなどのヨーロッパ諸国に「水に落ちた油のように拡大」[1)]した。彼は更に、死を巡るこうした情況の変化は極めて急激に起こったものであり、全く前代未聞の現象であるとも述べている。

但し、死をタブー視する傾向は、死に対する嫌悪や無関心から生まれたものではない。死が隠蔽されるようになった背景には、死期を迎えた人々やその家族の精神的苦痛を緩和したいという心情があった彼は分析している。死の隠蔽は、その危篤状態を本人に隠しておくことでその試練を肩代わりしたいという感情や、病者を取り囲む人々や社会に、幸せな生の最中に死の苦しみの醜さを直視することで引き起こされる耐え難い動揺や混乱を免れさせたいという動機に由来するものでもあった。「人生はつねに幸せなものであるか、つねに幸せなものであるようにみえねばならぬことが、いまや受け入れられている」[2)]。このように死の被覆する傾向は、生の幸福の中断を回避する為に悲嘆のあらゆる原因を排除するという動機に端を発し、やがて社会に浸透してゆく。だが、死を覆い隠すことで得られた生の幸福には、どこかごまかしの感じがある。死の隠蔽が承認された社会では、人は悲嘆の深淵に突き落とされても常に幸せそうな様子をして、集団の幸福に貢献するという倫理的・社会的義務を果たすことが暗黙の裡に求められる。悲嘆の感情の抑圧やその公表の禁止は、大切な存在を失ったことからくる精神的外傷を悪化させることにもなるだろう。アリエスは次のように述べている。

> 古代の社会においては、喪の悲しみの派手な表現はすみやかな諦めをかろうじて隠しているものだったのです。なんと多くのやもめの男たちが、その妻の死後わずか数ヵ月で再婚していることでしょうか。ところが喪が禁じられている今日では、配偶者の死の翌年の男女のやもめの死亡率は、同じ年齢の平均よりもはるかに高いことが確認されています。[3)]

アリエスの指摘には、今日に於ける死の諸状況とも適合する部分がある。しかし、死をタブー視する傾向は限られた文化的圏域で認められる現象であり、今日の世界を広く見渡せば、死は依然として直視の対象であり、悲嘆の表現も死に接した人間の自然な態度として許容されている。殊に伝統宗教が生活の中に深く浸透し、その教理と信仰が人々の行動を規定する重要な指針となっているような社会では、死は日常的な思念の主題であり、死を直視することは宗教的な義務を果たすことでもあり、死に関わる伝統的な儀礼や祭祀も盛んに行われている。だが、こうした伝統的な死への態度が、死を巡る新たな諸状況の影響を完全に免れていると言うことはできない。以下、私はアジアの三つの伝統宗教を取り上げ、これらの宗教に於ける「良き死」の概念について検討を行ったのち、死を巡る伝統宗教の新たな傾向や問題について示すことにしたい。

『チベットの死者の書』と終末期ケア

チベットの宗教文献のうち、西欧人の間で最も広く読まれた書物は『チベットの死者の書』(以下『死者の書』)であろう。『死者の書』は、英国の人類学者エヴァンス・ヴェンツによって 1927 年に翻訳出版されて以来、東洋思想に傾倒する人々のなかで一種のバイブルとして受容され、一時はこの書物を題材にしたビデオ作品、演劇、オペラなどが制作されるほどであった[4]。『死者の書』には、人間が死の瞬間から再生に至るバルドと呼ばれる中間的状態において順次体験するとされる様々なヴィジョンが示され、そうした体験に適切に対処することで宗教的解放が得られると記されている。即ちこの書物の主旨の一つは、死後から再生までの期間が精神の究極的解放を実現するための好機であることを説くことにある。だが、この書物に対する西欧の読者の期待は、死が解脱の好機であるという知識、或いは死後に解脱を実現するための知識というよりは寧ろ、精神の根源の解明にあった。C. G. ユングによる『死者の書』の解釈は、こうした方向性を決定づけたと言って良い。彼は同書のドイツ語版（1935 年）に付された「『チベットの死者の書』の心理学」の中で、バルドの体験を人間の深層心理と結び付け、同書の記述を逆順に読むことで精神の根源へと遡行することができると述べている。[5]

今日、『死者の書』はこれまでとは違った新しい役割と期待を担いつつある。とりわけ北米諸国において『死者の書』は、「良き死」の実現に資する書物として、死の教育（death education）や終末期ケア（terminal care）の活動の中で取り上げられることが多くなった。例えば、看護学者のアン・ブルースは、『死者の書』の読誦に耳を傾けながら最期の日々を送った、或るカナダ人女性について短い報告を行っている[6]。クリスティーナは娘を出産した直後、癌告知を受けた。芸術家であり、また仏教にも傾倒していたクリスティーナは、死が避けられないものであることを悟った。彼女は残りの人生を有意義なものにするために、癌に伴う身体的苦痛の緩和ケアについては友人の専門介護者にこれを依頼し、精神的なケアについては友人の仏教徒たちに声をかけ、自分が亡くなるまでの間、慈悲心を保つことができるように支えて欲しいと頼んだ。やがて死期が迫ると彼女は幾つかの別の注文もした。一つは娘と住んでいるアパートのベッドで最期を迎えたいということ、もう一つは壁の色を塗り替えたいということだった。仏教徒の友人たちはクリスティーナの要望に応え、彼女の部屋の壁を落ち着いたワインレッドとブラウンから、明るい黄色とクリーム色に塗り替えた。更に彼女は『死者の書』を読んで欲しいと友人たちに頼んだ。友人たちはクリスティーナの枕辺で順番に『死者の書』を読誦し、彼女と共に静かにそれに耳を傾けた。

クリスティーナが死を迎えるまでの間、仏教僧が彼女のもとを訪れることもあった。チャンリン・リンポチェは「良き死」に関する助言を彼女に与え続けた人物の一人である。このチベット僧は日頃から終末期を迎えた人々の精神的なケアに従事しており、ネパールからクリスティーナが住む町を訪れた際も、彼女の部屋を二度訪問した。彼の訪問はクリスティーナにとって思いがけないものであった。一度目は彼女が亡くなる一年半前。このとき彼は彼女に死の準備の為に有効な瞑想法を教えた。次に訪問した時、彼はクリスティーナがもはや瞑想の姿勢を保つことが困難な状況にあると判断し、意識の中で彼女が帰依する師僧の姿を観想するように指示した。これは彼女が亡くなる数か月前のことだった。やがて彼女に死が訪れた。遺族や友人たちは彼女の死後 49 日目に、その旅立ちと再生を記念してささやかなセレモニーを行った。

以上の報告には、チベット仏教徒が死を迎えるにあたって重視する幾つかの項目が含まれている。即ち、死の瞬間に明晰な意識を保つために痛苦の管理しておくこと、慈悲に満ちた穏やかな心で死を迎えること、家族や法友に囲繞されること、信仰を保ち、生死の連続性と死後の再生について意識することなどである。『死者の書』の読誦は、彼女が生死の連続性と死後の再生に関する信仰を保つ上で助けとなっただろう。また、以上の項目の幾つかは、ホスピスに於ける終末期介護の理念とも親和性を有している。特に、死を穏やかな心で迎える為の慈悲心の保持と疾病に伴う痛苦の管理は、患者の肉体的な苦痛を改め、精神的・心理的な苦痛を緩和し、安らかに余生を送ってもらえるような緩和ケアを提唱したシシリー・ソンダースの姿勢と契合する。今日、ホスピスや緩和ケアの分野に於いて仏教に対する関心が高まりつつあるのは、両者のこうした親和性に由来するのかもしれない。

終末期ケアに仏教思想を取り入れる試みは、特に北米諸国で際立った展開を見せている。サンフランシスコの禅ホスピス・プロジェクト（Zen Hospice Project）が推進するスピリチュアル・ケア・プログラム、サンタフェのウパヤ・禅センターの終末期ケア専門家訓練プログラム「死とともに生きる」(Being with Dying)、コロラドのナーローパ仏教大学が提供する瞑想を用いた終末期ケア・プログラム（Contemplative End-of-Life Care Program）等は、仏教思想と緩和ケアの融合を目指す実践の例である[7]。北米に於ける終末期ケア活動と仏教の接合は、同地域に於ける仏教徒人口の増加とも関聯している。今日、カナダではヌナブト準州などの北部地域を含むほぼ全域に仏教徒が分布し[8]、米国の仏教徒人口は約 140 万〜 280 万人に及ぶと推計されている[9]。北米に居住する仏教徒の中には、第二次大戦後に同地域に渡ったアジア系移民や、ベトナム、カンボジア、チベット等からの亡命者に加え、北米で生まれ育った第二世代の仏教徒が含まれている。

彼らが信仰する仏教伝統は多様だが、特に米国に於いては近年、各地にチベット仏教を学ぶセンターが創設され、教理研究や瞑想実践に従事する人口が急激に増加している。こうした状況に鑑み、看護学者マリリン・スミス・ストーナーは、チベット仏教徒がホスピスを利用する際の注意事項について幾つかの提言を行っている。例えば患者がチベット仏教の師僧による助言を求める場合に備えて、ホスピスのスタッフはチャプレンと師僧の面談の可否について事前に決めておかなければならない。また痛みを死の一部として捉えたいと願う患者については、緩和ケア措置がどの程度まで許容されるか予め相談しておく必要がある。病室内には患者が見える位置に仏画および仏像を配置した壇を設置する。患者の心を乱さないために病室では携帯電話を必ずマナーモードにし、身体への接触は最小限に留めるべきである。臨終の際は患者の身体の右側を下にして横臥させ、意識を上方に向けるために頭部を優しく叩く。死のプロセスは数日に渡って継続すると考えられているため、その間は遺体を動かしてはならない―などである[10]。

チベット仏教の生死観に基づいて最期を迎えたいと願う人々にとって、こうした配慮が好ましいものとして受け入れられる可能性は高い。だが、この種のガイドラインを厳格に適用することが妥当かどうかということについては議論があり得るだろう。死は個人的なものであると同時に社会的なものでもある。患者の望む死の在り方が、家族や友人たちの考えとは異なり、両者の間に思わぬ事態を誘起することはあり得る。また終末期ケアの現場に宗教的規範の厳格な適用を求めることで、円滑な介護活動が阻まれる可能性もある。例えばチベット仏教では仏教の戒律を保つ持戒僧が女性に接触することは禁じられており、そのため持戒僧の世話は男性の僧侶に任されるのが通例であるが、この規定を介護医療の現場にも適用すれば、女性スタッフの介護業務に支障を来すことになるだろう[11]。加えて、宗教的規範の厳格な遵守を介護従事者に徹底させることは、彼らに過度な精神的負担をかけることにもなり得る。こうした心的ストレスは彼らの介護活動に影響を与えるだけでなく、介護スタッフの行動の変化を敏感に感じ取る患者たちの精神状態にも悪影響を及ぼす可能性がある。ストーナーはこの点に配慮し、ホスピスの介護従事者は患者の病室に入る前に深呼吸をすること、また特定の宗教にコミットするスタッフに対しては、介護活動を始める前に祈りの言葉を述べるなどの対策を提案している。

旧友としての死

今日の中国、インド、ネパールなどに居住するチベット人の伝統社会に於いては、終末期を迎えたチベット人たちは一般に、西洋医学に基づく医療を受け容れつつ、しかし精神面でのケアについては依然として宗教者たちの助言を頼りにしている。医療技術の進歩により、死期はある限界内において伸ばしたり縮めたりすることができるようになったが、こうした技術の進歩は、死が不可避であること、また死は生の延長線上にあり、その先には現世の結果としての来世があるという彼らの信念には、今のところ何ら影響を与えていない。死と再生の教えは彼らの社会と個々の生活の中に深く浸透しており、日々の思考や行動は、程度の差はあれ、来世に影響を与えると信じられている。そして死への準備もまた、人生の晩年、或いは死の兆しが観察された瞬間から開始されるのではなく、彼らがその伝統社会の中で生きることになった時から自然に始まり、長い人生の中で意識され続けるのである。

仏教は死について深い洞察を行ってきた宗教伝統の一つであり、その教理、及び瞑想をはじめとする宗教実践は、死の不可避性の認識とその自然な受容とに結びついている。殊にチベット仏教徒の間では、死は宗教的解放を実現する好機であるとも考えられている。彼らにとって死は、人生の終焉である以上に新たな精神への幕開けとして意識されている。チベット僧たちは、死についての彼らの信念を次のように表現する。

> 我々は死、及びそれに起因する恐怖と向き合うことを望まない。しかしこの不都合な真実から逃げることは私たちのためにならない。この現実は、最後には結局、私たちに追いつく。私たちが人生の中で死を無視し続ければ、死は大きな驚きとなって現れる。そうなれば、その状況に対処する方法を学ぶ時間もなく、私たちを死の領域へと巧みに導く智慧や慈悲を養う時間もないだろう。だが、私たちがもし死の顔を直視するならば、死との出会いは甚深な体験に変容し、それが私たちの精神の旅に

計り知れない恩恵を齎すということを確信することになるだろう。[12)]

最期に死がやって来た時、あなたは古くからの友人のようにそれを歓待するだろう。そして現象世界に於ける現実の夢幻性と無常性に気づくのである。[13)]

ここでは死は、あらかじめ予測されていて、当事者と家族の信仰生活を少しも停止させたりしない事故と考えられている。死が予見不能な事故である以上、日頃から死の対策と準備を怠ってはならない。死への準備の中核を成すのは、悪行の懺悔と善の蓄積であり、また死期が迫っていると感じている人々の中には、聖地巡礼の最中に、或いは高僧の法話を聴聞しながら最期を迎えたいと望む者も少なくない。しかし、こうした行為や感情は、死期が迫った人々の中に排他的に見いだされるものではなく、彼らの普段の生活の中で日常的に観察されるものである。このように伝統社会の中で生きるチベット人たちにとって「良き死」とは、普段から慣れ親しんだ宗教的環境の中で死を迎えること、別言すれば、いつもと何も変わらない日常の中で最期を迎えることに他ならない。

ヒンドゥー教における救済と死

チベット人はその死と再生に関する信念の大部分をインドの宗教伝統に負っている。チベット人と同様、インド人にとっても人生は「良き死」を実現するための準備期間として意識されてきた。アナンタナンド・ランバチャンは、ヒンドゥー教徒にとってはアーシュラマ、即ちインドの伝統的な人生区分である四つの住期が、死を受け入れる為に必要な精神的成熟を実現するための道程であったと指摘している[14)]。

生の本質が苦であると説く仏教は世俗的快楽に対して概ね否定的な態度を取る。だが、ヒンドゥー教徒は同様の前提を共有しつつも、人生のある段階において感覚的・物質的な享楽を謳歌することを認める。彼らが思い描く良き人生とは、物質的欲求を控え目に満たし、感覚的快楽を享受し、やがて徳に導かれ、最期に解脱という頂点に辿り着くことである。アーシュラマの最後の二期—林棲期、及び遊行期—に於いて、ヒンドゥー教徒たちは、物質的欲求からの離脱と、宗教的解放の達成に向けて努力を傾注する。彼らは聖典を学び、ヨーガを実践し、断食・巡礼を行い、彼らが個々に崇拝する神の名を唱えながら人生の最期を迎えるのである。この段階で重要になるのは、死が不可避であり、それが人間存在の平凡且つ普遍的な徴表であることを再認識することである。死の不可避性を認識するために、ヒンドゥー教徒たちはしばしば『バガヴァッド・ギーター』の次のような一節（詩節 2-27）を引用する。

> 生れた者にとって死は必定であり、死んだ者にとって生は必定であるから。それ故、避けられぬことがらについて、あなたは嘆くべきではない。[15)]

死は生の連続性からの逸脱ではない。人生の最終段階において期待されるのは、死の不可避性を自覚し、死に対する恐れを克服して、その接近を穏やかに見つめることである。これを可能にするためには精神の成熟が必要である。一アーシュラマに対するランバチャンの見方には、死の受容に関するインド人の信念、即ち、死を迎えるにあたっては精神の成熟が不可欠であり、また精神の成熟は様式化された道程を通じて実現され得るという信念が反映されている。だが、現実的なヒンドゥー教徒は、理想的な人生を歩むことができずに、精神が未成熟なまま死を迎えることになる人々が居ることも認める。その場合、家族や親戚、友人たちは、死期を迎えた人の苦悶や死に対する恐れを取り除くために最大限の努力を払う。死と向き合う人の前で聖典を読誦し、アートマンの不滅性を語り、肉体が滅びた後も精神は存続すると言い聞かせる。精神の不死性を認識して死の瞬間を迎えることは、ヒンドゥー教徒にとって「良き死」を構成する重要な要素の一つである。

トーマス・ホプキンスは、ヒンドゥー教徒の死後観を以下の三つの典型に分類している[16)]。一つは、死者は子孫たちの適切な儀礼の執行により、祖霊たちの世界で永遠の生と安らぎを得ることができるとする立場である。この場合に強調されるのは儀礼の力であり、死者の生前における儀礼の真摯な執行のみならず、その子孫たちによる儀礼の継続と反復が死者の運命を左右することになる。二つ目は梵我一如の実現による救済を信じる立場である。ここでは祖霊たちの世界は等閑視され、儀礼の実践も救済には直結しない。ただ智慧がブラフマンとアートマンの本来同一性を正しく認識することによってのみ、人間は生死・再生の循環、及びカルマの影響から解き放れ、死後は梵我一如という事態の中で永遠に生き続けることができる。そして三つ目の救済は神、とりわけヴィシュヌ及びそのアヴァターラに対する直向きな信仰と愛、献身によって救済が齎されると信じる立場である。神に対する信愛は、神像への一意専心、聖地巡礼、謙遜の態度、情熱的な歌唱などを通じて表現される。こうした行為を継続することで、人は死後に神のもとに導かれ、そこでの永生が約束されると信じられているのである。

死後の在り方に関する以上の三種の観念は、インド人の三つの異なった救済の在り方に基づいているが、これらは排他的な関係にあるのではなく、ヒンドゥー教徒の実際の信仰生活の中では相互に浸透し合っている。神に対する熱誠な信愛と献身を重視する人々が、祖霊たちの世界へ旅立った親のために儀礼を規則正しく継続することは決して珍しいことではない。ヒンドゥー教徒たちは、たとえそれが自己の信仰から見れば違和感のあるものであったとしても、家族の終末期に於いては当事者の宗教的願望を尊重しようとする傾向が強い。死者が赴く場所が何処であれ、それが同じヒンドゥーの伝統から生まれたものである以上、彼らは異なる救済の在り方を認め、またそうすることがヒンドゥー教徒としての義務を果たすことになると考えている。

『死者の書』と同じように、ヒンドゥー教にも死を迎えつつある人の為に読誦される聖典や聖句がある。ヒンディー文学史上最高の詩人と称されるトゥルシーダース（Tulasīdāsa）の『ラームリャチットマーナス』（Rāmacaritamānasa）はその一例であり、この書物は現在でもインドの終末期医療施設で読誦されることが多い。トゥルシーダースはバクティ運動が北インドを席巻していた16世紀、ヴィシュヌ派ラーマ信仰を民衆に弘める為にこの書物を著したと伝えられる。クリストファー・ジャスティスは、ガンジス川沿いに位置するヒンドゥー教の一大聖地ワーラーナシーにあるムクティ・バワン（Mukti Bhavan）と呼ばれる施設で、この書物が聖職者によって読誦される様子を次のように描写している。ムクティ・バワンは「解脱の館」という意味で、死期が迫ったヒンドゥー教徒が家族と共にここに移り住み、その瞬間を待つための施設である。

労働司祭の一人が『ラームリャチットマーナス』を収録した大きな書物

> をもって部屋から部屋へと移動する。宗教的な物語を聞くことは、精神的な恩恵に与る一つの方法である。そのため労働司祭は部屋ごとに20分程度の時間を割いてそれを読み、説教的な態度でその数節について説明を行う。彼は木製の折り畳み式ベッドの上で胡坐をかき、家族は床に座ってその話に耳を傾けている。朗読は死を迎えつつある人の為に、死期が迫った人に向けて行われるが、司祭の話に一番関心があるのは大抵、その家族である。[17)]

ワーラーナシーで最期を迎え、ガンジス川に遺灰を流すことは、ヒンドゥー教徒にとって理想的な死の在り方の一つでもある。ムクティ・バワンで死の瞬間を待つことを選択した人々の中には貧困層も少なくないが、彼らはそのためには蓄財を惜しまない。ムクティ・バワンでは絶えず神の名が唱えられ、神の名を聞きながら死の瞬間を迎えることができるように配慮されている。

同じくトゥルシーダースの作と伝えられる『ハヌマーン・チャーリーサー』(Hanumāna cālīsā) も、インド北部から中部にかけての広い範囲で、病に苦しむ人々や死を迎えつつある人の前で朗読されることが多い。この聖典は、インドの長編叙事詩『ラーマーヤナ』に登場するハヌマーンを讃える40の詩文から成っている。この他、死期を迎えた人々が唱える短い聖言としては、ガーヤトリー・マントラ（Gāyatrī Mantra）やマハームリティユンジャヤ・マントラ（Mahāmṛtyuṃjaya Mantra）などがある。このうち、マハームリティユンジャヤ・マントラ（死を克服する偉大なるマントラ）には、熟れた実が蔓から易々と落下するように、死が無痛であって欲しいという願いが込められている。

> 我々は三つの眼を持つ王、香り高く、繁栄を齎すシヴァを崇拝する。熟した実が蔓から落ちるように、かの方が我々を死から解放し、不死を齎さんことを[18)]。

儒教と「良き死」

疾病に伴う痛苦への対処も信仰と無関係ではない。末期癌患者の緩和ケアに関する幾つかの調査[19]に依れば、中国人は米国人に較べて痛みの報告や鎮痛剤の投与を躊躇う傾向が強いという。その理由についてエドゥイン・フェイは以下の三点を挙げている[20]。一つは、痛みの体験は価値の獲得を目指す道に於いて不可欠であり、それゆえ痛みに耐えることは一つの徳に繋がると考える儒教的思考である。彼は中国人の意識に浸透するこうした思考的傾向を示すために、『孟子』(告子章句下) の一節を引用する。

> 天がある人に大任を負わせようとするときは、必ずまずその人間の精神を苦しませ、その筋骨を疲れさせ、その肉体を飢えしめ、その生活を窮乏させ、その行動が所期に反するようにさせる。これは、その人間の心を感奮させ、本性をじっと持ちこたえさせて、今までできなかったこともできるように、鍛錬するためである。一般に人は、過失をしてはじめて改め、心に苦しみ思慮に余ってはじめて発奮し、煩悶苦痛が顔色音声に現れるほどになってやっと心に悟るものである。[21]

フェイは次に、中国人には医師に家父長的イメージを重ね合わせる傾向があると指摘している。彼の意見に依れば、伝統的な中国人社会では、患者が医師よりも年長の場合でも、医師は患者よりも上位の存在と見做されることが多い。また闘病生活が長期にわたり、病状の快復が思うように進まない場合、患者は医師が自分のことを「悪い患者」(bad patient) と見做すのを気に掛ける。このような医師と患者の関係の中で、患者は医師にとって良き患者として振る舞い、医師に迷惑をかけないように気を配ることで、その「社会的責任」を果そうとする。フェイに依れば、中国人の患者およびその家族が疾病や治療に伴う痛苦の率直な報告を躊躇う背景にはこうした思考的傾向があるという。また西洋医薬に対する不信感も、彼らが鎮痛剤の投与を躊躇する理由の一つとなっている。西洋医薬の過剰摂取が社会的な死を齎すという感覚は根強く、そのため患者は痛苦の緩和よりも、家族との交流を続ける為に、明晰な意識を保つことのほうを優先する傾向があるという。

この他、中国人の痛苦に対する態度の根底には、報い (報應) の概念があるという指摘もある。遺伝性癌に対する中国系オーストラリア人の見方について調査を行ったモーリス・アイゼンブルッヒは、彼らは欠陥遺伝子や突然変異といった西洋医学の理論を受け入れる一方で、痛苦の体験を祖先が為した悪行の報應として認識する傾向があると指摘している。或る中国系オーストラリア人は次のように述べている。

> 祖先たちが為した事が彼女（癌患者の女性）を苦しめているのでしょう。例えば祖先が悪事を為したり、悪しき人生を送ったり、他人に何か悪いことをしたり、人を殺めたりしたとか。祖先たちは自分が為したことについて罰を受けませんが、子供や子孫はそれによって苦しむことになるのです。彼らは自分の子供たちや孫たちが苦しみ、死んでいくのを見ることになります。[22)]

痛苦の体験は祖先が為した悪事の報いであるが、それに耐えれば祖先の負債を清算し、報應の連鎖を断ち切ることができる。こうした信念が医療現場に於ける痛みの緩和や鎮痛剤投与の拒否という態度で示されるのである。

しかし、フェイが指摘したような理由で痛苦の緩和を拒否する中国人は、実際にはそう多くないかもしれない。一地域の調査結果に過ぎないが、2014年に香港の非営利団体・善寧會（The Society for the Promotion of Hospice Care）が719名を対象に実施した調査に依れば、中国人が「良き死」を構成する要素として選んだのは、一位から順に、(1) その死が痛みを伴わないものであること（painless death）、(2) その死が遺族にとって良いものであること（things good for the bereaved）、(3) その死が死者にとってよいものであること（things good for the deceased）、(4) その死が身体の保存と葬礼に係る伝統的思想に即したものであること（traditional thoughts concerning preservation of body and funerals）であった[23)]。

ところで、この結果の中で興味深いのは、「遺族にとって良い死であること」が「死者にとって良い死であること」よりも優先されるという点である。周知の通り、中国人の伝統社会において死は、死者・家族・子孫の統合を重視する儒教の宗教性と深く結びついている。加地伸行は儒教の宗教性について、「儒教の宗教性とは現世を快楽とする東北アジア人の現実感覚にふさわしい死ならびに死後の説明理論である。そしてそれは、具体的には祖先崇拝として存在する」[24)] と述べている。宗教としての儒教の特徴は、生命論としての「孝」を強調し、これによって家族論を展開する点にある。儒教に於ける「孝」は本来、祖先祭祀の継続、父母に対する敬愛、子孫を残すという三つの行為を基柱としている。これら三つの行為の反復・継続によって家族の過去・現在・未来が統合され、そこに一族の生命の連続性という観念が生じる。この「生命の連続性」こそが儒教の宗教性の中核である。この宗教性は長い時間をかけて、東北アジア人の家族生活や習俗の中に深く浸透し、儒教文化圏の人々に内面化されてきた。蔡林海は「儒教が今日においてもしたたかに生き残っているのは、実にこの宗教性の健在によるものである」と述べ、更に「現在、儒教思想の内容については、時代と社会構造の変化とともに、その哲学思想と道徳倫理思想の力はすでに衰えてしまっている。しかしながら、その宗教思想の方は依然として健在で、しかも、東洋諸国では内面化されている。」と指摘している[25]。

生命の連続性を重視する人々にとって、一族との繋がりを感じながら死を迎えること、具体的には死にゆく者の枕辺に家族が立ち会うことは極めて重要である。家族の現前は「孝」を全うした充足感と、一族の生命の連続性の中で死を迎えることができるという安心感を彼に齎す。こうした死の在り方は、儒教文化圏で生きる人々にとって「良き死」を構成する重要な要素に他ならない。そのため中国人は親の臨終の際に家族・宗族が集まることを重視し、医療関係者に対して患者の病状を逐一報告するように要求する傾向が強い。もし親の最期を看取ることができなければ、遺族は強い罪悪感に苛まれ、精神的混乱を来す場合もある。或る資料には、親の最期に立ち会うことができなかった遺族の悲痛な感情が吐露されている。

> 親が亡くなる時に側に居ることが出来ず、私はひどく落ち込みました。ご存知の通り、中国人にとって親の臨終に立ち会うことは極めて大切なのです。もし看護師が私に、もう２時間早く連絡をしてくれれば、状況はもっと良かったはずです。[26]

死を迎えつつある人の枕辺に家族が集まって別れを告げることは孝の行為の一つであり、これは死を迎えつつある親にとっても「良き死」の条件の一つである。子供たちの現前は親に完遂の感覚をあたえる。子供たちがみな結婚し、孫たちが病床に集まれば、親は自分が一族の生命の連続性の保持と繁栄を守る義務を果たしたと感じる。特に長男の立ち合いは重要であり、もし長男が不在であれば、それは親の死を悪しき死に変えてしまうことにもなりうる。

以下の事件は儒教における「良き死」の条件を良く描き出している[27]。2009年12月22日、ミセス・パンは交通事故に遭遇し、頭部に甚大な損傷を負ってロンドン市内の病院に搬送された。診断の結果、回復の可能性は無いと判断され、担当医は彼女の夫に対し30分以内に生命維持治療を停止すると告げた。夫は1995年に香港から英国へ移住した後、英国警察と英国軍で働き、二人には三人の息子があった。香港に滞在していた二人の息子は、母親の事故の連絡を受けて飛行機でロンドンに向かっていた。パン氏は息子の到着を待ってくれるよう医師に繰り返し頼んだが、彼の要求は受け入れられなかった。夫の強い抵抗をよそに30分後、ミセス・パンの生命維持装置は外された。数時間後に息子たちが到着した時、母の遺体は遺体安置所に移されていた。この事件は香港のメディアで大きく取り上げられ、世論は中国人の「良き死」の在り方を無視した英国人医師の文化的感受性（cultural sensitivity）の欠如を非難した。恐らく、たとえ昏睡状態にあったとしても、息子たちが親の死を看取ることは、彼らが宗教上の義務を果たす上で不可欠な手続きだったのである。

おわりに

カナダのホスピス緩和ケア協会（The Hospice Palliative Care Association）は、補助医療に係る基本理念として「人生の意義という概念」（The notion of meaning in life）と「当事者の統合性」（The integrity of the person）を重視し、「ホスピスの緩和ケアは、当事者とその家族が、彼らの人生と病の体験の中に意義を見出すことを支援する」（Standard 5）、「ホスピス緩和ケア介護は、自我・人間・家族の統合性を保全する」（Standard 6）等の基本方針を採択した[28]。だが、こうした理念を実現するためには先ず、当事者が依拠する文化的・社会的背景が考慮されなければならないだろう。いかなる態度が死期を迎えた人々にとって適切であるかは、当事者の文化的・社会的背景と密接な関係がある。殊に終末期に於ける人間およびその家族の心的健康を保全する為には、彼らが依拠する文化・社会の諸要因を勘案することが不可欠となる[29]。この場合、文化的・社会的要因として想定されるものは多様だが、世界的な視野に立って現代の死を巡る状況を俯瞰すれば、宗教的要因が終末期を迎えた人々の心的健康を左右する傾向は依然として強い。人生の終末期を介護施設等で迎える人々が増加すれば、宗教的信仰を含むこうした諸要因を尊重した、文化的感受性に基づく医療行為・看護活動の実践が求められることになる。このような議論には我が国の将来に於ける終末期医療の課題を予感させるものがある。

但し文化的感受性の向上は医療従事者側に片務的に負わされるべき課題ではなく、異なる文化的背景を有する双方の主体が意識しなければならない双務的な問題でもある。伝統宗教に深い信仰を寄せつつ、一方で現代的な医療を受け入れることを選択した者には、自らの宗教的信念を現代医療との関係の中で捉え直すことも求められる。例えばローマン・ジョヴィの研究に依れば、イスラーム教徒の中にはオピオイドのような強力な鎮痛剤を投与することを拒否するケースが少なくないという[30)]。その背景には、精神薬理学に対する違和感や、痛覚閾値の個人差を考慮せずに同じ薬剤を投与することに対する抵抗感、また宗教的な訓練を通じて痛みを制御することができるという彼らの信念がある。だが一方で、以上のような理由から緩和ケアを拒むことはイスラーム法に背く行為であるとする見方もある。サヒード・アタルは、緩和ケアの拒否が死を早める要因となればそれは自死と等しく、これはシャリーアに背く行為であるとしている[31)]。後者の立場には、新たな医療技術を伝統宗教の文脈に即して解釈することで、その導入を差し障りのないものにしようとする意図があるようにも見える。このように現代医療と伝統宗教の間には、相互的排除や一方的譲歩とは別の、双方の歩み寄りという傾向も生まれつつあるのである。

伝統宗教は死の在り方に関する長い洞察の歴史を有し、死が人間にとって良きものとなるための作法や提言、死の恐れを緩和するための様々な様式を編み出してきた。本論で取り上げた伝統宗教に於ける死の在り方に共通するのは、それが様々な仕方で生と死の連続性を示し、死の先の道について説いているということである。伝統宗教は死に対する人々の恐怖の緩和し、結果として人間が死を穏やかに受け入れることを助けてきた。だが、今日の社会に於いては、しばしば宗教者の言説に於いてさえ、死の先の道について語ることが忌避されつつある。そうした状況下では、死を迎えつつある人の視線は専ら生へと向けられ、周囲の人々の努力は、その人の人生が良きものであったこと、或いはそれほど悪いものではなかったことを納得させることに注がれる。死は人生の到達点として認識され、全ての終焉として意識される。死が終焉である以上、死への準備は人生の総括という性格を色濃く持つことになる。そこでは残された人々に迷惑をかけない潔い死が求められる。この場合の「良き死」とは、生き残っている者たちに受け入れられ、容認されるような死のことである。

「良き死」として観念されるものは多様である。だが、死後の道と生死の連続性の観念を欠いた死、生の終焉としての死は普遍的なものとして受け入れられるだろうか。伝統宗教は死に関する長い洞察を通じて「良き死」の在り方を提示し、人間が死を受け入れ、穏やかに死を迎える為の知恵と、死の悲しみを緩和するための方法を編み出してきた。現代に於ける「良き死」の在り方、より好ましい死の迎え方について考える時、現代人が伝統宗教から学ぶことは多い。このように考えるとき、伝統宗教の役割は益々重要なものになっていると言えるのである。

註

1) フィリップ・アリエス『死と歴史―西欧中世から現代へ』（伊藤晃・成瀬駒男訳）みすず書房、1994［1983］年、69頁。
2) フィリップ・アリエス、前掲書、70頁。
3) フィリップ・アリエス、前掲書、74頁。
4) Yukari Hayashi, Barrie McLean & Hiroaki Mori, *The Tibetan Book of the Dead: The Great Liberation*, National Film Board of Canada, 1994; Jean-Claude van Itallie, *Tibetan Book of the Dead or How Not to Do It Again*, at La-Mama ETC in NYC in 1983; Ricky Ian Gordon, *the Tibetan Book of the Dead*, at Houston Grand Opera, and The American Music Theatre Festival in 1996.
5) C・G・ユング『東洋的瞑想の心理学』（湯浅泰雄・黒木幹夫訳）、創元社、61-89頁。
6) Anne Bruce, "Welcoming an Old Friend: Buddhist Perspectives on Good Death," in *Religious Understandings of a Good Death in Hospice. Palliative Care*, edited by Harold Coward and Kelli I. Stajduhar, State University of New York Press, 2012, pp.51-75.
7) 米国の終末期ケア活動に於ける仏教の影響については以下の研究がある。K. Garces-Foley, "Buddhism, Hospice, and the American Way of Dying," in *Review of Religious research* 44(4), 2003, pp.341-56.
8) Bruce Matthews (ed.), *Buddhism in Canada: Routledge Critical Studies in Buddhism*, Routledge, 2006.
9) Tom W. Smith, "Religious diversity in America: The emergence of Muslims, Buddhists, Hindus, and others," in *Journal for the Scientific Study of Religion*, 41(3), 2002, pp.577-85.
10) Marilyn Smith-Stoner, "End-of-Life Needs of Patients Who Practice Tibetan Buddhism," in *Journal of Hospice and Palliative Nursing* 7(4), 2005, pp.228-233.
11) 平岡妃女著『クショラー』（御法インターナショナル、2009年）には、癌に罹患したチベット僧の終末期介護に従事した女性の活動が詳細に記録されている。その中で彼女は、持戒僧であったチベット僧が苦しんでいる時「体をさすってあげられなかったことが特につらかった」と述懐している。
12) Dzogchen Ponlop, *Mind Beyond Death*, Snow Lion, pp.1-2.
13) Sushila Blackman, *Graceful Exits: How Great Beings Die* (*Death stories of Hindu, Tibetan Buddhist, and Zen masters*), Shambhala, 2005, p.31.
14) Anantanand Rambachan, "Like a ripe fruit separating effortlessly from its

vine: religious understandings of a good death: Hinduism," in *Religious Understandings of a Good Death in Hospice. Palliative Care*, edited by Harold Coward and Kelli I. Stajduhar, State University of New York Press, 2012, pp.29-50.

15) 上村勝彦訳『バガヴァッド・ギーター』岩波文庫、岩波書店、2015［1992］年、36頁。

16) Thomas J. Hopkins, "Hindu Views of Death and Afterlife," in *Death and Afterlife: Perspectives of World Religions*, sdited by Hiroshi Obayashi, Greenwood Press, 1992, pp.143-55.

17) Christopher Justice, *Dying the Good Death: The Pilgrimage to Die in India's Holy City*, State University of New York Press, 1997, p.100.

18) Ralph T. H. Griffith (tr.), *The Rig Veda*, Digireads.com Publishing, 2013.

19) Lin, C-c., P. Wang *et al.*, "Identifying attitudinal barriers to family management of cancer pain in palliative care in Taiwan," in *Palliative Medicine* (14), 2000, pp.468-69; Chung, Tai-ki, P. French *et al.*, "Patient-related barriers to cancer pain management in a palliative care setting in Hong Kong," in *Cancer Nursing* (22:3), 1999, p.200.

20) Edwin C. Hui, Danny C. Leung, "Chinese Religions and Hospice Care," in *Religious Understandings of a Good Death In Hospice Palliative Care*, edited by Harold Coward, Kelli I. Stajduhar, State University of New York Press, 2012, p.157.

21) 宇野精一・平岡武夫編『全釈漢文大系・第二巻・孟子』集英社、1973年、443頁。

22) M. Eisenbruch, S. Yeo, B. Meiser, D. Goldstein, K. Tucker, K. Barlow-Stewart, "Optimizing clinical practice in cancer genetics with cultural competence: Lessons to be learned from ethnographic research with Chinese-Australians," in *Social Science and Medicine* (59), 2004, p.242.

23) Edwin C. Hui, Danny C. Leung, "Chinese Religions and Hospice Care," in *Religious Understandings of a Good Death in Hospice Palliative Care*, edited by Harold Coward and Kelli I. Stajduhar, State University of New York Press, 2012, pp.147-148.

24) 加地伸行『儒教とは何か』中公新書、中央公論新社、1990年、49頁。

25) 蔡林海「日本的経営と儒教思想」、『年報筑波社会学（3）』、筑波社会学会、1991年、58頁。

26) Wong, M-s., and S. W-c Chan, "The experiences of Chines family members of terminally ill patients: A qualitative study," in *Journal of Clinical Nursing* 16 (12), 2007, p.2361.

27) Lucy Ballinger, "Did hospital turn off mother's life support machine to save cash?" in *Mail Online* Case: A0113. http://www.dailymail.co.uk/news/article-1247807/Did-hospital-pull-plug-mother-Lai-Mai-Pang-Cheung-save-cash.html. (Accessed Jan. 18, 2016); Eleanor Harding, Battersea woman's life support cut "without family's permission." *Guardian.co.hk*, Case: A01113. http://www.yourlocalguardian.co.uk/news/4881529.Wife_s_life_support_cut__without_family_s_permission_/ (Accessed Jan. 18, 2016).
28) Jacquie Peden, Darlene Grantham and Marie-Josée Paquin, "Hospice Palliative Care Nursing Standards: How do these apply to our practice?" in *Perspectives in hospice palliative care: Nursing*, Edmonton: Pallium Project, 2005, p.2-3.
29) 終末期を迎えた人間の精神上の健康に対する文化的・社会心理的要因の影響に関する研究については以下の論文を参照。S. M. Albert *et al.*, "Cross-cultural variation in mental health at end of life in patients with ALS," *Neurology* (68), 2007, pp.1058-61.
30) Roman D. Jovey, "Opioids, pain and addiction," in *Managing pain: The Canadian healthcare*, edited by R. D. Jovey, Healthcare and Financial Publishing, 2002, pp.63-77.
31) Shahid Athar, "Ethical Decision Making in Patient Care: An Islamic Perspective," in *Health Concerns for Believers: Contemporary Issues*, Kazi Publications, 1996 [1995], pp.79-84.

Various Aspects of a 'Good Death' in Asian Religions

by Shinichi TSUMAGARI

It is well known that the French historian Philippe Ariès pointed out that modern societies have the tendency to consider death ignominious and taboo. In his *Essays on the history of death in the Western World: from the Middle Ages to the Present* (1975), he has written in great detail about the very rapid rate of change in social attitude to death over the last one hundred years. He argues that in the course of the twentieth century an absolutely new type of dying has made an appearance in some industrial societies. In addition, he claimed that society has banished death, death has been driven into secrecy, and that in the face of death 'society no longer observes a pause.'

What he pointed out may be partly true in some societies still today. But if one looks out over the world, it can be seen that death still remains as a stark reality that people must face up to, and that the expression of grief is also widely accepted as a natural attitude of human beings who have experienced the death of loved ones. This is especially true for those who are living in societies where the philosophies of traditional religions penetrate deeply into the details of people's lives and contain not only a code of ethics, but also specific guidelines and standards for people's actions. Such guidelines can include looking straight at death and contemplating the meaning of life and death. These behaviors play an important role in reconfirming people's religious faith as well as in their performance of religious duties. In recent years, however, such traditional attitudes toward death also have begun to be affected significantly by the rapid changes in social conditions and medical treatment technology. Therefore in this paper, the concepts of a 'good death' in three Asian traditional religions, including Tibetan Buddhism, Hinduism, and Confucianism will be examined, and the current status and issues surrounding this in these religions will be investigated.

〈論文〉

継続する絆をつなぐ宗教的資源

――東日本大震災の被災者支援の現場から――

谷 山 洋 三

1. 継続する絆

フロイトを出発点とする精神医学においては、故人との執着が病理的に捉えられ、故人を忘れることが勧められていた。ところが近年のグリーフケア研究では、これは必ずしも効果的ではなく、むしろ故人との「絆」が続いていて、その繋がりを再構築するべきだ、という理解が広がっている。そのなかでも、Dennis Klassが提唱した「継続する絆（continuing bonds）」という概念は、日本人の宗教行動がモデルになっている（ベッカー2012: 208）。Klass（1996）が注目した点を要約すると次にようにまとめられる。

・仏壇や位牌を大切にし、あたかもそこに故人が存在するかのように振舞う行動がみられる。
・墓参でも同様の行動がみられる。
・お盆には、故人の「たましい」を家に招き、数日逗留してもらってから見送る。

このような行動が、死者との絆を維持し、死者との関係を健全に再構築することに役立つという。

本研究では、東日本大震災後の被災者支援活動に見られた、位牌、数珠、地蔵などの宗教的資源を活用したグリーフケアのアプローチを紹介し、死別を経験した人たちにとっては、このような宗教的なアプローチが公共空間においても継続する絆をつなぐ方法になりうることを示したい。

2.「心の相談室」

2011年3月11日、東日本大震災の発災後、仙台仏教会有志は仙台市営斎場での読経ボランティア活動について検討を始めた。3月15日に仙台市担当者と火葬場での読経について協議し、17日に読経ボランティア活動が開始された。宗教的トラブルを避けるためのマニュアルを作成し、宗派に応じて無償で読経した。その後、3月末に仙台仏教会、仙台キリスト教連合、宮城県宗教法人連絡協議会が協力して「心の相談室」が設立された。「心の相談室」は宮城県宗教法人連絡協議会の事業として、4月4日から仙台市営葛岡斎場での相談活動を開始、キリスト教、仏教、神社本庁の相談員が待機し、その後天理教、立正佼成会の相談員も加わった。すなわち、斎場1階の炉前には前月から読経（及び祈り）の受付ブースが置かれていたのだが、それに加えて2階に心の相談ブースが設置された。

斎場での活動が許可されたのは4月末までだったため、その発展的展開として5月からは宗教者、医療者、グリーフケアの専門家、宗教学者が加わり、新生「心の相談室」が誕生した[1)]。これ以後は、事務局は東北大学大学院文学研究科宗教学研究室に置かれた。室長は、医療法人社団爽秋会理事長の岡部健医師、室長補佐は仙台キリスト教連合被災支援ネットワーク（東北ヘルプ）事務局長の川上直哉牧師、事務局長は東北大学宗教学研究室主任教授の鈴木岩弓教授が就任した。

「心の相談室」は、超宗教超宗派の立場から、スピリチュアルケアに基礎をおきつつ、「弔いとグリーフケア」を活動の中心に据えている。また、宗教者同士の連携だけではなく、医療福祉心理などの専門職との連携を見据えていることも、関係団体や賛同者の顔ぶれから推測できる。岡部室長が2012年9月27日に逝去した後も、組織改編をしつつ現在（16年1月1日時点、以下同様）でも活動を継続している。極めてユニークで、先進的な活動である。具体的な活動としては、次の5点がある。

(1) 講演会
(2) 弔い
(3) 移動傾聴喫茶カフェ・デ・モンク
(4) 電話相談

(5) ラジオ版カフェ・デ・モンク

これらのうち (3) 移動傾聴喫茶カフェ・デ・モンクは、避難所、仮設住宅集会所、災害復興住宅集会所などで実施されてきた、傾聴カフェである。11年5月15日の南三陸町の避難所を始め、主に石巻市内を中心にして、現在まで150回以上開催されている。(5) ラジオ版カフェ・デ・モンクは、地元のFMラジオ局の番組枠を買い取り、地元で最も有名なパーソナリティである板橋恵子氏が司会を務め、毎回各界の著名人や、被災地での活動者をゲストに招いた30分番組である。合計106回放送され、その内容は「心の相談室」のホームページで視聴できる[2)]。同じ「カフェ・デ・モンク」を名乗っているのは、傾聴移動喫茶で直接会うことのできない被災者のために、形は違えども少しでも雰囲気を味わってもらおうという思いがあったためである。なお、(4) 電話相談については、別稿で詳しく述べている（谷山・森田 2016)。

3. 傾聴移動喫茶カフェ・デ・モンク

カフェ・デ・モンクを主宰する金田諦應住職は、宮城県北部（内陸部）の栗原市内の曹洞宗通大寺の住職である。栗原市は、2008年6月14日に発生した岩手・宮城内陸地震で震度6強の被害を受けており、東日本大震災では震度7を記録している。金田住職は、2009年から自殺防止活動に参画していたため、地元では行政との関係も築いていた。東日本大震災の発災後は、県北部沿岸部の火葬場が機能停止に陥ったため、栗原市内の火葬場に遺体が移送されることになった。金田住職は火葬場での読経ボランティアを始めるべく、関係者と協議し、3月19日に許可された（金田 2012: 12)。

その後、4月28日は3月11日に亡くなった方々の四十九日の当たるため、僧侶だけでなく牧師も連れ立って、南三陸町での鎮魂行脚を行った。さらに、「火葬場での読経ボランティア・鎮魂行脚に関わった僧侶、それを支援してくれた仲間と移動傾聴喫茶『Café de Monk』が始まった」（金田 2012: 13)。ほぼ同時期に「心の相談室」に合流している。この喫茶店のテーマは、次のようにボードに掲げられている（金田 2012: 13)。

「Café de Monk」はお坊さんが運営する喫茶店です。Monk は英語でお坊さんのこと。もとの平穏な日常に戻るには長い時間がかかると思います。「文句」のひとつも言いながら、ちょっとひと息つきませんか？
お坊さんもあなたの「文句」を聴きながら、一緒に「悶苦」します。

筆者も、最初期からではないが、比較的初期からこのカフェに時々参加してきた。はじめのうちは避難所の庭先、つまり屋外での活動だったが、木製のテーブルや椅子、その上に置かれたクロスや生花、音楽とお香、無料で提供されるコーヒーやケーキも、普通の喫茶店かそれ以上のクオリティを保ったこだわりが見られた。数ヶ月間も避難所での生活を送ってこられた被災者にしてみると、一瞬であっても発災前の日常を取り戻したような思いになれたのではないかと想像する。

カフェの場で話される話題や雰囲気は、必ずしもカウンセリング的なものではなく、また宗教的なものでもない。お説教を依頼されても、できるだけ上手に躱して、どうしても断りきれないような時でも最小限にとどめた。むしろその場の雰囲気は、日常のおしゃべり、地元の言葉を使えば「お茶っこのみ」のようなものであった。もちろん、中には辛く厳しい経験を吐露される方もいたので、その時には僧侶や牧師は一生懸命傾聴する。しかし、そのような話題だけでなく、別のテーブルでは笑い声が聞こえるなど、自由に話ができる場になっていた。筆者が初めて参加したのは、11 年 6 月 12 日、石巻市郊外の漁村にある峰耕寺でのカフェだったが、避難所になっているそのお寺で暮らす年配の女性が「あぁ、こんなに笑ったのは久しぶりだ」と言っていた。私たちの支援活動への感謝のしるしとして、漁師をしている男性がバケツいっぱいのシャコをご馳走してくれた。

夏になると、多くの方が避難所から仮設住宅に移り住むようになり、カフェの開催地も仮設住宅の集会場にシフトしていった。時には、岩手県や福島県まで足を延ばすこともあったが、主な開催地は宮城県石巻市で、特に市内最大の仮設住宅「団地」となった開成地区では最も頻回に開催されている。開成地区は、本来は商業団地として造成され、たまたま広い区画がいくつも空いていたために、多くの仮設住宅が建てられたようだ。商業施設の中には結婚式場もあり、11 年 12 月 20 日には、僧侶と牧師が協力して、「クリスマス・ランチ・パーティ」が開催され、100 名以上が参加した。

写真1　クリスマス・ランチ・パーティで被災者に数珠を手渡す筆者（撮影：東北ヘルプ）

筆者もこのパーティに僧侶として参加した。この時には、希望者に腕輪数珠が配布されたのだが、たまたまそのブースの近くにいた筆者は金田住職とともに、その数珠を配布する係となった。金田住職からの指示で、単なる手渡しではなく、一人一人に対して「何か願い事がないか」尋ね、数珠を相手の腕にはめて、自分の手を添えてその願いを数珠に込める、という仕草を実施した。地元では新しい仏壇を購入したときに、「芯入れ」と呼ばれる入魂式を行うのだが、それに準じて「芯入れ」をしながら数珠を手渡す、ということだった。参加者のほとんどが数珠を希望したため、大行列になったのだが、「芯入れ」をする中には、嬉しそうに満面の笑顔になる方（写真1）や、涙を流して喜んでくれる方もいた。

2014年以降は少しずつ復興住宅が増えてきたので、復興住宅の集会所でカフェが開催されることもあった。また、2012年に始まった東北大学実践宗教学寄附講座主催の臨床宗教師研修の実習も受け入れているため、全国から参加した修了者が、地元に戻ってカフェ・デ・モンクを開催するケースが増えている。現在では、傾聴僧の会（京都市内のレストラン）、九州臨床宗教師会（熊本市内のルーテル教会）、関西臨床宗教師会（大阪市内の救世軍教会）、沼口医院メディカルシェアハウス・アミターバ（大垣市内のクリニック付属施設）、浦河ひがし町診療所・曹洞宗法光寺（北海道えりも町立交流館）、東京都内でも実施されている。

被災地である宮城県で始まった活動が、全国各地に広がっている。ただし、「元祖」である宮城での活動と、それ以外の各地での活動には大きな違いがある。それは、前者が「被災者」を対象にしているのに対して、後者はあまり対象を限定せずに「市民」を対象にしている点である。もう一つは、前者では、要望に応じて位牌、数珠、地蔵などが配布されるのに対して、後者では必ずしもそのような宗教的なアイテムが配布されない、という点である。後者では、教会や寺院を会場にしたり、あえて宗教服を纏うなどして宗教者であることを明確にしている。

次節以降では、宮城のカフェ・デ・モンクで配布されてきた、位牌、数珠、地蔵の配布が始まった経緯を確認し、その意義について考察したい。

4. 位牌、数珠、地蔵

金田住職が主宰する宮城のカフェ・デ・モンクは、11年5月から始まっているが、夏頃までは宗教的なアイテムといえるものは雰囲気作りとして焚かれる線香ぐらいであった。金田住職は、カフェでは「曹洞宗通大寺住職」とは名乗らず、「ガンジー金田」というニックネームを使用している。他のスタッフも同様である。僧衣も纏わず、あえて僧侶であることを主張しないのは、公共性への配慮である。他の宗教系団体も配慮している点であるが、現代日本社会では、公共空間に宗教者が宗教者として振舞うことについての是非が問われることがある。カフェ・デ・モンクも、「心の相談室」も、宗教協力を前提とし、布教伝道を目的としていない。カフェは僧侶中心であるが、時々牧師や神職が参加することがある。このように宗教色を薄めたり、もしくは宗教協力によって中和することで、宗教者による公共空間での活動にクレームがつかないように配慮してきたのである。

ところが、9月になると香川県の浄土真宗本願寺派の寺院から、支援物資として位牌が一千個も送られてきた[3)]。報道でも散見されたように、瓦礫撤去においても自衛隊員などが位牌だけは廃棄しないように気をつけていた。また、位牌は死者の依り代のように扱われており、地震が収まった後、仏壇から位牌を持ち出すために自宅に戻ったために、津波に飲まれてしまった方が数多くいたことも知られている。それほどに、特に東北沿岸部の被災地では、位牌は大切な存在なのである。位牌を失くした方、見つかったにしても傷ついていたりすると、新しい位牌を求めなくてはならない、しかし、衣食住にも困るような状況では、仏具屋さんに行くことも困難であった。そのた

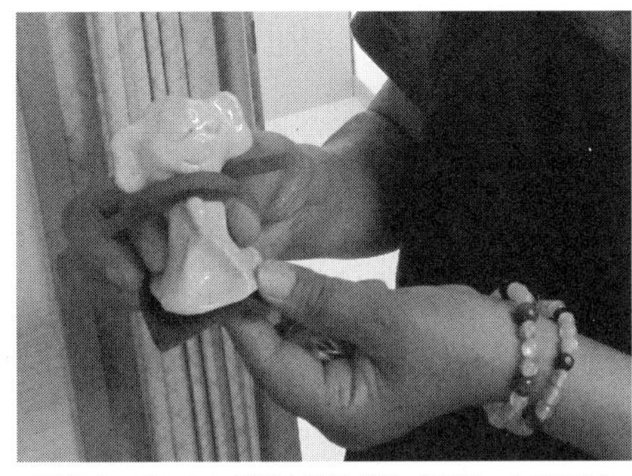
写真２　手のひら地蔵と腕輪数珠（撮影：金田諦應）

めか、カフェ・デ・モンクで未記名の位牌を並べたところ、時々それを希望する人が現れた。金田住職としては、単に位牌の修復のためだけではなく、カフェのコーナーとして位牌を飾ることで、亡き人についての話題が出やすくなるという。

数珠、とはいっても腕輪数珠だが、11 年 9 月には数珠も配布されるようになった。京都の数珠組合から、全日本仏教会を経由して三百個ほどの数珠を送られ、その後二千個追加されている。これも希望者に配布することになった。先に述べたクリスマス・ランチ・パーティでの数珠もこれである。その後、在庫がなくなると、ビーズで手作りするようになった（写真 2）。12 年 5 月からである。百円ショップで販売されているビーズと、伸縮する糸、それに僧侶たちが使用していた切れ落ちた数珠の玉を少しだけ追加して、カフェに参加した人たちが自分でデザインして作る、という時間が設けられた。もちろん、出来上がった時には「芯入れ」が行われる。

地蔵については、初めは宮城県南部在住の芸術家が、石を削ってできた高さ 8cm ほどの地蔵を送ってくれた。11 年 12 月前後のことのようだ。これも希望者に配布され、人気を博した。その後、12 年 5 月には栗原市内在住の有志が、粘土から作って焼成した地蔵を作って提供しはじめた。さらに同年 7 月には、新潟県の長岡西病院ビハーラ病棟に入院している末期がん患者の女性が、手作りの布地蔵（着物の端切れを縫い合わせたもの、写真 3）を定期的に数十個送るようになった。同年 11 月には、数珠と同様に、カフェの参加者が自分で作れるようになった。「手のひ

写真３　布地蔵（撮影：谷山洋三）

ら地蔵」と呼ばれる（写真2)。粘土をこねて、地蔵の体、頭、耳、鼻などを形作り、それらのパーツを合わせてくっつけ、最後に彫刻刀の先で目と口を象るといった具合である。背部に製作者・故人の名前、住所を彫刻刀で書き入れる。金田住職が一旦持ち帰り、栗原の有志に焼成してもらい、次のカフェで会えた時に出来上がりを手渡すことになる。地蔵らしく赤いよだれかけと、座布団もセットされ、手渡すときには「芯入れ」が行われる。

金田住職によると、このような宗教的なアイテムの配布には、いろいろと気を遣ってきたという。あくまでも希望者だけを対象にして、押しつけや宗教的な宣伝という誤解が生じないように、少しずつ周囲の反応を見ながら、慎重に対応していた。

また、「数珠や地蔵を飾ることで、位牌と同様に故人に関する話や、被災時の話をするきっかけになる」という。自分で作成するときにも同様だと言われる。しかし筆者は、それだけではなく、別の作用もあり得ると考える。トラウマのような出来事は、話すことでそのときの苦悩が再燃してしまうことがある。宗教的なアイテムを自分で作成するときには、話せないことを話さなくてもいいが、その思いを祈りに変えて昇華することもできるのではないかと思う。例えるならば、千羽鶴を折るような心境に近いのではなかろうか。

5. 弔いのために

位牌、数珠、地蔵はどのような目的に用いられているのだろうか。カフェ・デ・モンクで出会った方々の言葉を正確に記録してはいないのだが、筆者の印象としては次のように感じられる。

位牌については、かつて誰かが亡くなり、一度は位牌を作ったものの、それを修復・再生することを目的として、支援物資である位牌を望むのであるから、故人の存在が不可欠であり、明らかに故人を意識していると言えよう。

数珠については、故人を意識して「うちは３人亡くなっているから、数珠は３つ欲しい」という方もいるが、健康、長生きなど現世利益を願って芯入れをすることも少なくない。稀なケースだが「孫が幽霊を見て怖いというので、このお地蔵さんをもたせたい」と願う人もいた。腕輪数珠というもの自体、震災前から「パワーストーン」のようにお守りのように扱う風潮があり、カフェ・デ・モンクでもそれと同様の意味づけをする人も少なくない。しかし、単なる「ブレスレット」では効果がなく、「数珠」だからこそお守りになり得るのであろう。このようなケースもあった。

「和尚さん、私はこのブレスレットを（ショッピングセンターで石を買って）自分で作ってきたんだけど、このままだとただのブレスレットだから、芯入れしてくだい」と依頼されて、筆者が芯入れをしたことがある。芯入れをしたことによって、その人にとっては「ブレスレット」から「数珠というお守り」に変化したのであろう。

地蔵については、粘土から自作したものについては、故人の名前を刻んでいることが多く、明らかに故人を意識している。亡くなった犬や猫の顔をした地蔵も時折見受けられる。布地蔵については、故人を思って仏壇に供える人もいるのだが[4)]、他方で故人を意識しているとは限らない例もある。例えば「かわいいお人形さん」といって所望する人の場合は、もちろん地蔵をモチーフにしていることは理解しているのだが、弔いの意識は薄いだろう。また、数珠と同様に「幽霊よけ」を目的としているケースもあった。

このように、位牌については故人の存在が前提となり、まさに弔いのために用いられていると言えるが、数珠と地蔵については、すこし広がりがあり、故人を意識しているケースだけでなく、お守りや幽霊対策として用いられることもある。

なお、カフェの参加者の中には「私は神道だからいりません」という人もいるため、金田住職は押し付けにならないように配慮し、希望者だけに配布・作成している。

さて次節以降では、故人を意識して用いられる位牌、数珠、地蔵といった宗教的アイテムの意義について考察しよう。つまり、特定の教義的信仰を意識したものなのか、それとも習俗的なものなのか、ということである。被災者の思いを確認することでそのことを明らかにすることもできるが、筆者の経験だけでは心許ない。そこで主体を替えて、ケアを提供する側の視点から、スピリチュアルケア、宗教的ケアのアプローチの違いを巡って、宗教的アイテムの意義を考察してみたい。

6.　宗教的資源の活用

宗教的資源の活用とは、スピリチュアルケアと宗教的ケアの、具体的なケアの方法としての共通点、もしくは共通領域に位置する。スピリチュアルケアはケア対象者中心のアプローチが基本であり、代表的な方法として傾聴がある。宗教的ケアはケア提供者の専門知識や経験が不可欠であるため、ケア提供者中心であり、代表的なアプローチとしては教えを説くこと、教化がある。

両ケアは、ケア対象者のニード、要望に即していることが基本であり、宗教的ではないものを含めて様々な価値観や世界観を、ケア対象者とケア提供者が共有することによってケアが成立する。スピリチュアルケアではケア提供者がケア対象者に寄り添い、宗教的ケアではその逆になる。

両ケアには共通領域があると言われているが、ケアのアプローチ方法に注目することによって共通領域が明らかになり、筆者はこの領域を「宗教的資源の活用」と名付けている（図１）。教化までは至らない宗教的行為がここに当てはまり、具体的には祈り、読経、宗教に関する情報提供などのアプローチがある。

この図１は、A 狭義のスピリチュアルケア（例：傾聴）から、ケア対象者のニーズに応じて、C(＝ A ∩ B) 宗教的資源の活用（例：祈り）に展開し、

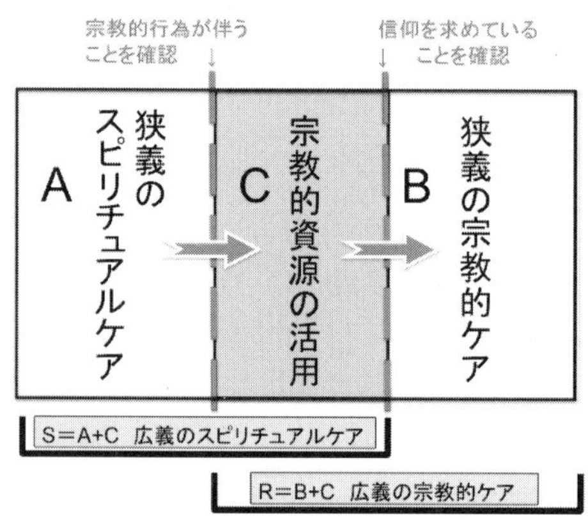

図１　スピリチュアルケアと宗教的ケアとその共通領域としての宗教的資源の活用（谷山、2014）

さらにケア対象者が入信もしくは信仰の強化を求めている場合には、B狭義の宗教的ケア（例：教化）に至る、というプロセスを示している。

“祈り”には読経を含めて様々な方法がある。宗教的行為であるが、祈りによって癒しがもたらされるだけで、入信に至るとは限らない。

例えば、Cに当てはまるものとして寺社教会の観光がある。観光客は、その場所が宗教施設であることを理解して訪れる。JTBの調査（2013）では、観光で寺社教会に行くのだから、主な目的は建築物・美術品・庭・景色の鑑賞、そして食事やお土産である。それでも、「癒された」「元気が出た」という回答を合わせると50%になる。純粋に信仰のために寺社に訪れたと判断できる回答は4%しかない。つまり観光客の多くは、さきほどの図でいうところの、B［狭義の宗教的ケア］を求めているのではなく、C［宗教的資源の活用］による癒しを求めているのであろう。

前節では、位牌、数珠、地蔵といった弔いに関係しやすい宗教的アイテムについて述べた。しかし、宮城のカフェ・デ・モンクには、これら以外に宗教的資源というべきものがある。坊主頭と作務衣である。

金田住職は、作務衣とはいえ、基本的には上着だけを作務衣にして、下は普通のズボンをはくことが多い。寒い時期にはマフラーを巻くので、かなり着崩した格好である。他の僧侶も、黒・紺以外の作務衣を着ている者もいれば[5)]、お参りの途中なのか僧衣を着ている者もいる。ただし、カフェに度々参加する曹洞宗、真言宗の僧侶たちは、坊主頭であり、ここを隠すことはできない。

宮城以外のカフェ・デ・モンクの例として、熊本では僧侶は僧衣を纏い、牧師がローマンカラーのシャツを着ることがある。カフェに参加する人たちは、お互いに初対面であることが多いため、目じるしとして宗教服を纏い、宗教的資源として活用していると言える。なお、熊本のカフェに参加する僧侶の多くが浄土真宗であり、坊主頭ではない。黒い僧衣がないと、宗教者として見てもらえないのであろう。

7. 故人との絆をつなぐもの

冒頭に示したように、仏壇、位牌、墓などは故人との継続する絆をつなぐ宗教的アイテムの代表例である。カフェ・デ・モンクでも、位牌が支援物資として配布され、数珠や地蔵も故人との絆を意識して用いられていることがある。ただし、ここでの課題は公共空間での活動にそれらを用いることができるかどうか、である。

ケア提供者の立場からは、このような宗教的アイテムをケアに活用するという意図がある。そのアプローチは、スピリチュアルケアと宗教的ケアの共通領域である宗教的資源の活用という領域に分類されるものである。倫理的には、ケア対象者の同意が必須であり、押し付けは許されない。

宗教的資源の活用、ということは、狭義の宗教的ケアではないという意味である。つまり、ケア対象者の教義的信仰を前提としないということである。位牌、数珠、地蔵は明らかに仏教文化に含まれるものであるが、必ずしも仏教の教義的信仰には結びつくわけではない。位牌は、中国で祖先崇拝と融合して日本にもたらされたものであり、そもそもインド仏教には祖先崇拝に関する教えはほとんどない。仏教による祖先崇拝の根拠とされる『盂蘭盆経』『父母恩重経』は中国で編纂された偽経[6] である。数珠は、本来は念仏などの回数を数えるための道具であり、弔いのためだけに用いられるものではない。地蔵には、死者を守護する力があると信じられ、行き倒れや事故現場などに石像が建立されることがあるが、日本の地蔵信仰に直接つながる地蔵信仰が本格的に成立・発展するのは古代中国であり、その発展には偽経[7] が果たした役割が大きいとされる（cf. 大島ほか 2001: 595a)。

また、位牌と数珠は日本仏教各宗派で用いられており、地蔵信仰も地蔵盆など習俗的な慣習を含めればどの宗派でも行われている。浄土真宗は位牌ではなく法名軸や過去帳を用い、また阿弥陀以外の諸尊を祀ることはないが、真宗地帯であっても境内・墓地・事故現場・火葬場跡などに地蔵が祀られていることがあるように、完全に排除できてはいない[8]。

つまり、位牌、数珠、地蔵を特定宗派の教義に結びつけることは難しいということである。

カフェ・デ・モンクは公共空間で実施されるため、現代日本社会の常識的判断に従えば、宗教的行為を実施することは難しい。特に特定教団の教義に基づく布教伝道は不可能と言っていい。実行すれば地元住民などから非難されることが容易に想像できる。しかし、布教伝道を目的とせず、ケア対象者の了解を得た、習俗的な慣習であれば問題にはならないのではないだろうか。カフェ・デ・モンクという挑戦的な臨床実践によって、これら三つの条件を満たせば実践可能だと確認された、と言うこともできる。

このような宗教的資源の活用は、習俗的な慣習を宗教者（僧侶）が追認するということであるが、決して新奇なことではない。前述したように、位牌、数珠、地蔵は、カフェ・デ・モンクだけではなく、寺院の内外で祖先崇拝、現世利益、鎮魂慰霊のために用いられてきた歴史がある。カフェ・デ・モンクでの宗教的資源の活用は、その地域の歴史や文化に根差した習俗的資源の活用なのである。

8. まとめ

宗教的資源を活用することは、宗教者もしくは臨床宗教師の得意分野と言っていいものだが、公共空間では布教伝道を目的とするわけにはいかないし、その疑義が生じないように配慮しなければならない。

宮城のカフェ・デ・モンクは、東日本大震災の直後という宗教者の社会活動には必ずしも肯定的ではない時期に始まっていることもあり、宗教性の表現は控えめである。目的は、「心の相談室」の活動目的から明らかなように、弔いとグリーフケアである。その目的のため、位牌、数珠、地蔵を効果的に活用している。

これらの宗教的アイテムは、特定の教義的信仰を前提としたもののように見えるかもしれないが、実はそうではなく、習俗的なものだと理解できる。公共空間では宗教性の発揮が困難であるため、金田住職たちは布教伝道の疑義を避けるべく、特定教団の教義と結びつきにくい習俗的資源を宗教的資源として活用してケアを提供したと言えよう。そしてここで実施されたアプローチ方法は、ケア対象者とケア提供者が共有している、故人との絆が継続しているという信念に基づいており、しかもその絆を確認もしくは強化することが意図されている。

継続する絆をつなぐ実際の効果は、被災者のインタビュー等によって証明されるべきであり、本研究ではそこまで踏み込むことはできない。しかし、その可能性を示唆することはできたと思う。今後の研究の進展に期待していただきたい。

［謝辞］本研究は、文科省科研費　基盤（C）一般「超高齢社会における『つなが

り』ある暮らしの在り方研究」(研究代表者：得丸定子、課題番号：26350039)による成果である。研究に協力いただいた金田諦應老師には、この場を借りて感謝申し上げる。

註

1) 筆者は「心の相談室」の理事であり実践者でもある。「心の相談室」とカフェ・デ・モンクに関する情報はその活動経験によるものを含む。
2) http://www.sal.tohoku.ac.jp/kokoro/blog/
3) 香川県の倒産した仏具屋の倉庫に眠っていた位牌を、近くの浄土真宗僧侶が送ってくれたという。なお、浄土真宗では位牌は用いず、法名軸を用いる。宮城県では浄土真宗は少数派で、特に曹洞宗が一番多い。
4) 『新潟日報』2013 年 3 月 12 日版
5) 曹洞宗では、住職資格のない僧侶の場合、作務衣の色は黒に指定されている。
6) 南アジア起源ではない経典、例えば中国や日本で編纂され、経典としての体裁をもつものを「偽経」という。
7) 地蔵信仰の根本経典である『地蔵十輪経』は唐代に漢訳されたものだが、『地蔵本願経』は唐代に中国で編纂されたもの、つまり偽経であり、平安時代に日本で編纂された『地蔵十王経』『延命地蔵経』も偽経である（大島ほか 2001: 595a-b 参照)。
8) 大阪では夏の地蔵盆で真宗僧侶も読経を行う。川崎市内の寺院には江戸時代から継承されてきた地蔵堂がある。筆者の実家である金沢市内の真宗一色の町内には、火葬場跡と交通事故現場に地蔵が建立され、墓地では子供を亡くした場合に主たる墓石のとなりに地蔵が建てられることがある。

参考文献

カール・ベッカー「死と向き合った時にあらわになる日本人の基盤的宗教観」『緩和ケア』22-3、青海社、2012 年。

金田諦應「心の相談室の活動」『緩和ケア』22-1、青海社、2012 年。

Dennis Klass, Grief in an Eastern Culture: Japanese Ancestor Worship, D. Klass, P. R. Silverman, and S. L. Nickman ed., *Continuing Bonds: New Understandings of Grief*, Routledge, 1996.

JTB「寺社へのご参拝に関するアンケート調査　JTB Web アンケートたびQ調査結果 Vol.79」『JTB 広報室 News Release』2013 年第 20 号、2013 年。

大島建彦・薗田稔・圭室文雄・山本節編『日本の神仏の辞典』大修館書店、2001 年。

谷山洋三「スピリチュアルケアの担い手としての宗教者：ビハーラ僧と臨床宗教師」鎌田東二編『講座スピリチュアル学 1　スピリチュアルケア』ビイング・ネット・プレス、2014 年。

谷山洋三・森田敬史「電話相談における宗教協力の意義」『論集』42、2016 年（投稿中）

Forming Continuing Bonds Between Survivors and the Deceased:

Providing Religious Resources during Disaster Relief from the Great East Japan Earthquake

by Yozo TANIYAMA

In this article, providing bereavement care through making religious resources available in public spaces that help people form continuing bonds with the deceased is explained. Soon after the Great East Japan Earthquake, some leaders of Buddhism, Shinto, Christianity and New Religions in Miyagi Prefecture cooperated in an attempt to console the souls of both the victims and the survivors. One of their relief projects was called 'Café de Monk', which is a mobile café managed by a Soto Zen monk and his friends from various denominations of Buddhism and other religions. They delivered ihai (mourning tablets), short juzu (prayer beads) and palm-sized jizo (Ksitigarbha Bodhisattva) statues to survivors who wanted them. Ihai, juzu and jizo are popular items in Japanese Buddhist folk culture and commonly used by Japanese people of any Buddhist denomination, so distributing them did not propagate any specific doctrine. The café staff is not aiming to proselytize the participants in this public space. Instead, they have utilized these folk items as religious resources for the participants to help them form continuing bonds with the deceased.

〈論文〉

死に抗って
——死をまぢかに控えた人間はなぜリハビリテーションをするのか——

松岡秀明

はじめに

本稿が分析の対象とするのは、緩和ケア病棟におけるリハビリテーションである。緩和ケア病棟とは、バイオメディシンによる治療が困難とされ死が近づいている者が入院している病棟である[1)]。「緩和ケア病棟」と「リハビリテーション」との組み合わせに違和感を抱く読者は少なくないのではないか。なぜ、死が迫っている者に対してリハビリテーションを行なうのか、と。緩和ケア病棟の患者に対するリハビリテーションは、医療従事者の間でも十全に知られているとはいえないのが現状である。しかし、この営為は医療と人間との関係を考える際に重要なトピックを含んでいる。

WHO のウェブサイトでは、リハビリテーションを以下のように定義している。

> 障害を持つ人々のリハビリテーションは、彼らを最もふさわしい身体的、感覚的、知的、心理的、そして社会的なレベルへ到達させ、そのレベルを維持させることを目的とした一連の営為である。リハビリテーションは、障害を持つ人々が自立（independence）し、自己決定（self-determination）を行なえるように、用具を提供する[2)]。

この文面を見ても、またいくつかのリハビリテーションの定義を参照しても[3)]、緩和ケア病棟の患者たちになぜリハビリテーションが行なわれるか判然としない読者は多いだろう。この違和感が立ち現れる原因について考えることから、緩和ケア病棟に入院している患者を対象としたリハビリテーションを検討する本稿をはじめることにしたい。

1. がん患者に対するリハビリテーション

リハビリテーションがバイオメディシンのなかに登場した背景には、戦争がある。アメリカは1917年4月第一次世界大戦に参戦するが、その8月には陸軍に特別病院および身体再建部門（the Division of Special Hospitals and Physical Reconstruction）が設置されている[4]。この部門は、戦傷者の身体機能の回復を担うようになる。そして第二次世界大戦中には、アメリカの軍医ラスクらが、戦傷者の早期回復を目的として彼らに体系的な方法で負荷を与えたところ、大きな効果があった。この方法は戦傷者以外に対しても用いられるようになり、1947年にはバイオメディシンのなかに物理医学・リハビリテーション（Physical medicine and rehabilitation）という独立した診療科が現われた（上田 1992: 10-12）[5]。そしてリハビリテーション（以下、見出しなどの特別な場合を除き、リハビリ）は、機能回復による障害者の社会復帰を目的としていた[6]。そのリハビリが、なぜホスピスや緩和ケア病棟の死が迫っている患者、すなわち回復や社会復帰が見込めない者に対しても行なわれるようになったのだろうか。こうした人たちに対するリハビリは、当然回復や社会復帰とは異なる目的を持っている。辻は、それを次のようにまとめている。

> 余命の長さにかかわらず、患者とその家族の要求（demands）を十分に把握したうえで、その時期における ADL を維持、改善することにより、できる限り可能な最高な QOL を実現するべくかかわること（辻 2011: 257）。

この文言に現われる ADL（Activity of Daily Living）と QOL（Quality of Life）という言葉は、本稿のキータームである。QOL は近年広く使われるようになってきているが、ADL という言葉は読者にとって耳慣れないかもしれないので、まずこちらから簡単に説明する。

第二次大戦中にラスクと協力関係にあった医師のディーヴァーは、理学療法士のブラウンとともに1945年に『日常生活に必要な身体機能：日常生活動作』（*The Physical Demands of Daily Life: The Activity of Daily Living*）を出版する（Deaver and Brown 1945）。本文わずか36頁のこの小冊子のサブタイトルである「日常生活動作」(Activity of Daily Living) という言葉は、ADLという略語で定着し、現在にいたるまで医療従事者のあいだで広く用いられている(本稿でも、以下ADL)。日本のリハビリテーション医学のパイオニアの一人上田は、ADLは人間の生命のみに注目していた医学に生活の観点を導入した点で画期的であると評価している(上田1992: 8-9)。その後ADLの概念は推移するがそれについては第4節でみるとして、ここでは緩和ケアのリハビリにおいても患者の生活が重視されていることを確認しておきたい。

一方、先述のようにQOLという言葉は近年広く使われるようになってきているが、用いる者によって意味内容が異なる場合があって一義的には定義できない。緩和ケアのリハビリでは、「QOLとは患者からみた人生の満足度」と捉える見解がある(阿部2011: 284)。

2. 緩和ケア病棟のがん患者に対するリハビリテーション

では、緩和ケアではどのようなリハビリが行なわれているのか。1960年代からがん患者のリハビリに取り組んでいたディーツは、1969年にがん患者に対するリハビリを、(1)予防的、(2)回復的、(3)維持的、(4)緩和的の四つに分けた(Dietz 1969)。この分類は現在にいたるまで広く用いられている。私が調査を行なっているA病院(後述)の緩和ケア病棟では、入院患者に対してセルフケア能力や移動能力の維持を目的とした(3)維持的リハビリ、そして疼痛等の終末期の症状緩和を目的とした(4)緩和的リハビリが主として行なわれている。

ディーツによれば、これら二つのリハビリは次のようなものである。維持的リハビリとは、がんの進行によって引き起こされるさまざまな障害に適応し、機能低下を最小限にとどめることを患者に教えることを目的とする。具体的には、手や足の切断後の義足の使い方を教えること、そして、自己管理(self-management)、セルフケアの能力(self-care abilities)、自立した身体機能の維持(independent functioning)を補助するさまざまな装具や手技を指導することである。

一方、緩和的リハビリとは、死が近づき、機能障害が進行するとともにさまざまな症状が出現している患者に対して行なわれる。このリハビリでは、このような症状をなくすか最小限にくい止め、心地よさとサポートを提供することが重要となり、その目標は疼痛のコントロール、活動低下による衰弱の予防、患者とその家族に対する心理的サポート等々である。

ディーツの分類は、緩和ケアでのリハビリを概観しそれが目指すところを把握する際に有効である。しかし、現場でこの二つがはっきり分かれているかというと必ずしもそうとは言えない。本節では、実際に緩和ケアの現場で行なわれているリハビリがどのようなものかを見ていくことにしたい。私が調査を行なっているA病院のリハビリテーション部門には理学療法士(Physical Therapistの頭文字をとってPTと略記される場合が多く、本稿でも以下PTとする）が勤務している[7)]。東京都にあるベッド数500床あまりのこのA病院には、外科や内科といった一般病棟とともに緩和ケア病棟がある。そのため、PTたちは、社会復帰をめざす一般病棟の患者と、死が近づいている緩和ケア病棟の患者のいずれに対してもリハビリを行なっている。

患者がリハビリを受けたい場合には、主治医をとおしてリハビリテーション部門に依頼が出され、PTがリハビリを行なう。患者の状態や要望に応じて、リハビリテーション室（以下、リハ室）か病室かのどちらで行なうかが決められる。自力歩行にせよ車椅子を看護師に押してもらうにせよ、患者がリハ室を訪れることができればリハ室で、そうでなければ病室でリハビリを受けることになる。リハビリは1回20分と区切られているが、2回続けて40分間受けることも可能となっている。20分、あるいは40分のなかでどのようなリハビリをするかについて決まりはなく、患者とPTが相談して決めることになる。

3. リラクセーションから目的の創出へ

緩和ケア病棟の患者に対して、PTはどのようなリハビリを行なっているのだろうか。以下事例を検討するが、プライバシー保全のために登場する患者およびPTはすべて仮名で、本稿の論議に関係のない病歴や生活歴に変更を加えている場合がある。

内山さんは50代の女性で、呼吸器のがんでこの病院の別の病棟から転棟してきてから1か月あまりである。9時にPTの石井さん（30代男性、PT歴・

A病院勤務歴10年）がナースステーションにやってきて、これから内山さんのリハビリをやりますと看護師に告げた。私は石井さんの後について、内山さんの病室へと入った。内山さんはパジャマを着てベッドに横になってテレビを見ており、20代の大学生の長男が付き添っていた。石井さんは、内山さんが別の病棟に入院していた時からずっとリハビリを担当してきた。

内山さんのリハビリは、歩行器を使った歩行訓練から始まった。石井さんに付き添われて、内山さんは病室からナースステーションまでゆっくり一往復した。距離は片道30メートルほどだ。それが終わると、石井さんは内山さんにベッドで仰臥位をとってもらって左下肢のマッサージを始めた。内山さんは左の胸をさすっており、石井さんは「そこが痛いの」と質問する。内山さんは曖昧な答えをするが、彼女はかなりの痛みを感じる時があるはずだ。というのは、内山さんはずっとがん性疼痛があり、それに対する鎮痛剤として麻薬を使ってきているのである。石井さんが、「腰はどうですか」と聞くと、内山さんは「腰はそうでもない」と答えた。

A病院には、作業療法士も勤務しており内山さんは作業療法も受けている[8)]。ふたつ「金魚」をつくったといって、淡い赤と、淡い緑の「金魚」のキーホルダーを石井さんに見せた。息子さんは「金魚じゃなくて、フグだよ」と茶化す。内山さんは「金魚だよ。出目金」と応じるが、たしかに「金魚」というよりは「フグ」のような形である。

つけっぱなしになっていたテレビにディズニーランドの映像が映ったところで、時間が気になったので時計を見るとマッサージが始まってから15分ほどたっていた。石井さんは内山さんに側臥位をとってもらって背中のマッサージを始めた。20分を少し過ぎ、石井さんはリハビリを終え退出した。

石井さんが病室を去った後で内山さんと話したが、彼女が石井さんをとても信頼していることが分かった。そのようなPTからマッサージを受けることで、気持ちが落ち着くであろうことは理解できる。また、PTという医師でも看護師でもない第三者と会話すること――この場合は、「金魚」のキーホルダーにかんしての何気ない三人のやりとり――は、ともすれば重苦しくなりがちな病室の雰囲気を和らげていたことが見て取れた。

次に、内山さんのリハビリとはいささか異なるケースを紹介したい。50代の女性の浜田さんは医療従事者で、がんが進行し治療不能となったため別の病院の一般病棟からA病院の緩和ケア病棟に転院してきた。一般病棟での主治医が、浜田さんに緩和ケア病棟に移った方がいいと転棟を促したのだった。浜田さんは、この主治医の示唆に対して不満を抱いていた。それがおそらく不可能だろうということは彼女も自覚はしていたが、職場復帰を希望していたからである。

浜田さんは、緩和ケア病棟に入院してまだ日が浅い時に退院し自宅で生活していたことがある。しかし、呼吸機能が低下し自宅での生活は無理と判断し、再び緩和ケア病棟に入院してきたのだった。再入院した時浜田さんは落ち込んでおりなにも手につかず、リハビリの希望も出さなかった。しかし、看護師がリラクセーションを目的としたリハビリもできると説明すると、受けてみようかということになった。

浜田さんが再入院してからおよそ3週間たった3月上旬のある木曜日、最初のリハビリがリラクセーションから始められた[9)]。リハビリの予約時間に合わせて、看護師が浜田さんの乗った車椅子を押し中庭を通ってリハ室まで連れていく。緩和ケア病棟以外の患者たちがさまざまなリハビリを行なっているこのリハ室は、緩和ケア病棟とは異なる空間である。落ち込みから徐々に回復してきた浜田さんは、3月中旬の月曜日からはリラクセーションの後でエアロバイクを漕ぐことを始めた。開始初日は5分で終えたが、浜田さんは、この「月曜日が一番きつかった」と語っている。火曜日は休み、水曜日は5分、木曜日には10分間漕ぐことができて、その後は10分間エアロバイクを漕ぐことが定着した。

浜田さんは、肺の機能回復を目指してリハビリを受けるという目標を設定した。彼女は1回20分のリハビリの時間枠を2回使い、エアロバイクを10分間漕ぎ、携帯用酸素ボンベから酸素を吸いながらリハ室から外へ出て自力で――緊急事態に備え、PTが付き添ってはいたが――病院の庭を散歩するようになった。散歩する時間を延ばしていき、最も調子がよかったときには桜が満開となった病院の庭を30分ちかく散歩することができた。この時をピークに浜田さんの体力は徐々に落ちていき、2か月後にA病院で息を引き取った。

さて、この二つのケースを検討してみたい。内山さんに対するリハビリの主な目的は彼女をリラックスさせることだと考えられる。一般病棟から緩和ケア病棟まで一貫して内山さんのリハビリを受け持ってきたPTの石井さんは、自らのリハビリ観を次のように語っている。

> まず最初に、なにかを訓練しようと思って介入している訳ではないので。時間の使い方とか、病気と離れる時間をつくりたいなと私は思っていて。病気と向き合っていつもずっと病室にいる訳ですけど、病気のことを考えない時間っていうのもつくりたいなと。

たしかに、リハビリを受けている間は患者は病気のことは考えていないであろう。内山さんも寛いでいた。辻は、末期がん患者がリハビリを受けてその成果が出れば、そのことが精神的な支えや気分転換となり精神的によい影響があるとし、「リハビリをやっているときはすべてのことが忘れられる」という発言をする患者が多いと記している（辻 2011: 257）。

一方、浜田さんのリハビリはリラクセーションから出発したが、呼吸機能の維持、そして改善という方向へシフトしていった。その後、浜田さんは病院の庭を散歩できるようになり、そのことにたいへん満足していた。辻は、「今まで動けなかったのが動けるようになって生きがいを感じた」と述べる患者も多いことを報告している（辻 2011: 257-258）。第 2 節で、ディーツが死が近づいた患者に対する緩和的リハビリの目標のひとつとして心理的なサポートをあげていることを紹介した。しかし、そのような患者だけでなく維持的リハビリの対象となる患者、すなわちバイオメディシンによる回復は望めないがまだ死は間近に迫ってはいない患者に対しても、リハビリは心理的な効果を期待できる医療行為なのである。次節で検討するように、動くということによって生きていることを実感する患者がおり、リハビリはその契機を提供する医療行為ということができるだろう。

4. 歩くという目的のためのリハビリ

前節では、リラクセーションを主としたリハビリのケースと、そこから出発して歩くという目的にいたったリハビリのケースをみてきたが、本節ではリハビリの開始当初から患者の目的が明確なケースに考察を加える。その際に ADL という考え方が参考となるので、まず現在の日本 ADL の概念を確認しておきたい。それは、次のようになっている。⑴起き上がりや座位を保つことなどの起居動作、⑵歩行や階段の昇降や車椅子操作などの移動動作、

⑶食事動作、⑷排泄動作、⑸洗顔・歯みがき・整髪・ひげそりなどの整容動作、⑹衣服や靴の着脱の更衣動作、⑺入浴動作、⑻コミュニケーション能力（日本リハビリテーション医学会・評価基準委員会 1992）。ADL は、障害者だけでなく高齢者等の健常者の身体能力の程度をはかる指標としても用いられている[10)]。

死が近づいてくると、身体の機能が低下してくる。緩和ケア病棟に入院している患者が、ADL のなかに含まれる日常生活を送るのに必要な動作のうちのどれにこだわるかは人によって異なる。しかし、少なからぬ患者が排泄にこだわり、自分で排泄を行なうためにリハビリを受ける。より正確に言えば、トイレまで歩いていくためにリハビリを受けるのである。

2011 年刊行の『がんのリハビリテーションマニュアル―周術期から緩和ケアまで』は、タイトルが示すようにさまざまな病期のがんに対するリハビリを射程とした包括的なマニュアルだが、このなかに終末期の患者について次のような記述がある。「身体的にはとても無理な状態であっても、『排泄だけは（松岡補足　ポータブルトイレでなく：以下、引用中の括弧内の松岡の補足）トイレに行ってしたい』との訴えはよく聞かれ」るというものである（栗原・田尻 2011: 336）。たとえば PT の藤井さん（30 代女性、PT 歴・A 病院勤務歴 8 年）は、A 病院の緩和ケア病棟の患者でリハビリを受ける人のなかで、「トイレで排泄をしたい、という患者さんはすごく多い」と語る。彼らにとって、排泄は大きな問題となりうる行為なのである。

では、患者たちはなぜトイレでの排泄にこだわるのだろうか。汎世界的に、人間にとって排泄をコントロールすることは、幼児期つまり成長の早い段階で習得しなければならない重要な行動である。しかし、排泄にかかわる習慣は文化によって大きく異なっている。初めてアメリカ合衆国の公衆トイレに入って驚いた経験のある日本人は少なくないのではないか。便座があるトイレは個室のようにはなってはいるが、床からある一定の高さまでは壁がない。そして、天井から一定の低さまでも壁は存在しない。つまりそれは完全な個室ではなく、人の姿が隠れるように壁が作られているにすぎず、上と下は吹き抜けなのである。だから、公衆トイレに入っていくと、用を足している隣の人の足が見えたりする。そのため、日本の完全な個室を備えたトイレに慣れた人は面食らうことがある。

個室がない場合が多いため、用を足すどころではなくなる日本人もある中国のトイレではなくアメリカ合衆国のトイレを例に出したのは、排泄に対する感覚は文化によって大きく異なるデリケートな問題であることを確認したかったからである。日本人は排泄をきわめてプライベートな事柄と捉えており、排泄にかんして非常に繊細な感覚を持つことは、水の流れる音を発生させ排泄音が個室の外に聞こえなくなるようにする装置が開発されたことからも了解されるだろう[11)]。排泄についての羞恥心、さらにはそれにもとづく人間の尊厳は文化によって形成されるのである。

自力でトイレまで行き排泄することができなくなると尿瓶やポータブルトイレを用いることになるが、これを厭う人は少なくない。A病院の緩和ケア病棟においても、自力でトイレまで歩いて行きたいという希望は患者がリハビリを受ける重要な動機である。

現代日本においては、自らの死を自ら引き受けるという考え方があり、それはギデンズの言うモダニティにおける自己（self)、すなわち「個人が責任を負う内省的なプロジェクトであると考えられている自己」(Giddens 1991: 75)、とつながっていることはかつて指摘した（松岡 2015)。先に紹介したように、ディーツが定義する「維持的リハビリテーション」には、自己管理（self-management)、セルフケアの能力（self-care abilities)、自立した身体機能の維持（independent functioning）を補助する装具や手技を指導することが含まれている。すなわち、リハビリテーション医学においては、可能な限り自らの身体を動かし自らを管理することが希求されているのである。そしてこの考え方は、可能な限り自力で排泄をしたいという意思、換言すれば「下の世話」はできる限りされたくないという意思にも反映しているのである。

PTの藤井さんにとって、これまでにリハビリを施した緩和ケア病棟の患者のなかで印象深い一人に、70歳代の男性の岸田さんがいる。岸田さんはがんが腰椎に転移し圧迫骨折していたが、最後まで自分でトイレに歩いて行くと決めていた。歩行器のような補助具を用いても、自力でトイレに行き、亡くなる日の前日までリハビリを受けた。藤井さんは、岸田さんについて次のように話す。

> 亡くなる前の日に「もう（リハビリは)、今日で終わりでいいから」って言われたんですよね。1日も休まなかったのに、「今日で終わりだ」、「無

理だ」って。……だから、本当にうまくいったな、と。私のせいじゃないと思うのですけど「うまくいったな」と思うのは、自分で決めてできる範囲のものを取り入れつつ、自分でトイレ歩行に行って、最期の「もうこれでいい」っていう、終わりの時期、リハビリを終了する時期も自分で選択してっていう、そういうことができる人だったんですよね。そこが思い出に残っている。

ここまで自力での排泄へこだわる人は例外的であろう。そして、だからこそ藤井さんの印象に強く残ったのだと思われる。ここで重要なのは、患者の岸田さんもPTの藤井さんも、可能な限り自らの身体を動かし、自らを管理することを是とする世界観を共有していたことである。

さて、岸田さんは自力での排泄、そしてそのためにトイレに自力歩行することにこだわっていたのだが、それは自分で歩くことそれ自体にもこだわっていたのではないか。つまり、歩行は排泄という目的を達成するための合理的な手段であると同時に、歩行それ自体が目的だったのではないか。

英語のindependenceは、日本語では「自立」である。A病院の緩和ケア病棟の患者のなかには、自分の足で立ち、そして歩くことに最後までこだわる人は多い。奥田さんは、次のようなエピソードを語ってくれた。

そんなに動けない方でも、立てることだけとか、1〜2歩でも歩けることにすごく重要性を感じる。それで満足を得られる人はすごく多い気がしていて。「全然立てないと思っていたけど、立てた」って。(自分が)めちゃくちゃ介助しているんですけど、それで満足して、ニコニコして(リハビリテーション室から)帰られる方もいらっしゃるので。ぼくら動ける者にとっては、気づきづらいけれども。

脳梗塞のため運動障害や言語障害をきたした多田は、動けるということは基本的人権であり、人間の尊厳に属すると主張した(多田2007)[12)]。多田は免疫学を専門とした医師だが、哲学者は身体の動きを別の観点から検討している。シーツ＝ジョンストンは、心身二元論を批判してきた哲学者である。心身二元論では、考えることは心が司り動くことは身体が行なうとされるが、シーツ＝ジョンストンはこの考えに異を唱える(Sheets-Johnstone

1990, 1999)。彼女はメルロ・ポンティをパラフレーズして、言葉を発することと同様に身体の動作は思考の表出ではなく思考の源泉たり得る、つまり思考は必ずしも発語や動作に先立って起るとは限らないと主張する。そして、身体的な意識は、噛む、手を伸ばす、つかむ、蹴るといった日常の触覚や運動感覚を生じさせる行為（tactile-kinesthetic activity）から生じるのだと説く（Sheets-Johnstone 1990: 29)。身体運動のなかで、直立歩行は人間を人間たらしめる行動である。多田やシーツ＝ジョンストンの主張を参照するならば、歩くという行為と歩くという意思は表裏一体なのではあるまいか[13)]。

5. 多様性のなかで
——共同作業としての緩和ケアにおけるリハビリテーション——

これまでさまざまなケースを検討してきたが、緩和ケア病棟の患者に対するリハビリを PT はどのように考えているのか、また彼らは ADL、QOL をどう捉えているのだろうか。

PT の奥田さん（30 代男性、PT となって A 病院で働き始め、以来 7 年 5 ヶ月間勤務）は、一般病棟の患者と緩和ケア病棟の患者に対するリハビリの差異を次のように語る。

> 他の病棟だと、リハビリっていうとどちらかというと建設的な扱いになっていて、「頑張りましょう」っていうフレーズが一番よく聞かれるんですけど。緩和ケア病棟なり、それに準じた病棟だと、「頑張らない」。……緩和という意味で、ちょっとリラックスしてもらうとか、気持ちよくなってもらうとか、楽しんでもらいたいなっていうようなスタンスに変わる。

奥田さんは、緩和ケア病棟の患者に対するリハビリでは、患者に対して機能の回復をうながす励ましは不要だと考えているのである。先に紹介したディーツのがん患者に対するリハビリの四つの分類を用いれば、緩和ケア病棟の患者に対しては、起こりうる機能障害を予防する「予防的リハビリ」や機能障害からの回復を目的とした「回復的リハビリ」ではなく、「維持的リハビリ」や「緩和的リハビリ」が行なわれていることになるのだが、奥田さんは、この二つのなかでより後者に重点を置いていることになる。

一方、藤井さんは次のように述べる。緩和ケアにおけるリハビリは、「残された人生をどう過ごすかを、ご家族やご本人と話しながら、QOLとかに注目して行なうので、ADLは落ちていくかもしれないけど、QOLは下げ止まらないようにしていく」ことを目標にして行なう、と。そのため、緩和ケア病棟の患者に対するリハビリは、「ADLを上げるための（一般病棟の患者に対する）リハビリとはちょっと違ってくる。」

藤井さんの発言のなかにADLとQOLという言葉が現われたが、PTたちはQOLをどのような意味で用いているのだろうか。「QOLをどういうふうに捉えていますか」という私の質問に対して、石井さんは、「患者さんが『いいな』って思ってもらえれば、それでいいんじゃないですか」と述べた。また、インタビュー中に「本人のQOLが『立って、外の景色を見たい』ことだったら…」と語った内村さん（30代女性、PT歴12年）に、どのような意味でQOLという言葉を用いているのかを質問したところ、「患者の願望」という意味で用いていると説明してくれた。第1節で、QOLはそれを用いる者によって意味内容が異なるとする阿部の指摘を引用したが、A病院で緩和ケアにかかわっているPTたちの間でもQOLについてのコンセンサスはない。したがって、緩和ケアにおけるリハビリがADLよりもQOLに注目して行なわれるとしたら、それは患者の要求にもとづいて患者とPTが行なう共同作業という性質を持つことになる。そして、緩和ケア病棟の患者がリハビリに求めるものは患者一人一人によって異なる。石井さんは次のように語る。

> 「マッサージしてほしい」という人もいるし、「歩けなくならないように」という人もいるし、「リコーダーを吹きたい」という患者さんもいましたね。

さらに、PTと世間話をすることが目的の患者もいるという。これらは、みなQOLを上げると考えると石井さんは考えている。だから、上に引用した「患者さんが『いいな』って思ってもらえれば、それでいいんじゃないですか」という発言が出てくるのである。

以上、A病院の緩和ケア病棟の患者たちのリハビリに携わっているPTたちの声に耳を傾けてきたが、そこにADL、QOL、さらにはリハビリについてのコンセンサスを見出すことは難しい。また、患者がリハビリに何を求めるかも多様である。すなわち、A病院の緩和ケア病棟の患者に対して行なわれるリハビリとは、患者とPTの協同作業によって作られるものなのである。リハビリテーション医学の専門家でないが、脳梗塞の後遺症のリハビリを受けている医師である多田は、リハビリの特徴のひとつとして、「治療の対象となる障害、それを持つ患者の多様性、個別性が大きいこと」をあげている（多田 2007: 87)。緩和ケア病棟におけるリハビリにも、この特徴は当てはまる。その意味で、それはADLやQOLという指標がさしたる意味を持たなくなりうるようなオーダーメードの医療なのである。

付記
本稿は、科学研究費助成を受けた研究「緩和ケアの感覚的経験に関する人類学的研究」（基盤研究（C）研究課題番号：24520930、代表飯田淳子）の成果の一環である。また、本稿は国際人類学民族学連合（IUAES）2014年度総会（2014年5月15日、幕張メッセ）における英語による発表“Fundamental Perceptions: Why Patients in a Palliative Care Ward Close to Death Receive Rehabilitations”にもとづいている。

註

1) 生命科学にもとづいた医療をバイオメディシンと呼ぶ。病院で行なわれていのはバイオメディシンであり、健康診断はバイオメディシンに依拠している。バイオメディシンは産業化社会において行なわれている医療のなかで中心的な位置を占めている。
2) http://www.who.int/topics/rehabilitation/en/（最終アクセス日　2016年1月11日）。
3) 『リハビリテーション事典』の「定義」の項で、中村はリハビリテーションの諸定義にそれぞれコメントを付したうえで紹介している（中村 2009)。

4) アメリカ陸軍医療分門医学史局のホームページ http://history.amedd.army.mil/booksdocs/wwi/VolISGO/Sec2Ch20.htm による（最終アクセス日　2016年1月15日）。

5) リハビリテーションとリハビリテーション医学の差異を明確にしておきたい。リハビリテーションは、そのなかに医学的、教育的、職業的、社会的リハビリテーションを含む。一方、リハビリテーション医学はリハビリテーションのなかの主に運動障害にかかわるバイオメディシンの一分野で、精神障害、視覚障害、聴覚障害などはその対象から除かれる（砂原 1980: 63-77、上田 1992: 115-116）。

6) リハビリテーションの歴史については、上田2013を参照のこと。

7) 1965年6月に制定された理学療法士及び作業療法士法では、「理学療法」を「身体に障害のある者に対し、主としてその基本的動作能力の回復を図るため、治療体操その他の運動を行なわせ、及び電気刺激、マッサージ、温熱その他の物理的手段を加えることをいう」と定義している。

8) 註7）の法律は、「作業療法」を「身体または精神に障害のある者に対し、主としてその応用的動作または社会的適応能力の回復を図るため、手芸、工作その他の作業を行なわせること」と定義している。

9) ここでのリラクセーションとは、心身をリラックスさせることを目的としたマッサージを意味している。

10) ADLについてより詳しく知りたい読者は、たとえば上田2010も参照されたい。

11) ただし、日本のなかでも文化的な差異はある。たとえば、日本の排泄ケアのパイオニアの一人西村かおるは、自ら訪れた沖縄の離島では「人たちはサトウキビ畑の中で大らかに排泄するからトイレの数が多くなくても困らない状態」だったというエピソードを紹介しているが（西村 2008: 3)、都市に生活する日本人にとっては想像しがたい行為であろう。

12) 多田は、『私のリハビリ闘争』で、一部の疾患を除いて障害者のリハビリが発症後180日を上限とした2006年の診療報酬改定を厳しく批判している。たとえば、多田は次のように述べている。「話すことも直立二足歩行も基本的人権に属する。それを奪う改訂は、人間の尊厳を踏みにじることになる」(多田 2007: 41)。

13) 心療内科医の福土は感覚と情動の関係について興味深い論を展開している。福土によれば、嗅覚、味覚、痛覚、内臓感覚は感覚そのものが無条件に個体の生存にとっての価値を持ち、それゆえに快・不快情動と結びついている（福土 2010)。二足歩行によって得られる感覚も、このような感覚なのではないか。

引用文献

安部能成　2013：「進行がん患者の基本動作、歩行、移動障害へのアプローチ」辻哲也（編）『がんのリハビリテーションマニュアル：周術期から緩和ケアまで』、医学書院、282-295 頁。

――― 2013『リハビリテーションの歩み：その源流とこれから』医学書院。

Booth, Steve and Rebecca Jester　2007: "The Rehabilitation Process" in Jester, Rebecca ed. *Advancing Practice in Rehabilitation Nursing*. Oxford: Blackwell Pub.

Dietz, J. Herbert, Jr.　1969: "Rehabilitation of the Cancer Patients." *Medical Clinics of North America* 53(3): 607-624.

Deaver, George G. and Mary Eleanor Brown　1945: *Physical Demands of Daily Life: an Objective Scale for Rating the Orthopedically Exceptional*. New York: Institute for the Crippled and Disabled.

福土審　2010：「原始感覚による情動の生成とその破綻」福土審編『原始感覚と情動：生体防御系としての情動機構とその破壊』医歯薬出版、3-6 頁。

Giddens, Anthony　1991: *Modernity and Self-Identity*. Stanford: Stanford University Press.

栗原幸江、田尻寿子　2011：「こころのケアとしてのリハビリテーション」辻哲也（編）『がんのリハビリテーションマニュアル：周術期から緩和ケアまで』医学書院、330-339 頁。

松岡秀明　2014：「緩和ケア病棟における「良き死」をめぐって」『成城大学共通教育論集』第 7 巻、47-62 頁。

中村隆一　2009：「定義」伊藤他編『リハビリテーション事典』中央法規、2-5 頁。

日本リハビリテーション医学会・評価基準委員会　1992：「ADL 評価に関する検討―検討の経緯と結果」『リハビリテーション医学』29(9)、691-698 頁。

西村かおる　2008：『患者さんと介護家族のための心地よい排泄ケア』岩波書店。

Sheets-Johnstone, Maxine　1990: *The Roots of Thinking*. Philadelphia: Temple University Press.

――― 1999: *The Primacy of Movement*. Amsterdam: John Benjamins.

砂原茂一　1980：『リハビリテーション』岩波書店。

多田富雄　2007：『わたしのリハビリ闘争：最弱者の生存権は守られたか』青土社。

辻哲也　2011：「進行がん・末期がん患者におけるリハビリテーションの概要」辻哲也（編）『がんのリハビリテーションマニュアル：周術期から緩和ケアまで』医学書院、254-266 頁。

辻哲也（編）2011：『がんのリハビリテーションマニュアル：周術期から緩和ケアまで』医学書院。
上田敏　1992：『リハビリテーション医学の世界：科学技術としてのその本質、その展開、そしてエトス』医学書院。
――― 2010:「日常生活活動の概念・意義・範囲」伊藤他編『新版　日常生活活動（ADL）―評価と支援の実際』医歯薬出版社、1-14頁。
――― 2013：『リハビリテーションの歩み：その源流とこれから』医学書院。

Fighting against Death:

Why Patients Close to Death in a Palliative Care Ward Receive Rehabilitation

by Hideaki MATSUOKA

By defining palliative care as "an approach that improves the quality of life of patients and their families facing the problems associated with life-threatening illness," the World Health Organization (WHO) remarks that this care is "applicable early in the course of illness." In Japan, however, most palliative care wards have been similar to hospices, institutions where patients for whom biomedicine offers no definite remedy, lead a peaceful life and then die calmly. As indicated above, quality of life (QOL) is a significant index in palliative care. Another important index employed in such care is activities of daily living (ADL). ADL refers to daily activities which people do without assistance such as eating, dressing, bowel and bladder management, bathing, walking, and so forth. Several types of medical staff are working in palliative care wards and physical therapists are one of them. They work to rehabilitate those who are close to death. The reader might be puzzled why patients in palliative care wards need rehabilitation since these patients will likely die soon. Think for a moment of patients with low ADL levels who may sometimes fall down on the way to the toilet. The fact that they even try to go by themselves facing the risk of a fall clearly shows that ADL is closely related not only to QOL but also to what may be called "human dignity." They receive rehabilitation so as not to lose their ability to perform basic human functions such as walking and using the toilet, or lose chances to perceive the world around them for as long as possible.

〈論文〉

心理学関連領域における死別研究
——遺族に対する調査の課題——

渡部麻美

1. 死別とその影響

近親者との死別は、ある社会的役割を果たしていた人がいなくなることで、残された遺族の生活を大きく変化させ、特有の心理的変化をもたらす。死別の心理的影響については、心理学、精神医学、看護学などの多岐にわたる研究分野で検討されている。そのため、死別後の心理過程を示す統一的な用語がないのが現状である（松井, 2007)。松井（2007）は、近親者との死別後に体験する心理現象を表す言葉として、bereavement（近親死反応、死別反応)、object loss または loss（対象喪失、喪失)、grief（悲嘆、悲哀、悲しみ)、mourning（悲哀、喪）などを列挙している。これ以降、本稿では遺族の心理状態を表す言葉として、「悲嘆」あるいは「悲嘆反応」を用いる。悲嘆は、死によって愛する人を亡くしたときの最初の情動（情緒）反応を表す用語であり、喪失への正常で自然な反応である（Stroebe, Hansson, Schut, & Stroebe, 2008)。

松井他（2003）は、近親者との死別後に多くの人が経験する悲嘆反応を表1（次頁）のように整理している。死別後もっともよくあらわれる反応は、「亡くなったことが悔やまれた」(73.2%）という反応である。さらに、「涙もろくなった」(49.9%）や「心のハリがなくなった」(37.0%）のような悲しみや気力の低下もみられる。「睡眠がうまくとれなくなった」(40.8%)のように不眠傾向を示す遺族も多い。このように、親しい人との死別の後には、感情・情動面の変化に加え、身体的な変化も生起する。なお、死別後の悲嘆として怒り反応がみられることもある（Stroebe et al., 2008）が、松井（2007）は自身の調査経験から、日本人には怒り反応よりも罪悪感の方が生じやすいと述べている。

また、一口に死別と言っても多様なケースが存在する。多くの人が経験す

表1　死別直後の悲嘆反応（松井・安藤・福岡, 2003 から松井, 2007 が作成）

	反　応	選択率
1	亡くなったことが悔やまれた	73.2%
2	涙もろくなった	49.9%
3	睡眠がうまくとれなくなった（寝つきが悪くなった、眠りが浅くなった、朝早く目が覚めるようになったなど）	40.8%
4	心のハリがなくなった	37.0%
5	気が滅入るようになった	36.9%
6	夢を見ているようで、目の前のことが現実とは思えなかった	35.0%
7	自分を責めたり、自分のしたことを悔やんだりした	32.2%
8	落ち込みやすくなった	31.6%
9	強い不安を感じた	30.1%
10	自分に起きていることを、外からながめているような気持ちになった	27.2%
11	次々とよくないことを考え、とりこし苦労をした	23.1%
12	頭の中が真っ白になって何も考えられなくなった	21.8%
13	とてもイライラしたり、ちょっとしたことでも気にさわった	20.0%
14	胸がドキドキするようになった	19.0%
15	お腹の具合が悪くなった（胃痛、腹痛、下痢、便秘など）	13.4%
16	わけもなく興奮した	11.6%
17	記憶が抜け落ちて思い出せない出来事があった	9.7%

注）選択率は松井・安藤・福岡 (2003) の首都圏の成人 835 名に対する調査による。

るのは、高齢になった近親者が病気や老衰で亡くなるケースである（安藤, 2004）。この場合、亡くなるまでの日々の関わりを通して、当事者の心身の衰えを徐々に実感することから、死別の予期ができていることが多い。しかし、すべての死別がこのような予期の後に訪れるわけではない。災害や事故などによる死別は、平穏な日常生活を送る中で突然に発生する。このような「予期しなかった悲嘆」を経験した場合、遺族はその衝撃を乗り越えて次の段階に進むことが困難であるといわれている（Parkes & Weiss, 1983）。それに加えて、死別に関する予期の有無は、死別の衝撃からの回復期間の長さに影響することもわかっている（池内・藤原, 2009）。

以下では、まず一般に死別経験がもたらす心理的負荷や悲嘆に関わる要因について概観する。それに続いて、「予期せぬ死別」を経験した人々の心理過程に関する研究の例として、災害による死別を経験した遺族や航空機事故の遺族に関する研究を概観する。さらに、亡くなった人との関係継続に関わる研究を紹介する。最後に、心理学関連領域における遺族に対する調査の課題について述べる。

2. 一般の死別経験と悲嘆

死別は人生において経験される出来事の中でも、大きな心理的、身体的負荷を発生させる出来事の一つである。Holmes & Rahe（1967）は、社会的再適応評価尺度（Social Readjustment Rating Scale; SRRS）によって、様々なライフイベントのストレスの大きさを測定している。社会的再適応評価尺度は、ライフイベントを経験した際に、それに適応するまでにかかる主観的な時間や努力の程度をストレス総量と捉えている。「結婚」のストレス総量を50とした場合、「転居」「大きなケガまたは病気」「失業」といった様々な出来事のストレス総量がどの程度であるかを質問紙調査でたずねている。その結果、「配偶者の死」のストレス総量が最も高い値である100、「近親者の死」が全体の5番目の63であった（表2；Holmes & Rahe, 1967）。日

表2　社会的再適応評価尺度（Holmes & Rahe, 1967）

ライフイベント	平均値	ライフイベント	平均値
配偶者の死	100	子どもの独立	29
離婚	73	義理の家族とのトラブル	29
別居	65	飛び抜けた業績をあげる	28
服役	63	配偶者の就職または退職	26
近親者の死	63	入学または卒業	26
大きなケガまたは病気	53	生活環境の変化	25
結婚	50	生活習慣を改める	24
失業	47	上司とのトラブル	23
夫婦の和解	45	勤務時間や勤務条件の変化	20
退職	45	転居	20
家族の健康状態の変化	44	転校	20
妊娠	40	余暇活動の変化	19
性的な問題	39	教会活動の変化	19
新しい家族の加入	39	社会活動の変化	18
仕事上の再適応	39	1万ドル以下の借金	17
経済状況の変化	38	睡眠習慣の変化	16
親友の死	37	同居家族人数の変化	15
異なった職種への移動	36	食習慣の変化	15
配偶者と口論する回数の変化	35	休暇	13
1万ドル以上の借金	31	クリスマス	12
抵当やローンが流れる	30	軽微な法律違反	11
仕事上の責任の変化	29		

本人の勤労者の場合、もっともストレス総量が高くなるのが「配偶者の死」の 83 で、2 番目が「失業」の 74、3 番目が「近親者の死」の 73 である（加藤，2008)。「配偶者の死」が Holmes & Rahe（1967）よりも小さい値ではあるが、それでも最も心理的負荷をもたらす出来事として評価されている。親しい人との死別経験は、様々なライフイベントの中でも個人にとって大きな心理的負荷を与えることがわかる。

安藤（2004）は、首都圏の 20 歳以上 70 歳未満の男女に対して死別に関する調査を行っている。この調査は、「4．航空機事故遺族の悲嘆」で述べる中華航空機墜落事故の被害者遺族調査の比較対象とするために行われたものである。調査対象者は首都圏の 20 歳以上 70 歳未満の男女 2000 名、有効回答数は 835 名であった。調査項目は、亡くなった人の性別や年代、続柄、死亡原因や生前の生計との関わり、死別による悲嘆の程度を測る尺度などであった。

死別経験の有無について、安藤（2004）では「あなたはこれまでに、自分にとって身近な人（家族や親戚、友人、先生、職場の同僚など）の死を経験したことがありますか？」という項目でたずねている。その結果、死別を経験したことのある人の割合は男性で 76.5%、女性で 77.7%であった。20 歳代に限ってみると、男性で 75.5%、女性で 67.1%であり、若い世代であっても 7 割程度は近親者との死別を経験していることになる。60 歳代になると、男性で 87.7%、女性で 80.4%である。したがって、多くの人にとって、死別は経験したことのある身近な出来事だといえる。

どのような要因が死別直後の悲嘆の程度を規定するのかを検討すると、男女で異なった結果が得られている。男性では亡くなった人が子どもや配偶者であると直後悲嘆が強くなり、女性では亡くなった人が家庭の生計を担っていた場合に直後悲嘆が強くなる傾向があった（安藤, 2004)。男性の結果は、上述した Holmes & Rahe（1967）の知見と一致した結果だといえる。女性の結果も、家計を一手に担ってきた配偶者を亡くした場合が想定される。専業主婦である女性が家計を担う夫を失ったとすれば、その後の生活がどのように変化していくのか予想もつかない状況におかれるであろう。死別そのものの衝撃に加え、死別後の自身や子どもの生活に関する不安が悲嘆を強くすると考えられる。

Stroebe, et al.（2008）では、死別後の悲嘆を引き起こす条件を検討するアプローチとして、次の３つを挙げている。１つ目は、故人との絆とその心的表象を悲嘆の原因とするアプローチである。Bowlby（1980）のアタッチメント理論はこれに該当する。愛着対象であった人を失えば、その人との絆が強いほど悲嘆の程度強くなる。２つ目は、主観的世界像の崩壊から悲嘆が生じるとするアプローチである。近親者の死によって、それまでの生活が抜本的に変化すると、日常生活のあり方だけでなく、個人の世界観や自己像までが危機に陥り、悲嘆が発生する。３つ目は、人間関係による支えの喪失が悲嘆を発生させるとするアプローチである。近親者と死別することは、その人がもたらしていた心理的サポートと物理的サポートを失うことでもある。その喪失によって悲嘆が生じる。３種類の要因は、主観的なものから客観的なものまで幅広い領域に渡っている（Stroebe, et al., 2008）。死別後の悲嘆には、残された遺族の内面から行動までの広範な変化が影響を及ぼしているといえるだろう。

３．災害遺族の悲嘆

災害の多い日本において、災害によって亡くなった人々の遺族の心理過程を明らかにすることは、その後の遺族のケアという点で社会的要請の大きな研究テーマである。災害による死別は、病死などによる死別とは異なる特徴を持つ。松井他（1993）は、災害による死別を経験した遺族の特徴を２点挙げている。まず、災害死は突然起こるため、看取りにかけられる時間が短く、遺族の悲嘆が強くなりやすい。２点目として、遺体の捜索や多重の喪失体験など、他の死別にはない要因が存在する。

災害死による遺族の悲嘆からの回復を左右するのはどのような要因であろうか。松井・鈴木・堀・川上（1995, 1996）は、日本における災害遺族の心理に関する研究を展望している。松井他（1995, 1996）によって検討されたのは、1982 年の長崎水害（東京大学新聞研究所「災害と情報」研究班, 1984）、1983 年の三宅島噴火（三宅・尾崎・箕口・上村・吉松・箕輪, 1991）、1990 年からの雲仙・普賢岳災害（長崎大学生涯学習教育研究センター運営委員会, 1993）、北海道南西沖地震（藤森・林・藤森, 1994；藤森, 1995）などを中心とした災害の被災者を対象にした研究である。

松井他（1996）は、これらの研究を整理し、災害遺族の悲嘆からの回復に影響する要因を５側面に分類している。第１の側面は、性別や性格、価値観などといった遺族自身の要因である。第２の側面は、故人の家族内での意味や社会的地位などの、故人および故人と遺族との関係である。第３の側面は、遺体の捜索状況や看取りの有無、葬儀の状況などの死の状況である。第４の側面は、被災を運命として受け入れるか、被災の原因を他者や遺族自身に帰属するかといった、死や災害の捉え方である。第５の側面は、経済的問題や近隣との接触、公的機関やマスコミの対応などの死後の家庭状況である。一般に悲嘆からの回復に大きく影響すると予想されるであろう、本人のもともとの性格や心身の健康、価値観といった内面的要素ばかりでなく、故人の社会的地位（第２の要因）や死の状況（第３の要因)、死後の周囲からの対応（第５の要因）のような、外的な要因も悲嘆からの回復過程を左右している。

第１の要因や第２の要因は、病死などの死別でも存在する要因であるが、第３の要因から第５の要因は、災害死以外の死別にも必ず存在するとはいえない。特に、第５の要因に含まれるマスコミとのやり取りなどは、老衰などによる死別では存在しない要因であり、近隣との接触のあり方も病死による死別と災害による死別とでは大きく異なるであろう。災害死はその公共性の高さから、周囲の人々から支援や同情を受けるが、それと同時に「けなげに振る舞ってほしい」「もう立ち直ってほしい」といった周囲からの期待が遺族にとってストレスとなるということも指摘されている（松井他 ,1996; Raphael, 1986)。

2011 年の東日本大震災の遺族に関する研究も活発に行われている。髙橋(2013）によれば、東日本大震災で遺族となった人は約 10 万人と推計され、遺族へのケアはこの震災からの復興へ向けて重要なテーマとなっている。髙橋（2013）が、東日本大震災の遺族に強くみられた反応として挙げているのは次の２点である。１点目は、「あの時に逃げろと言っていれば救えたのではないか」、「自分が生き残って若い人が亡くなって申し訳ない」という後悔・自責の念である。２点目は、遺体の損傷が激しく身元の特定が困難であるが故に、近親者の死を否認する傾向である。いずれも、地震や津波という災害の特徴を反映した反応である。

さらに、東日本大震災の行方不明者の多さは、家族の悲嘆を複雑なものにしている。瀬藤・黒川・石井・中島（2015）は、東日本大震災の行方不明者の家族が「あいまいな喪失（ambiguous loss)」状態にあると述べている。「あいまいな喪失」では、近親者の不在の受け入れについて葛藤が生じ、「あの人は帰ってこない、いや帰ってくるかもしれない」といった感情の揺れによって、悲嘆の複雑化が起こりやすい。また、家族メンバーのひとりひとりの役割が不明確になり、残された家族間に葛藤が生じやすい。行方不明者の家族における悲嘆の複雑化については、この震災に特徴的な事象として笠原（2015）なども指摘している。なお、瀬藤他（2015）は、故郷の町があるにも関わらずそこに帰ることのできない、福島第一原子力発電所の近隣住民のおかれた状況も「あいまいな喪失」に該当するとみている。

以上のように、災害による死別に対する心理的反応には、一般的な死別にもみられる個人ごとの要因に加えて、災害死特有の要因が関わる。さらに、東日本大震災でいえば行方不明者の数のような、その災害のみに備わる特徴が悲嘆の強度や質に影響を及ぼす。それゆえ、災害による死別の悲嘆過程を、ひとつの枠組みで記述することは困難であろう。多くの人が被害を受ける災害死であっても、個々の死別体験は、あくまで個人的なものだといえる。

4．航空機事故遺族の悲嘆

事故による死別も、災害と同様に予期せぬ死別に分類できる。特に航空機事故は、道路交通事故や鉄道事故などと比べて発生頻度が低く、人々のリスク認知も低い。災害や事故、疾病といった各種の危険に対する人々の不安評定値を測定した中谷内（2012）によれば、交通事故や鉄道事故、水難事故、さらに地震や台風などの自然災害に比べて、航空機事故は平時の不安評定値が格段に低い。つまり、ふだん我々は、航空機を安全な交通手段だとみなし、航空機事故が発生するという可能性を非常に低く見積もっている。このように、安全な乗り物だという先入観を持たれている航空機が事故を起こし、それによって近親者を失うことは当人にとって全く予期せぬ喪失であるといえる。

また、航空機事故は、事故後の対応を個人で行なうことが難しいという点で、他の死別経験とは異なる。航空機事故は被害者が多数発生する。その被害者遺族は集団で組織を結成し、長期にわたって航空会社との交渉にあたる。本節で取り上げる中華航空機墜落事故でも、被害者遺族が複数の遺族会を結成して裁判に取り組んだ。この事故に関連するすべての裁判が終結したのは2008年であり、1994年の事故の発生から実に14年が経過している（安藤・松井・福岡，2011）。

さらにこの種の規模の大きな事故では、裁判やマスコミ報道によって死別原因となった事故の過程や被害者の情報が公にされるという特徴もある。死別は本来極めて私的な出来事である。その死別が組織対組織のやり取りの俎上にのることで、ひとりひとりの遺族が被害者との個人的な思い出を振り返り、時間をかけて死と向き合うことが困難になる。こういった状況で、航空機事故遺族の悲嘆が複雑化し、回復が困難になることは想像に難くない。

社会心理学分野の研究者が行った体系的な航空機事故遺族の研究として、安藤（2004）による中華航空機墜落事故の遺族研究が挙げられる。中華航空機墜落事故は、1994年4月24日に台湾発名古屋行きの中華航空機140便が名古屋空港において着陸に失敗し、滑走路脇に墜落炎上した事故であり、この事故により264名の乗員乗客が亡くなっている（安藤・松井・福岡，2011）。2014年に事故から20年を迎え、事故現場で遺族らによる慰霊式典が行われた（朝日新聞，2014.04.27）。

安藤（2004）は、この事故の遺族の心理的状況を明らかにするために、複数回の体系的な調査を行っている。この調査は、中華航空機墜落事故の遺族に対する2回の質問紙調査と、比較調査として行われた一般市民調査、さらに遺族対象の面接調査によって構成されている。本稿では、2002年に行われた2回目の中華航空機事故遺族調査と一般市民調査の結果を紹介する。前者を事故遺族調査、後者を一般遺族調査と表記する。事故遺族調査は、名古屋空港中華航空機事故遺族会に協力を依頼し、郵送調査によって質問紙に回答を求めた。事故遺族76名（平均年齢48.9歳）の回答を分析している。一般遺族調査は「1．死別とその影響」ですでに言及した調査であり、首都圏の20歳以上70歳未満の男女835名を分析対象としている。

安藤（2004）において死別による衝撃度を測定するために使用されたのは、改訂版出来事インパクト尺度（IES-R; Impact of Event Scale- Revised: 飛鳥井，1999）である。この尺度は、特定の出来事の衝撃がどの程度残っているかを数値化するものであり、心理学研究の分野では、災害や事故、事件などのトラウマティックな出来事によって個人が受けた衝撃を測定する際に頻繁に用いられる。IES-R は「侵入（Intrusion）」、「回避（Avoidance）」、「過覚醒（Hyperarousal）」の３つの下位尺度から成り立っている。「侵入」は「考えるつもりはないのに、そのことを考えてしまうことがある」、「回避」は「そのことをなんとか忘れようとしている」、「過覚醒」は「ものごとに集中できない」といった質問項目への回答によって測定される。これらの下位尺度ごとの数値を議論することもあるが、安藤（2004）では３つの下位尺度をまとめた合計点を使用している。

死別後には、近親者の死そのもの衝撃に加え、二次的ストレッサーも発生する。二次的ストレッサーとは、「愛する人の死によって新たに生起した、あるいは表面化した状況や出来事のうち、個人にとって負担や有害であると認知された事象」と定義される（坂口，2001）。安藤（2004）は、遺族が死別後に経験する二次的ストレッサーの発生頻度を測定するために、死別後ストレッサー尺度を作成している。死別後ストレッサー尺度は「家族の問題（項目例：家族のまとまりが弱くなった）」、「用事の増加」（項目例：行事や手続きなど、やり慣れないことが多くてとまどった）、「生活・経済面の悪化（項目例：生活が苦しくなった）」、「周囲の不適切な発言（項目例：周囲から、思いやりのない言葉をかけられた）」の４つの下位尺度を含んでいる。

安藤（2004）では、一般遺族のデータを元に、IES-R の得点と死別後ストレッサーとの関連が検討された。IES-R の得点と死別後ストレッサーの４つの下位尺度の得点にはいずれも有意な相関がみられ、死別に伴って、「家族の問題」、「用事の増加」、「生活・経済面の悪化」、「周囲の不適切な発言」などのストレッサーを経験するほど、IES-R の得点が高くなる。つまり、死別に付随して起こる、遺族にとって負担となる出来事が多いほど、死別の衝撃が残りやすくなる。

また、安藤（2004）では、死別経験後の遺族の心理的変化を測定するための尺度を開発している。この尺度は「生の意義の認識（項目例：人々や物を、いて当たり前、あって当たり前だとは思わなくなった）」「人間的成長（項目例：自分に自信が持てるようになった）」「死への関心（項目例：自分の死について、もっと考えるようになった）」「意欲低下・人間不信（項目例：他人を信用しようという気持ちが弱まった）」の４つの側面から、死別を経験した後の遺族の心理的変化を把握する尺度である。

航空機事故遺族と一般遺族を比較すると、航空機事故遺族は一般遺族に比べてIES-Rの得点も、死別後の心的変化の4つの側面のいずれの得点も有意に高い値を示した（安藤, 2004）。つまり、航空機事故遺族は一般遺族より死別によって受ける衝撃が大きく、死別によって引き起こされる心理的変化も大きい。ただし、この死別後の心理的変化には、「意欲低下・人間不信」のような否定的な変化が含まれるが、「生の意義の認識」や「人間的成長」のような、視野を広げその後の生活を豊かにするであろう、ポジティブな変化も含まれていることに注目したい。

航空機事故遺族は事故をきっかけとして様々な活動に携わっている。例えば、「慰霊施設の建設や、掃除などの維持管理に協力した」（73.7%）や「事故原因の究明と再発防止を求める街頭署名活動をおこなった」（69.7%）などが回答されている（安藤, 2004）。また、このような事故に直接関わる活動以外にも、わずかではあるが「これらの活動の他に、事故がきっかけでボランティア活動や社会的な活動を始めた」（5.3%）と回答した遺族もいる（安藤, 2004）。事故による死別経験のあと、遺族たちは社会的な活動を実際に行うようになっている。

実際の活動だけでなく、航空機事故遺族は事故後に社会的事象に対して関心を向けるようになっている。「裁判や賠償請求のあり方について」(60.5%)、「マスコミの取材や報道の仕方について」（56.6%)、「航空会社のあり方について」（55.3%)、「空港の安全対策について」（51.3%）は半数を超える遺族が関心を持つようになった事柄として選択していた（安藤, 2004）。これらは、事故後に遺族自身が経験した一連の裁判の過程やマスコミによる取材を受けた経験や、事故原因が解明される過程で航空会社や空港の実態を知ったことが端緒になっていると考えられる。

以上の安藤（2004）の研究は、予期せぬ死別の衝撃の大きさを、事故遺族と一般遺族の比較によって実証したものと位置づけられる。それに加えて、事故遺族の心理的変化の大きさや遺族が事故後に行なった具体的な活動を明らかにしており、特異な事故によって近親者を失った人々の心理面・行動面双方の変化が詳細に記述された貴重な資料だといえよう。

5．喪失対象との継続的関係

ここまでに、主として災害や航空機事故による死別後の悲嘆に関わる要因について議論してきた。多くの場合、死別から時間が経つにつれて、故人や死別という出来事そのものの捉え方も変容していく。本節では、遺族が故人の記憶とどのように向き合っているのかを検討した池内（2006）の研究を紹介する。

池内（2006）は「形見」に関する調査を通して、死別後に時間がある程度経過してからも、遺族と喪失対象との継続的な関係がみられることを明らかにしている。郵送法による質問紙調査の結果、397名の死別・離別経験者（平均年齢39.6歳）の69.0％が何らかの形見を所有していた。その内容は、写真やアルバムなどの喪失対象を直接想起させるもの、衣類や装飾品といった喪失対象の所有物、手紙やメールなどの回答者と喪失対象との関係性を示すものが主であった。これらの形見を手放さない理由としては、「失った対象を忘れたくないから」（45.5％）が最も多く選択されていた。池内（2006）の調査では、死別のみでなく離別も喪失の一部として含まれていることに注意が必要であるが、形見は失った人を想起したり、意識していたりするために保有されているものと見なすことができる。

一方、同じ調査の中で池内（2006）は、喪失からの回復についても尋ねている。死別・離別の経験者が回復に要した時間は、平均2.49年（標準偏差5.03）であった。ただし、回答の範囲は3日から45年までと幅広い。回復理由については、「ほとんど思い出さなくなった」（22.3％）が最も多く選択された。死別や離別を経験した人々は、失った対象を忘れないために形見を保有しながら、思い出さなくなることを回復とみなしていることになる。

この、一見矛盾するような結果は、人々の喪失体験に対する多面的な心情を表している。対象への愛着が強いほど死別や離別はつらい経験となり、想起することに痛みを伴う。そのため、できればふだんの生活の中では忘れていたいと感じる。しかし、愛着のあった対象との思い出やつながりは、個人の生活を支えるものにもなり得る。折々に思い出すことで、生きる気力を得る人もいるだろう。池内（2006）の知見は、このような相反する人々の心情が反映された結果であるといえる。

近親者の死は悲しみをもたらす出来事であり、ふだんの生活の中では死そのものを意識することが少ない。しかし、亡くなった人の記憶は常に我々の中にあり、個人の価値観や生き方を形成する要素となっている。そのことが、「思い出したくないけれども覚えていたい」という遺族の反応になって現れるのであろう。

6．死別研究から得られる知見

これまでに紹介した一連の研究知見から、主に次の２つの点が指摘できるだろう。第１に、死別による悲嘆の影響因として、社会経済的な要因を含む外的要因も大きな位置を占めている。例えば、看取りを納得のいく形で行うことができたか、周囲の人にどのような対応をされたかといった死の周辺の事象のあり方がその後の悲嘆を規定している。また、故人の生前の役割や関係性も、遺族の悲嘆の強さやそこからの回復過程に影響を及ぼしている。災害や事故による死別のように、予期しない死別を経験した人は病死や老衰による死別を経験した人も強い衝撃が残りやすいことも明らかである。これは、災害や事故の場合、死別をめぐる外的要因が、遺族の制御できる範囲を超えるためであると考えられる。悲嘆を強くする要因は病死や老衰死の場合にも存在するが、災害や事故ではその規模が大きく、死亡の事実を多くの人が知るところとなる。そのため、遺族にストレスを与える副次的な出来事が生じやすく、悲嘆がさらに複雑化しやすい。

第２に、死別は人としての成長や価値観の変化ももたらす。遺族は悲嘆にくれるばかりではなく、故人が亡くなった原因である出来事の関連事象に関心を向け、社会的活動に携わる例がみられる。さらに、死亡原因に直接関わる事象を超えて、司法や政治のあり方といった社会的な問題に視野を広げていく人もいる。

近親者との死別は我々に大きな衝撃を残す。さらに、死別によって二次的なストレッサーが発生し、心理的負担を大きくする。死別後の衝撃から回復するまでに、長い時間を要することもある。強い悲嘆が継続し、生涯回復できない遺族もいるだろう。しかし、一方で、我々は近親者との死別とそれに付随する出来事を通して新たな視点を獲得し、豊かな生き方をすることもできる。何がその違いを生じさせているのか、さらに検討が必要であると考えられる。

7．死別調査の研究手法の課題

心理学領域の中でも、社会心理学における死別研究は、安藤（2004）や池内（2006）にみられるように主に実際に死別を経験した遺族に対する質問紙調査（アンケート）や面接調査（インタビュー）から知見を得ることが多い。しかし、遺族に対してこのような調査を実施することは、複雑な問題をはらんでいる。

まず、結果の一般化の問題である。死別自体は人が必ず経験する出来事であるが、そのひとつひとつの事例はあくまで個人的なものである。死別は個人の生前の生活史や周囲の人との関係性、死後に残された人々の心理社会的側面に影響を及ぼす。人の死やその後発生する出来事の質は個別性が高く、安易に一般化することができない。したがって、1回の調査で明らかになった知見が広く他の人々にも適用できるかどうかについては、慎重にならざるを得ない。

第2の問題は、調査協力者の記憶による結果の歪みである。死別を含むライフイベントに関する調査では、手法として回顧法が使用されることが多い。回顧法とは、調査協力者に過去の出来事を想起した上で回答してもらう方法である。この方法の短所として、対象となる出来事が起きてから経過した時間が長いほど、記憶の消失や変容の影響を受けやすいことが挙げられる。忘却などの影響を避けたければ、死別経験から時間の経っていない人に対して調査を行う必要がある。しかし、そのような調査協力者を発見することは困難であるばかりか、死別後間もなく調査をすること自体が死別経験の二次的ストレッサーになるおそれもある。

第3に、回答拒否の問題がある。死別経験は当人にとってつらい思い出であることも多い。「思い出したくない」「話したくない」と考えている人もおり、そのような場合は調査の依頼を受けても回答を拒否することが予想される。そのような中で、調査への参加に同意し、回答する人は、死別経験から「立ち直って」いる人であるとも考えられる。このことは調査の結果に何らかの偏りをもたらしている可能性がある。

8. 調査協力者の権利保護

心理学の調査や実験は、その目的に賛同し善意で協力してくれる協力者なくしては成立しない。調査や実験は大なり小なり協力者の仕事や私生活を妨害するものである。そのような中、調査や実験の協力者は実施者の依頼を受けて時間を割くのであるから、実施者には、研究実施によって協力者に及ぼす影響を最小限にとどめる責務がある。

死別についてたずねることはプライバシーに関わる内容をたずねることになる。また、調査の中で過去の死別について想起することで、トラウマティックな記憶が呼び起こされる可能性もある。それだけにとどまらず、協力者の回答について、実施者が協力者の意に添わない解釈をすることで協力者側に不快感が生じることもある。このように、死別研究は協力者にとって多くのリスクを伴う。

日本心理学会では、人を対象とする研究を行う際の倫理規定をまとめている（日本心理学会倫理綱領，2015.12.18閲覧）。論文を投稿する際にも、協力者に負荷をかける内容でないか、研究内容に協力者からインフォームドコンセントを得たか、協力者のプライバシーが保障されているかといったチェック項目を満たすことが望ましいとされている（表3；日本心理学会機関誌等編集委員会，2005）。心理学の研究であれば、どのようなテーマであってもこういった倫理的な規範を守ることが求められるが、協力者のストレスになりやすい死別研究においては、倫理面の配慮は特に入念になされる

表3　心理学研究投稿時の倫理チェックリスト（部分）

・所属または関連機関に倫理委員会がある場合、研究を行うにあたりその承認を得ましたか
・実験や調査に先立ち研究参加者からインフォームドコンセントを得ましたか
・やむを得ずインフォームドコンセントが得られない場合は、代替となる手段をとりましたか（親や責任者による承諾を得るなど）
・実験や調査においては、参加者や動物に負荷やリスクはありませんでしたか
・実験や調査にデセプションがある場合、事後説明などによる対処を行いましたか
・動物実験においては、必要最小限の個体数で実験しましたか
・プライバシーは保障されていますか（データ収集や処理、論文に紹介する際の匿名性の保障など）

注1）日本心理学会（2005）執筆・投稿の手引き「倫理チェックリスト」より抜粋。
注2）「ディセプション」は、研究目的を伏せたり、偽ったりして実験や調査を行うことを示す。

べきである。

調査によってストレスを受けるのは協力者だけではない。調査実施者もストレスを経験する恐れがある。協力者の回答内容に衝撃を受けるといった直接的な影響や、調査の過程で自身の過去の喪失体験を想起するといった間接的な影響が考えられる。協力者に過去のトラウマティックな出来事を尋ね、ストレスを与えることの罪悪感を感じる調査実施者も少なくないであろう。

9．死別調査の意義

このように、様々なリスクが存在し、慎重な実施が求められる死別研究であるが、調査協力者にとってデメリットしかもたらさないという訳ではない。以下に、死別調査の協力者が享受する可能性のあるメリットを３点挙げる。

第１に、死別経験を語ることでカタルシス効果を得られる可能性がある。トラウマティックな経験の自己開示は、長期的には精神的健康に望ましい効果を与える（Pennebaker & Beall, 1986）。死別が嫌な経験として記憶されていれば、ふだんの生活の中では死別経験をなるべく口にせず、想起すらしないようにしている人もいるだろう。このような協力者にとっては、調査が死別経験を開示する機会となり、死別という経験の捉え直しの場となるであろう。

第２に、調査に参加することが、社会からの関心・理解を知るきっかけになる（大坊・堀毛・相川・安藤・大竹，2009）。調査への協力を求められることが、自分自身または自分の経験が社会から関心を持たれ得るものであると認識する機会となる。また、調査実施者が調査協力者に対して誠実に対応することができれば、調査協力者が「見捨てられていない」「放置されていない」と実感できる。

第３に、調査参加によって、他世代への経験の継承を実感できる。学術研究に協力することは、言うまでもなく自身が後世の学術発展の助力になっているということである。死別はつらい経験であったかもしれないが、自身の経験が研究知見となり、社会貢献できるという達成感を感じることができる。

以上のように、死別研究にはリスクがある一方、協力者にとっての利点もある。しかし、協力者が上記のような利点を感じることができるかは、あくまでも調査実施者が協力者に対して誠実に対応し、協力者の意図を的確に汲み取ることができるかによる。したがって、我々研究者は、協力者のリスクを最小限にとどめ、調査から得られる知見が協力者にとっても社会にとっても最大限に役立つものとなるよう、細心の注意と努力を持って研究に取り組むことが求められる。

引用文献

安藤清志（2004）「航空機事故遺族の死別後の心理的反応と回復過程に関する研究」文部科学省科学研究費補助金・研究成果報告書。

安藤清志・松井豊・福岡欣治（2011）「航空時犠牲者遺族の心理―名古屋空港中華航空機墜落事故の事例から（1）―」『東洋大学社会学部紀要』48－2号、57-71頁。

朝日新聞（2014.04.27）「墜落の地　鎮魂の20年」朝刊1面。

飛鳥井望（1999）「不安障害　外傷後ストレス障害（PTSD）」『臨床精神医学』28巻増刊号、171-177頁。

Bowlby, J. (1980). *Attachment and Loss, Vol.3 Loss: Sadness and Depression*. London: Hogarth Press & Institute of Psychoanalysis.

大坊郁夫・堀毛一也・相川充・安藤清志・大竹恵子（2009）「Well-beingを目指す社会心理学の役割と課題」『対人社会心理学研究』9号、1-31頁。

藤森立男（1995）「1993年北海道南西沖地震」総合研究報告書　平成6年度文部科学省特定研究報告書。

藤森立男・林春男・藤森和美（1994）「北海道南西沖地震被災者の心理的サポートシステムの構築に関する研究」『北海道教育大学紀要（第1部C)』45巻1号、139-149頁。

Harvey, J. H. (2002). *Perspectives on loss and trauma: Assaults on the self*. Thousand Oaks, CA: Sage Publications.

Holmes, T. H. & Rahe, R. H. (1967). “The social readjustment rating scale”, *Journal of Psychosomatic Research*, 11, 213-218.

池内裕美（2006）「喪失対象との継続的関係―形見の心的機能の検討を通して―」『関西大学社会学部紀要』37巻2号、53-68頁。

池内裕美・藤原武弘（2009）「喪失からの心理的回復過程」『社会心理学研究』24巻3号、169-178頁。

笠原彩 (2015)「東日本大震災における喪失体験と心理支援のあり方」『臨床心理学研究』13号、45-59頁。

加藤司 (2008)『対人ストレスコーピングハンドブック—人間関係のストレスにどう立ち向かうか—』ナカニシヤ出版。

公益社団法人日本心理学会「倫理綱領」〈http://www.psych.or.jp/about/rinri.html〉(2015.12.18閲覧)。

公益社団法人日本心理学会機関誌等編集委員会 (2005)「執筆・投稿の手引き (2005年度版)」社団法人日本心理学会。

松井豊 (2007)「親密な関係と離死別」坂本真士・丹野義彦・安藤清志 (編)『臨床社会心理学』東京大学出版会、157-176頁。

松井豊・安藤清志・福岡欣治 (2003)「近親者との死別による心理的反応 (7) —死別後の心的変化—」『日本社会心理学会第44回大会発表論文集』626-627頁。

松井豊・鈴木裕久・堀洋道・川上善郎・斉藤徳美 (1993)「災害後の援助関する研究 (3)」『日本社会心理学会第34回大会発表論文集』252-255頁。

松井豊・鈴木裕久・堀洋道・川上善郎 (1995)「日本における災害遺族の心理に関する研究の展望1」『聖心女子大学論叢』85号、77-109頁。

松井豊・鈴木裕久・堀洋道・川上善郎 (1996)「日本における災害遺族の心理に関する研究の展望2」『聖心女子大学論叢』87号、41-66頁。

三宅由子・尾崎新・箕口雅博・上村晶子・吉松和哉・箕輪良行 (1991)「三宅島噴火災害被災住民の追跡調査—災害後の健康感の推移について—」『社会精神医学』14号254-261頁。

長崎大学生涯学習センター運営委員会 (1993)『雲仙・普賢岳火山災害にいどむ—長崎大学からの提言—』大蔵省印刷局。

中谷内一也 (2012)「東日本大震災後のリスク不安の変化 (2)」『日本社会心理学会第53回大会発表論文集』110頁。

Parks, C. M. & Weiss, R. S. (1983). *Recovery from bereavement*. New York: Basic Books.

Pennebaker, J. W. & Beall, S. K. (1986). Confronting a traumatic event: Toward an understanding of inhibition and disease. *Journal of Abnormal Psychology*, 95, 274-281.

Raphael, B. (1986). *When disaster strikes: How individual and communities cope with catastrophe*. New York: Basic Books. 石丸正 (訳) (1988)『災害の襲うとき—カタストロフィの精神医学—』みすず書房。

坂口幸弘 (2001)「配偶者との死別における二次的ストレッサーと心身の健康との関連」『健康心理学研究』14巻2号、1-10頁。

瀬藤乃理子・黒川雅代子・石井千加子・中島聡美 (2015)「東日本大震災における「あ

いまいな喪失」への支援―行方不明者家族への支援の手がかり―」『トラウマティック・ストレス』13巻1号、69-77頁。

Stroebe, M. S., Hansson, R. O., Schut, H., & Stroebe, W. (2008). *Handbook of bereavement research and practice: Advances in theory and intervention*. Washington, DC: American Psychological Association.

Suzuki, H., Saito, T., Kawakami, Y., Takahashi, K., & Matsui, Y. (1993). Social psychological study on measures for helping the bereaved left by natural disaster. *Journal of Natural Disaster Science*, 14, 2, 45-57.

高橋聡美（2013）「東日本大震災における遺族・遺児支援」『医療保険学研究（つくば国際大学紀要）』4号、73-77頁。

東京大学新聞研究所「災害と情報」研究班（1984）『1982年7月長崎水害における住民の対応』東京大学新聞研究所。

Bereavement Research in the Domain of Psychology:

Problems of Surveys for the Bereaved

by Asami WATANABE

Most people experience bereavement. Bereavement from a close relative's death is a very stressful life event. The resultant changes in a wide domain of internal or behavioral elements influences the severity of grief from which the bereaved person suffers. In a study of the bereaved who lost loved ones through a disaster, it becomes clear that external factors affect the person's recovery from grief. In addition, the characteristics of the disaster often determine the strength and quality of grief. A survey regarding people bereaved from an airplane accident shows that individuals who are bereaved unexpectedly, experience a higher amount of stress than those bereaved under other circumstances. However, the accident-bereaved typically show great behavioral change after their grief has subsided and often come to be interested in social pursuits. Furthermore, in an investigation about keepsakes from their loved one held by the bereaved, the findings showed that people's feelings are complicated, in the sense that they want to continue to remember their deceased loved one but their bereavement is a traumatic memory.

Finally, bereavement studies often take the form of interviews or surveys and there are certain aspects of the methodology and interpretation of data from such studies that researchers need to pay attention to. In addition, researchers must address confidentiality issues and other ethical considerations to minimize further potential stress on the bereaved that can be caused by completing the survey.

〈論文〉

ツィリスの天井画にみる生と死

鈴木桂子

はじめに

スイス、グラウビュンデン州ツィリスの聖マルティン教会には、12世紀ロマネスク時代に描かれた天井画が現存する。成立当時のほぼ完全な姿をとどめるものとしては、ヨーロッパで最古の木製天井画である。それは、谷あいの小規模で簡素な教会の外観からは想像できないような文化遺産的価値を持つ。[1] ツィリスの天井画はその制作動機や内包する意味内容に関して完全に解き明かされているわけではない。本稿では「生と死」という新たな観点から天井画を捉え、この芸術作品が当時の人々に教示したであろう「生と死」の意味について考えてみたい。

1　聖マルティン教会と天井画について

ツィリスは、アルプス以南、以北を結ぶアルプス越えルートの一つに位置している。北イタリアからアルプスを越えようとすればその峠は幾つかあるが、サン・ベルナルディーノ峠、あるいはシュプリューゲン峠を越えた場合には、必ずツィリスを通過する。ツィリスから道は、険しい渓谷で有名なヴィアマラ Viamala（「悪い道」）[2] にはいる。逆にアルプスの北側から来るならば、困難なヴィアマラを過ぎた後、最初に辿りつく村がツィリスであり、その後、峠越えが待っている。

中世の時代、聖マルティン教会は、このアルプス越えルートにおけるアルプス北側のもっとも重要な教会だった。その基礎は5世紀の終わり頃にさかのぼる。その後、三つの建築段階が続く。まずカロリング朝時代800年頃に三つのアプシスをもつ教会が成立し、これが完全に取り壊された後、四角形の内陣をもつロマネスクの教会が建立された。現在の一廊式教会の身廊部と塔とはこの時代のものである。1509 年頃には、内陣はゴシック様式に改築され、現在にいたっている。

天井画は当然、ロマネスク時代の大規模な改築の際に、あるいは改築後に成立したはずである。これまでの通説ではロマネスク教会の成立は 1130 年頃と推測されていた。[3] そして天井画の制作年もそれ以降、しかも比較的遅い時期で捉えられてきた。[4] しかし近年の年輪学的実証的検査の結論によれば、ロマネスク教会は 1100 年頃には完全に完成しており、天井画が描かれたのは 1114 年頃、あるいはそれより数年後とみられる。[5]

天井画は 153 枚の板に描かれている。それぞれの板の大きさは 90cm 四方であるが、それは一枚板からではなく、原則、3 枚の横長板片から成る。153 枚は、縦 17 枚、横 9 枚の列で教会の身廊部天井（長さ 17.2m、幅 9.0m）をすべて覆っている。（図 1）問題はこれら 153 枚の配置で、実は 12 世紀成立当時の配置を完全に復元することは不可能である。というのは、天井画はその後、特定不可能な時代に、何らかの理由で混乱に陥ったからである。[6] 1938 年には天井画の修復が始められたが、その時点では、天井画の一部分は意味関連のない無秩序状態に置かれていた。失われてしまったものもあり、花模様を描いた板で補充されている箇所もあった。1938 年から 1941 年まで続いた修復の間に、E. ペシェルによって成立当時の配置が試みられ、それが現在、我々が目にする天井画である。153 枚のうち失われた 13 枚は現存す

図 1　聖マルティン教会内部

るものに従ってコピーされた。153 枚の個々の配置をめぐっては新仮説も打ち出されている。[7] しかしそれらは部分的な解釈に新しい可能性を提示することはできても、その正当性は証明不可能であり、また天井画全体の構成を大きく揺るがすものでもない。従って本稿ではペシェルによって配置された天井画、[8] すなわち現在、聖マルティン教会で再現されている天井画に基づいて、論を進めることにする。

2　天井画の全体構成

ペシェルが 153 枚の配置を試みた際、天井画の全体構成の基本となったのは、「海に囲まれた陸地」という考えだった。ペシェルのイコノグラフィーに基づき、また E. ムールバッハ[9] と M. A. ナイ [10] を参照しながら天井画の構成を次にまとめてみる。図 2 は、ペシェルによって番号づけられた 153 枚の配置を示す。ただし 64 と 65、136 と 137 は 1971 年の修復の際に、図像学的理由から入れ替えられている。49 から 153 までの 105 枚は陸地を、そして残る 48 枚のうち四隅に割り当てられた 4 枚（このうち 2 枚はコピー）を除く 44 枚（このうち 11 枚はコピー）は海洋をあらわす（図 2 では、2-8、10-24、26-32、34-48）。陸の周囲を形成するこれら 44 枚、つまり 44 の区画では、下半分

東（祭壇）

1	2	3	4	5	6	7	8	9
48	49	50	51	52	53	54	55	10
47	56	57	58	59	60	61	62	11
46	63	64	65	66	67	68	69	12
45	70	71	72	73	74	75	76	13
44	77	78	79	80	81	82	83	14
43	84	85	86	87	88	89	90	15
42	91	92	93	94	95	96	97	16
41	98	99	100	101	102	103	104	17
40	105	106	107	108	109	110	111	18
39	112	113	114	115	116	117	118	19
38	119	120	121	122	123	124	125	20
37	126	127	128	129	130	131	132	21
36	133	134	135	136	137	138	139	22
35	140	141	142	143	144	145	146	23
34	147	148	149	150	151	152	153	24
33	32	31	30	29	28	27	26	25

南　北

西（入り口）

図 2　E. ペシェルによる天井画の区画番号

に塗られた青地とその上の白い波線が海を暗示する。3区画（10、11、12）を除き、そこには半鳥半魚、半獣半魚、半人半鳥、人魚（半人半鳥ではなく半人半魚のセイレン）など海に棲息する想像上の混合生物、さらには魚や鳥にまたがる人間や翼の生えた悪魔が、原則、1区画一つずつ見える。それに対し10（図3）、11、12（断片）には船や漁をする人間が描かれている。これら44の場面では上部がすべて内側に、つまり陸地に向けられており、陸地はまさに海と不可思議な生き物に取り囲まれている。（図4、5、11参照）

四隅の1（図9）、9、25、33に置かれているのは、海の世界には属さない天使である。それぞれ2本のチューバを、1本は吹く形で、もう1本は逆向きで手にしている。彼らは、両足が天井画の外縁にくるように、また頭部が横列ではなく縦列を向くように配置されている。

図3　区画10

陸地を占める105枚のうち49から146までの98枚は聖書の内容を、そして147から153までの7枚は教会の守護聖人であ

図4　上段左から区画 145, 146, 23
下段左から区画 152, 153, 24

図5　上段左から区画 149, 150, 151
下段左から区画 30, 29, 28

図6　区画 49

る聖マルティンの生涯を表現する。これらの全区画では、周囲の海洋と異なり、描かれる対象物の上下は一貫して東西に方向づけられている。すなわち登場人物の頭部はすべて東側内陣を向く。陸地は東から、まずキリストの先祖である三人の王、ダヴィデ（49、図6）、ソロモン（50）、レハベアム（51）、さらに旧約聖書と新訳聖書の擬人化シナゴーグ（52）とエクレシア（53）で埋められていく。[11] この後、受胎告知を先頭に四福音書に従ったキリスト伝が始まるが、それぞれの場面は1区画におさまることもあれば、いくつもの区画にまたがることもある。

東側から始まったキリスト伝は、「キリストの荊冠」（146、図4上段中央）で終わる。そのあと、陸地の西側を閉じるのは聖マルティン伝である。まず聖マルティンの馬（147）と、馬から降りてもの乞いに自分のマントを分け与える聖マルティン[12]（148）、次にポワチエの司教聖ヒラリウスから侍祭に任命される聖マルティン[13]（149、図5上段左）、死者を復活させる聖マルティン[14]（150、図5上段中央）が表現される。最後の3区画は、アーチの下の聖マルティン（151、図5上段右）に、王の姿で現れた悪魔（152、図4下段左）が正体を見破られて真の姿（153、図4下段中央）をあらわす逸話[15)]で閉じられる。

以上の物語の進展は図2の番号順であり、各横列、左（南側）から右（北側）へ流れる。注意を喚起したいのだが、これは教会の床に描かれたのではなく、天井画である故、教会の西側入り口から内陣を向いて天井を見上げた場合、物語は鑑賞者（信者）の右（南側）から左（北側）へ展開する。

描かれる場面の長さにかかわらず、153枚の板がそれぞれ区画として、また一つの画面として独立しているのは、それらが装飾文様の枠で四辺を囲まれているからである。ロマネスク写本画の枠に比較できるような、比較的幅のある枠の装飾文様は、幾何学的植物的モチーフからとられており、10種類ほどに及ぶ。これらの独立した153区画は、しかしながら長方形の天井へ、縦列17区画、横列9区画の整然とした規則性をもった秩序で組み込まれている。それを視覚的に明瞭にしているのは、またまた装飾文様が描かれた枠取りである。しかし、すでに多くの解説書で知られているように、天井画の中央に位置する縦列（図2では5、52…150、29）と横列（41、98…104、17）のみ、二重の装飾文様によっている。（図5、10、11参照）こうして25区画が形づくる十字形が浮き上がる。

3　天井画の図像プログラム

教会の天井をうめつくす153の区画それぞれは、あたかも一枚の写本画のようである。しかしそれらは前述したように、「海に囲まれた陸地」という基本構想のもとで全体性を獲得する。そしてこの全体性は、二重の装飾文様の枠によって、中央に十字形のアクセントをもつ。ここで問題にしたいのは、このような全体性を成立させた、いわば意図された図像プログラムである。天井画が内包する意味内容を明らかにするには、まず図像プログラムを知ることが前提となろう。W. ケンプは中世美術に特徴的な図像体系に注目し、その一例としてツィリスの天井画を挙げている。そして、海と陸地から成る世界空間とキリスト伝における時間的なもの、十字形という形象の統合に言及する。[16)] しかし我々は、図像体系にもう一歩深く入り込み、図像プログラムに潜む必然的な内的繋がりをみたい。

1　図像プログラムにおける図像とは、具象的形態表現のみをさすわけではない。まず取り上げたいのは枠取りである。我われの目をひく、この特徴的な枠取りが単に装飾的効果をもたらす為のものでないことは、二重の装飾文様によって天井画の中央に浮き上がる十字形で明らかである。西洋中世美術が視覚的に明瞭な幾何学的形態に重要な象徴的意味を付与したように、ここでも、十字形は十字架として解釈される。強調しておきたいのは、この十字架の縦木と横木は天井画の陸地部分は当然のこと、海洋部にまで達し、またそれは教会の身廊部天井の縦と横いっぱいにまたがる、あたかも教会全体を包括するような十字架だということである。

2　ムールバッハが指摘しているように、[17]「海に囲まれた陸地」という基本構想は当時の修道院で作成された世界図を連想させる。時代は少し下るが、中世最大のエプストルフの世界図（1300 年頃、オリジナルは 1943 年に破壊）（図 7）をみてみよう。[18] ツィリスの天井画のように四角形ではな

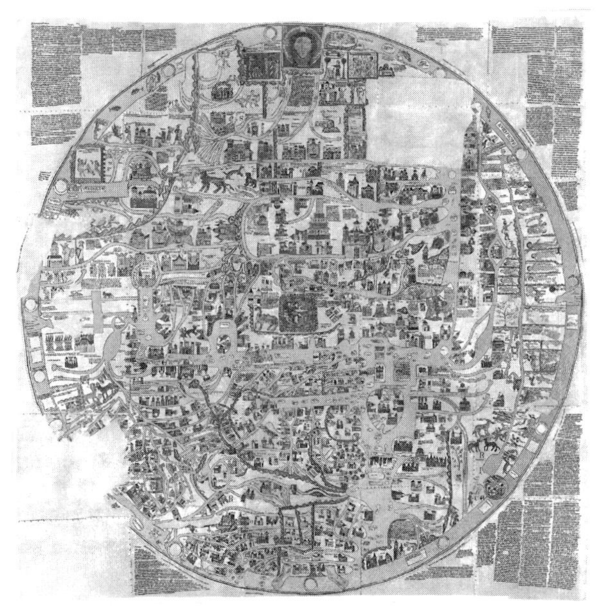

図 7　エプストルフの世界図

く円形だが、陸地は海に囲まれ、海には島々や魚が見える。キリスト教的世界観に基づく詳細な地理的歴史的知識が盛り込まれた大型（3.58 × 3.56 m）世界図は、展示用として意図され、教会暦の一定期間、エプストルフの修道院教会に掲げられていたとされる。[19] 世界図と教会空間との関係という点でも、ツィリスの天井画とエプストルフの世界図は共通する。さらに、世界図の上下左右端には、世界を抱き込む形でキリストの頭、両足、左手、右手が見られ、それらを結べば、ツィリスの天井画と同様の十字形が認められる。しかし、両者には決定的相違が指摘できる。それは「海に囲まれた陸地」の中心にくるものである。エプストルフの世界図では世界の中心としてイェルサレムが位置し、城壁に囲まれた町には墓から復活するキリストが見える。つまり、地理的要素「イェルサレム」と聖書の中の場面「キリストの復活」は緊密な関係にある。[20] これに対し、ツィリスの天井画では陸地の表現に地理的情報を一切含まない為、中心は地理的には決定されず、[21] 十字架の縦木と横木の交差部（101）となる。そしてキリスト伝の中の一場面がこの 153 区画中の一つにくる。それは「三度目の悪魔の試み」（マタイ福音書 4 章 8-10 節；ルカ福音書 4 章 5-8 節）（図 8）である。画面の左側にはイエスに問う悪魔が横向きで立ち、右手で円形の世界を指しながら、左手の人差し指をイエスに向けている。世界を示す円形は黒地で、そこには白の輪郭線で「国々と栄華」を暗示する様々な形が見える。さて、聖書内容を時間的経過に従って描いていく中で、たまたまこの場面が交差部に位置したという偶然性は考えられない。十字形を二重の装飾枠で意識して浮かび上がらせるのであれば、その交差部に描かれるものも、選択されたはずである。「三度目の悪魔の試み」が丁度この位置にくるよう、受胎告知に始まるキリスト伝表現の時間的経過は調節されているとみられる。[22]

図 8　区画 101

3　「三度目の悪魔の試み」が十字架の交差部にくるために、キリストの誕生、幼年、青年時代の物語には多くの区画が割り当てられている。しかし特に目立つのは、キリストを崇拝する東方の三王が登場する場面の多さである。マタイ福音書2章1-12節までの内容が15区画（63-77）にわたる。もし、幾つかの研究で試みられたイコノグラフィーに従って、陸地部分の最初に表現されている三人の王、ダヴィデ（49、図6）、ソロモン（50）、レハベアム（51）も東方の三王とみなすならば、[23] 彼らの表現は18区画にものぼる。つまり「王」のテーマの強調である。また「三度目の悪魔の試み」（図8）に見られる正面向きのキリストと、荊の冠をかぶせられたキリスト（図4上段中央）は王者のような態度を示している。以上のことから、天井画の陸地部分では、キリスト伝を描きながらも、「王」たる者の存在が強調されていると考えられる。H. ブランケもこのことを主張し、天井画の根本的思想は逆説的キリスト、すなわち「王としての僕」たるキリスト表現であると指摘している。ブランケはその背後に国王（1155年から神聖ローマ帝国皇帝）フリードリヒ・バルバロッサを意識し、ツィリスが位置するアルプス峠を帝国の大動脈として評価していた彼への敬意の印として天井画を解釈する。[24] しかし、すでに述べたように天井画の成立は1114年以降、遅くとも数年後であり、天井画とフリードリヒ・バルバロッサを結びつけることには無理があろう。ナイもブランケの言う「王」のテーマを認めるが、天井画の成立年から、天井画の委託者としてクール Chur（現在グラウビュンデン州都）の司教ヴィードの名をあげ、天井画制作の意図を政治的に聖職叙任権闘争と結びつけている。すなわち司教ヴィードをこの闘争の調停者とみ、天井画で描かれる「王」の主題を、皇帝ハインリヒ5世や権利を不当に行使しようとする権力者たちへの批判ととる。[25] しかし筆者は次章で述べるように、「王」たる者の存在を「生と死」という観点から解釈したい。

4　キリスト伝は「キリストの荊冠」で終わっており、何故、次にくるべき磔刑像が欠けているのかという疑問が生じる。ブランケは天井画における十字架の重要性を強く意識し、磔刑像を表現することにはほとんど意味がないとする。何故なら、彼によれば、キリストの全生涯は十字架の印とともにあったからである。[26] 筆者は、磔刑像の表現は次の理由から必要ではなかったと考える。すなわち、キリスト伝を締めくくるのにもっともふさわしい図像は「キリストの荊冠」であり、しかも彼を正面向きで堂々と王のように表現することが意図されたからである。[27]

5　王として表現されたキリストを引き継ぐのは、聖マルティンである。彼の生涯から選ばれた場面は、貧者への愛（もの乞いに自分のマントを分け与える聖マルティン）、謙虚（侍祭の職で甘んじる）、奇跡の行い（死者を復活させる）を示し、これらによって、聖マルティンはキリストに従う。そして最後（それは陸地部分の最後でもある）を締めくくるのは、王の姿に変身したものの、正体を見破られた悪魔である。（図4下段中央）この悪魔は十字架の交差部（101）に現れた悪魔（図8）と呼応する。また悪魔の正体を見抜いたマルティンは、悪魔の試みに勝利するキリストと比較できる。さらに「緋色の衣を着て、王冠をかぶり、黄金の長靴をはき」、外観のみを飾った偽りの王は、キリスト伝最後に描かれる王としてのキリストと対照をなす。

6　キリスト復活の物語が描かれていないことも、説明を必要とする。天井画ではその具体的表現のかわりに、復活を暗示するものが図像プログラムの中に組み込まれている。それはM. ジェニーが解き明かすように、天井画を構成する区画の数、153である。[28) ヨハネ福音書21章1-14節には、イエスが復活後、テベリヤの海辺にあらわれ、漁をしている弟子たちに、どこに網をおろしたらよいか指示すると、網にかかった魚は153匹だったことが記されている。それ故、153という数はキリストの復活を前提としているのである。

復活を暗示するものをさらにあげてみよう。陸を囲む周辺部には漁と船を描く場面が3区画（10、11、12）ある。そのうち区画10（図3）では、二人の漁師が漁をしており、網の中には3匹、その外には2匹の魚が見える。魚の数は異なるが、この場面を上記のヨハネ福音書の物語に関連させることもできる。勿論、福音書にはキリスト復活後の漁以外の記述が他にも二箇所ある（マルコ福音書1章16節：ガリラヤの海辺、ルカ福音書5章6節：ゲネサレ湖畔）。しかし全体の図像プログラムの観点から言えば、これら福音書箇所は説得性を欠くように思われる。[29) 区画11は、ヨナ書1章3節、ヨナが主の前を離れてタルシシ行の船に乗り込む場面と解釈されている。区画12は断片で、船の一部のみが見える。これまで出された仮説として、区画11と12、そして現存しないもう1枚、合計3区画がヨナの物語をあらわしていたのではないか、という説がある。二つめの場面（区画12）は、船から海に投げ入れられたヨナ（1章15節）、三つめは三日三夜魚の腹の中にいたヨナが陸に吐き出される場面（2章10節）である。[30] ヨナの物語はキリストの死と復活に関連づけられる。

このようにしてキリスト復活が暗示される。キリスト伝から省略されてしまうほど、復活の具体的表現自体は絶対不可欠ではなかったと考えられる。重要なのは復活という事実である。そして十字架は復活の結果として解釈される。

7　陸地の周囲を取り囲む海には人魚や半獣半魚、半鳥半魚などの混合生物が見える。ツィリスに限らず、ロマネスクの時代には我々の想像力を遥かに上回る奇妙な生き物があたかも喜びをもって表現された。「見苦しい美しさ」或いは「美しい見苦しさ」の生き物をクレルヴォーのベルナールが厳しく批判したほど、それらは神学書の写本や教会建築に氾濫していた。[31]M. プロツェクはこれらの生き物を大きく三つのジャンルにわけている。一つは悪魔的なものの印、或いは悪の擬人化として表現された想像上の混合生物や翼をつけた悪魔、二つめは古代ギリシアの神話から由来するケンタウロスやセイレン、巨人、ハルピュイアなど。三つめは古代や中世の文献でミラビリアと呼ばれた想像上の人間や動物である。[32] ツィリスの天井画にみられるのは上記の第1のジャンルにあたるものである。それにギリシア神話からのセイレンが人魚や半人半鳥の姿で加わる。混合生物によって満たされた海は悪の世界を象徴し、混沌とした得体の知れない力を我々に示している。それは、無防備な我々の世界への脅しでもある。

人間の形をしたものを除いて、これらの想像上の生き物は、中世の他の作品例と同様、原則、横向きである。例えばボリューのサン・ピエール教会、南側入り口（1130-40年頃)、ティンパノンの「最後の審判」の下には、海(或いはギリシア神話の冥府の川ステュクス）を連想させる波と、その上を闊歩する地獄の動物（或いはギリシア神話に登場するような地獄の犬）が翼をつけ横向きで表現されている。[33] ツィリスの天井画に見られる混合生物の横向き表現ということに関して、ジェニーは、それを悪の表象と関連させ、画家の意図を次のように解釈した。すなわち「悪はお前を見てはならない、またお前は悪を直視できない」。彼によればこの原則は陸地に表現された「最後の晩餐」と「キリスト捕獲」場面のユダ、あるいは翼をつけた悪魔

図9　区画1

にも言える。[34] しかし、横向き表現は必ずしもツィリス独自のアイディアではない。ユダの横向き表現には長い伝統があり、また動物も、その特徴を捉えるのがもっとも容易いことから、大抵、善悪の象徴に左右されずに、横向きで表現された。[35]

8　天井画を四角形の世界として明確に印象づけるのは四隅に配置されている天使である。このうち2区画（25と33）はオリジナル（1と9）に基づいたコピーだが、オリジナルには翼の横に文字記入がある。1は南風auster(図9)、9は北風aquiloである。このことから四人の天使たちは世界の四隅に位置する四つの風をあらわす。[36]

4　天井画に隠された生と死

上述の図像プログラムをふまえ、天井画が内包する意味内容を「生と死」という観点から捉えてみたい。

十字架の横木と縦木が交差する場面には意図的に「三度目の悪魔の試み」が選択されている。これが一度目と二度目の試みと異なる点は何であろうか。マタイ福音書（4章3-11節）によれば、一度目に悪魔は「石がパンになるよう命じてみよ」と言い、二度目（図10左）には「宮の頂上から飛び

図10　左から区画100, 101

降りてみよ」と命じる。三度目に悪魔はイエスを非常に高い山に連れて行き、この世のすべての国々と栄華とを見せて次のように言う。「もしあなたが、ひれ伏してわたしを拝むなら、これらのものを皆あなたにあげましょう。」するとイエスは「『主なるあなたの神を拝し、ただ神にのみ使えよ』と書いてある。」と言ってサタンを退ける。つまり、三度目で悪魔の試みは誘惑になる。天井画のこの場面では、世俗の冨や権力の誘惑に勝ったことで、キリストは王者のように正面向きで表現される。十字架の交差部、つまり天井画の中心にくる表現は、世俗の誘惑、悪徳に打ち勝つことがいかに必要かを説く。

そのようなキリストを模範にするのが、教会の守護聖人、聖マルティンである。彼の伝記を天井画陸地部分の最後に描くことは、悪徳に打ち勝つことの必要性を我々人間に（それ故、彼は普通の人間のようにニンブスなしで描かれている）再度確認させる。ラテン語名マルティヌスは Martem tenens と同じで、「罪と悪徳に対して戦いをしかける人」という意味である。そして「聖マルティヌスは、悪魔や悪霊を見わけるのも、じつに上手であった。」[37)]それは最後の場面で証明される。「私はキリストである」と言って世俗の栄華を匂わせた王の姿で現れた悪魔は（図４下段左）、聖マルティンによって正体を見破られる。彼は悪魔に次のように返答する。「わが主イエス・キリストは、緋衣をまとい、金ピカの王冠をかぶってあらわれるなどとはおっしゃらなかった。」十字架の交差部と同様、ここでも悪徳は克服される。天井画陸地部分が逃げ去る悪魔（図４下段中央）で終了するのは象徴的である。天井画において、いかに悪徳の克服というテーマが重要視されているかがわかる。

悪徳の克服が死の克服に繋がることを示すのが、天井画に浮き上がる十字架である。すでに述べたように、これは陸地と海洋からなる世界を包括する十字架で、キリスト復活の結果、すなわち死の克服によって可能となる。十字架の中心には「悪魔の誘惑」場面のキリストが、堂々と正面向きで王のように表現されている。それは、悪魔の姿を借りた悪徳を彼が克服したからである。十字架の中心は、こうして、形象的にも思考の上でも十字架成立の根源となる。

十字架が包括する世界には悪と混沌の象徴としての海洋も含まれる。世界はその成立のために、克服されるべき悪の存在をも必要とするのである。

ツィリスの天井画で特徴的なのは、陸地（悪徳克服の手本が示される場所）が海洋（悪と混沌）によって囲まれるという構図である。周辺には始まりや時間的経過を伴う物語性はなく、三人一組のセイレン（4、5、6 そして 28、29、30）を除き、横向き表現の混合生物の配置上割り当てに規則性は見られない。これに対し、海洋に囲まれた陸地には聖書に基づく（聖マルティン伝では彼の伝記に基づく）歴史的真実の整然とした線的時間的経過が尊重される。天井画を眺める我々の視線の動きは、陸地と海洋で大きく異なる。ツィリスの天井画で何故、このような構図がもちいられたかと言えば、それは、この構図において、天井画の思想的意図（世界を支配していく十字架）がもっとも図式的に明瞭に示されるからであろう。すなわち、中心から縦軸横軸で際限なく延びる性質を持つ十字の形は、陸の周辺に存在する悪の領域にまで自由に到達することができる。ツィリスの天井画は、後の時代に見られる世界図、キリストが両腕を広げて世界を抱え持つ図とは異なる。天井画では、死の克服を象徴する十字架が中心から周辺へ延び、最終的には海洋の悪を打ち負かすのである。

海洋は混合生物の住処である。これらが死と結びつくことを、人魚のセイレンで見てみよう。セイレンは東の祭壇側（4、5、6）と西の教会入り口側（28、29、30、これらは 4、5、6 のコピー）に三人一組で並んで表現されている。三人の真ん中のセイレンは、それぞれ十字架縦軸の先端に位置する。（図 5 下段中央）これらセイレンは古代異教世界の半人半鳥ではなく、中世初期から見られるような半人半魚の女性で、翼もない。ただ尾びれは先が二股に分かれている。左右のセイレンはレベック、ツィンク（指孔のある角笛）を演奏し（図 5 下段左右）、中央のハープを持ったセイレンの方に軽く上半身を向けている。ホメーロスの『オデュッセイア』第 12 巻に登場するセイレンはその甘美な歌声で船人を惑わして死に至らしめるが、[38] ツィリスのセイレンは三人がそれぞれ異なる楽器を演奏する。楽器を持ったセイレンは 12 世紀頃から次第に数を増して表現されていくが、[39] ツィリスの例はその一つである。彼女たちの演奏は天使の器楽とは非常に異なる。歌唱によって神を讃える天使には、本来、チューバのみが唯一の楽器として許されていた。それが 14 世紀頃から頻繁に、現実味を帯びた様々な楽器を演奏する天使が、特に天上の聖母マリアのテーマにおいて、造形芸術に多く表現された。これに対してセイレンの演奏は、人を誘惑するという目的をもった官能的音楽、悪魔の音楽で、それは地獄や死という否定的価値体系に属す。楽器にしてもツィンクは悪魔の楽器としてみなされていたし、レベックも高度の技術を必要としない低級な楽器であった。[40] たとえ楽器演奏をぬきにしても、水の中に棲息する人魚は中世において古代の神話よりもより危険な誘惑的存在となった。それは彼女たちが二つの異なる生物（人間と魚類）から成るためで、中世的な考え方ではそれは矛盾をあらわした。さらに女性の姿をしているという理由からしても彼女たちには魂が欠如しており、ただ人間と交わることで、不死の魂を得ると考えられていた。[41] ところでツィリスの天井画に表現されたセイレンを不死の象徴とみる見解もある。それによれば、セイレンは永遠の生命を示唆し、死者の魂に同行する。それ故、彼女たちは祭壇側に位置している。しかもセイレンの楽器の演奏は一つの響きに溶け合い、途絶えることのない神への讃歌となる。[42] しかしこの解釈には次のように反論したい。セイレンは天井画の祭壇側のみならず、西側にも表現されている。またこの時代、12 世紀においては実際の典礼においても楽器演奏が神への讃歌の役割を担うことはなく、何よりも重要なのは歌唱だった。[43] 造形芸術においてその主役は天使たちである。ツィリスのセイレンたちが持つ楽器のネガティヴな性質については上述したとおりである。これらの楽器によって神への讃歌の特徴の一つ、調和が生みだされることはない。

ホメーロスの『オデュッセイア』に登場するセイレンは、早くからキリスト教の教父たちによって道徳的に解釈されてきた。ホノリウス・アウグストドゥネンシスは、12 世紀の著作の模範説教集において、『オデュッセイア』を引用記述した後で、次のように語っている。「海は災厄の絶え間ない嵐によって動かされる時代を意味し、……甘美な歌声で船乗りを眠りに誘う三人のセイレンは、人間の心を悪徳に誘惑する享楽である。」[44] ヘラート・フォン・ランツベルク（1125/30-1195 年）の『ホルトゥス・デリキアールム』はオデュッセウスとセイレンのテーマで三枚の挿絵を含むが、それらはホノリウスの思想を再現している。ツィリスと同様、ここでも中世では珍しい三人組のセイレンが登場する。[45] ただし彼女たちは半人半鳥で、衣を纏い、翼をつけ、猛禽類の足を持つ。一枚目では波の上で一人は歌い、他の二人はフルートとハープを演奏し、船人を眠らせる。二枚目では船人らが荒海に放り込まれる。三枚目は帆柱の根本に自分の体を縛りつけたオデュッセウスと、蝋の耳栓をした付き人たちを描く。誘惑に勝利するオデュッセウスと付き人

図 11　下段左から区画 18, 17, 16

図 12　区画 15

たちを乗せた船は教会の手本を、そして帆柱は信者たちが守る十字架を象徴している。[46] ここにはツィリスとの思想的共通点が認められる。すなわちセイレンは人間を死に至らしめる悪徳であり、十字架は悪徳に対する勝利、死の克服を示す。

ツィリスの海洋には半人半鳥セイレンも一人いる（17、図 11 下段中央)。彼女は下半身魚の鹿に水を飲ませている。目をひくのは裸体の人間である。18（図 11 下段左）では男性が魚にまたがり、13 では女性が鳥魚のようなものに乗っている。享楽的に見えるこれらの存在が悪徳と結びつくことは明らかであろう。また悪魔そのものも海洋には見られる。16（図 11 下段右）では悪魔が魚の背にまたがり、手綱のように魚のひげをひき、魚をわがもの顔でのりまわす。他の混合生物（図 4、上段右、下段右、図 12）においても、キリスト教信仰ではそれらは悪魔的被造物として魂を所有することはできなかった。神の似姿で創造された人間は魂を所有するが、完全な人間ではない半人半獣などの混合生物も悪魔的な化身とみなされ、身体の一部が人間の形をしていようと、人間としての性質を欠いていた。天井画には人間をロープに結んで放り投げようとする半獣（狼）半魚（19、図13）が描かれているが、人間はあたかも悪魔的化身にもて遊ばれており、それは悪徳に誘惑された人間の図とも言えよう。

図13　区画19

人間を死に至らしめる悪徳の海洋は十字架によって支配される。この十字架が二重の装飾文様によって強調されていることは上述した。しかしこれまでのツィリス研究で見過ごされている点がある。それは、十字架縦軸を縁取る装飾の列が常に優位にたっている、ということである。つまりこの列が、十字架横軸の縁取りは勿論のこと、他の横列の縁取りによって途切れることはない。そして十字架縦軸に限らず、すべての縦列の装飾縁取りが、十字架横軸を含むすべての横列より優位にたっているのである。(図5、10、11参照)

では何故縦列が横列より優先されるのか。J. -G. アレンツェンはエプストルフ世界図（図7）の縦軸横軸に関して次のような示唆に富む解釈をしている。彼によれば、この世界図では中心にイェルサレムが位置し、そこに「キリストの復活」が表現される。キリストの頭部（東）と両足（西）を結ぶ縦軸は永遠性を表し、この地上の現世はそのほんの一部である。キリストの両手を結ぶ水平軸（北―南）は、地上世界における救済者キリストの行いによって際立たせられ、善と悪、そして時間的なものの緊張にある。この交差地点にイェルサレムが位置し、そこに「十字架磔刑」ではなく「復活」が表現されるのは、「復活」が永遠性と時間性の関連を現世において認識させる救済史上の出来事だからである。[47] つまり十字形の縦軸は永遠的なものを、横軸は地上の現世を表し、永遠的なものを現世において理解させるのが、十字の交差点の機能である。ではツィリスの天井画ではどうか。縦列の装飾縁取りが常に横列のそれより優先するのは、縦列、垂直線の強調である。教会の西側入り口に立って天井を見上げる信者は、この垂直線にそって天井画の東側へと目を向ける。それは陸地部分に描かれる人物たちの頭が向いている方向でもあり、物語が始まる方向でもある。従って垂直線の強調はごく自然なことである。しかし垂直性がもっとも明瞭になるのは二重の装飾枠によって浮き出された十字架の縦軸、海洋の悪の世界をも支配する十字架の縦軸である。十字架が死の克服を意味するなら、永遠の生はこの十字架によって保障される。アレンツェンが指摘するように、縦軸を永遠性、横軸を現世の時間的なものと解釈するならば、十字架の縦軸はもっとも端的に永遠の生を象徴する。これに対して十字架の横軸は限られた現世の時間にかかわっている。というのは、天井画で陸地を表現する部分の時間的経過は横列で進んでいくからである。十字架の交差部が永遠性と時間性の関連を現世において認識させる場所であるなら、そこに表現された「悪魔の誘惑」とそれに打ち勝つキリストは、現世におけるこの出来事が永遠の生へ繋がることを意味している。

ツィリスの天井画で特異なものには数に対する意識もある。天井画の全区画数153（横列9×縦列17）は、キリスト復活後の漁での魚の数（ヨハネ福音書21章1-14節）に由来し、それ故、この数がキリストの復活を前提としていることはすでに述べた。意図的に省略された「復活」場面の代替である。この意味で153は図像プログラムに組み込まれた選択だった。我々の関心事は、その際、この数自身に隠された意味も理解されていて、それが天井画の意味内容に反映されているかどうか、である。そもそも153という数字は最初の約数3を基本とする算術的に不可思議な数である。構成数の1、5、3を足せば9（3×3）、あるいは六角数1、5、9、13、17、21、25、29、33の和は153で、その際33は9番目の数字である。また153を150（3×50）＋3と分解することもできる。キリスト教では教父時代から聖書にあらわれる様々な数の解釈がなされてきた。アウグスティヌスによれば、これらの数にはきまった秘密が譬えの方法で隠されていて、もし数についての知識がないならば、秘密は解かれずままである。聖書における数の理論の重要性は注意深く解釈する人々に明らかとなる。[48)]アウグスティヌスはヨハネの福音書に出てくる魚の数153を幾通りかに分析している。[49)]まず17を基礎に17×3×3と分解できるし、1から17までを加えあわせても153になる（1＋2＋3…＋17）。また50を基礎とし、それに3を掛け、さらに3を加算した数（50×3＋3）でもある。その際、50は永遠の生命、または聖霊の賜物を意味する。アウグスティヌスによれば、153の基礎となる17は旧約聖書が新訳聖書によって成就される印として解釈される。それは 17 の被加数 10 がモーセの十戒を、7 が聖霊の七つの賜物を意味するからである。[50] しかしベーダによれば、ノアの方舟が 17 日目に完成されたことから、17 はキリストの受肉としても理解される。その際 17 が含む 10 は戒律ばかりでなく永遠の生命をも意味する。それはマタイ福音書 20 章 1-16 節で語られる天国の譬えに由来し、ぶどう園の労働者に支払われる賃金 1 デナリが 10（denarius）を意味することによる。従ってベーダは 17 を次のように解釈する。キリストは神の恵み（7）によって人間に戒律（10）を成就する可能性を与え、彼らに永遠の休息と報酬を約束する。[51]

このように 153 という数には永遠の生命を意味する要素が含まれている。このことはツィリスの天井画の意味内容にどのような仕方で反映されているのだろうか。ここで注意を喚起したいのは横列 9、縦列 17 という配列である。90cm 四方のすべて同じ大きさの区画でこのような配列をとったのはそれなりの理由があったと思われる。異なる大きさの区画で 3 × 51 という配列も考えられなくはないからである。全体構成と表現の仕方からしてもっとも適当であるということ以外に、9 × 17 という配列の仕方には何か象徴的意味も考慮されていたのではないだろうか。まず縦列の 17 は 153 の基礎となる数である。また 17 をベーダが言うように受肉と理解するならば、それは次の観点で興味深い。すなわち天井画の主要テーマの一つが受肉であり、受胎告知から始まって誕生後の場面まで何と 40 区画がつかわれているからである。次に横列の 9 は 3 の二乗である。3 は神の完全性、三位一体を表す。しかしこの数字は幅広いスペクトルを持ち、人間の罪深さをも意味する。人間が三つの態度、思考、言葉、行いにおいて徳を求めると同時に罪にも陥るからである。[52] 天井画で横列に表現されていくのは、この罪を背負う人間が生きる地上の出来事である。そしてキリストは人間に悪を遠ざける手本を示す。天井画の陸地部分で、次のように、3 という数が内容的に重要な三つのテーマに使用されているのも、この関連で理解されるべきだろう。まず陸地部分の始まりはキリストの先祖である三人の王を描き、次にキリストを拝む東方の三王は詳細に表現され、そしてキリストを 3 回試みる悪魔にキリストは王者の姿で勝利する。

横列 9、縦列 17 の配列をもっとも明確化するのは天井画に浮き上がる十字架、悪の住処である海洋をも支配する十字架である。9 と 17 には、当然、海洋の区画も二つずつ含まれている。十字架縦軸と 17 の繋がりを考えてみよう。すでに述べたように縦軸は横軸に優先する。それ故、153 の基礎となる 17 が縦軸を構成する。また永遠性、永遠の生命を象徴する縦軸が 17 の区画から成ることも、17 という数が含む意味、永遠の生命と一致する。その際、永遠の生命は海洋の悪をも支配して得られる。これに対し、十字架横軸は地上の時間的なものを象徴する。それ故、3 の倍数からなる 9 は、罪深い時間的存在としての人間にかかわっていると解釈できる。海洋の悪は、人間の内面に潜む悪の具現化である。人間はしかし悪を克服して永遠性を得る可能性をもつ。二重に数えられた区画、すなわち、十字架縦軸と横軸の交差する区画にはその可能性の模範（「三度目の悪魔の試み」と勝利するキリスト）が描かれている。十字架はこうして数に隠された意味からも、悪の克服によって永遠の生命を得ることを教える。

おわりに

ツィリスの天井画は、それが制作された 12 世紀初頭の世界に「生と死」の意味を投げかける。悪に誘惑されることの怖さを教える。悪を遠ざけることは死に至る道から逸れることであり、人は悪徳に打ち勝つことに生の意味を見出す。ツィリスの天井画は確かに教訓的救済史的意味を持つ。しかしそれは 12 世紀のロマネスク教会が正面入り口彫刻で見せる「最後の審判」とは異なる。そのような一般的な意図ではなく、悪徳に勝利して永遠の生命を得ることにツィリスの天井画は焦点をしぼる。天井画に隠された生と死の意味を、信者は司祭からの説明を受けてはじめて明瞭に理解したであろう。

たとえツィリスの聖マルティン教会が、アルプス越えルートにおけるアルプス北側のもっとも重要な教会だったにせよ、山間の小さな教会に知識の集成とも言える天井画が描かれたことは驚異に価する。それだけ、この教会は天井画が完成する以前から、様々な階層の人々を迎え入れていたということである。帝国の権力者たちをはじめ、第一次十字軍（1096-99 年）に参加する者たちの通過点でもあっただろう。教会は彼らにとって、厳しい峠越えの守りであった。そして新しく完成した天井画はこの教会を訪れる人々に、視覚的教訓的に峠越えの守りとなる。天井画は混沌とした悪の住処である海洋を描くことによって、人間の内面に巣食う悪徳に目を向けさせようとする。人々が生きているこの地上は永遠の生へ向かう段階である。悪徳に打ち勝つことによって得られる永遠の生命は十字架に象徴され、そして教会全体を包み込む。

註

1) 天井画は木製であるため、菌類の繁殖による傷みもあり、ここ十数年来、修復家の厳しい管理下に置かれている。
2) かつてのヴィアマラについては以下を参照：Armon Planta, *Alte Wege durch die Rolf und die Via Mala*. Schriftenreihe des Rätischen Museums Chur 24, 1980.
3) *Die romanische Bilderdecke in der Kirche St. Matin von Zillis*, hrsg. von Peter Heman, Text von Ernst Murbach, Zürich und Freiburg i. Br. 1967, S.16f. H. ブランケは改築の着手は12世紀50年代はじめとする。Huldrych Blanke, *Kreuztheologie und Kaisermythos: zur geistigen Herkunft der Zilliser Bilderdecke*, in: Bündner Monatsblatt 1990, Nr.1. S.42.
4) E. ペシェルによれば1130年から1140年頃と推測される。Erwin Poeschel, *Die Kunstdenkmäler des Kanton Graubünden.* Bd.V. Basel 1943, S.223ff. これに対しE. ムールバッハは1160年から1170年頃、或いはそれよりも遅い成立とする。Ernst Murbach, *Die romanische Bilderdecke von Zillis und die Weltkarten des Mittlalters*, in: Sandoz Bullein 26 (1972), S.30. S. ブルッガー＝コッホは早くて1200年頃、13世紀はじめという見解をとる。また画家については、北イタリアの影響を受けたこの地方の比較的大きな工房を推測する。Susanne Brugger–Koch, *Die romanische Bilderdecke von St.Martin, Zillis* (*Graubünden*). *Stil und Ikonographie* (Diss. Universität Basel), Muttenz 1981, S.133f.
5) Marc Antoni Nay, *St. Martin in Zillis*. Schweizerische Kunstfürer. Nr.835, Serie 84. Gesellschaft für Schweizerische Kunstgeschichte GSK, Bern 2008, S.8-9.
6) Erwin Poeschel, *op. cit.*, S.232.
7) Markus Jenny, *Zur Anordnung der romanischen Deckenbilder von Zillis*, in: Zeitschrift für schweizerische Archäologie und Kunstgeschichte 1970, Bd.27, Heft 2, S.69-92; Susanne Brugger –Koch, *op. cit.*; E. ペシェルを受け継ぎながらも、部分的な新しい配置の可能性も認めるものとしてMarc Antoni Nay, *op. cit.* 折込添付リスト参照。
8) Erwin Poeschel, *op. cit.*, S.222-246.
9) *Die romanische Bilderdecke in der Kirche St. Matin von Zillis*, *op. cit.*, S.25ff.

10) Marc Antoni Nay, *op. cit.* 折込み添付リスト参照。

11) ブルッガー＝コッホは陸地を受胎告知の天使で始める。彼女はキリストの先祖である三人の王を東方の三王とし、シナゴーグとエクレシアを、聖母マリアがエリザベーツを訪問する際の侍女と捉える。従って彼女による陸地最初の二列の配置は、ペシェルの番号づけで言えば、南から北へ以下のようになる。一列目：54, 55, 52, 58, 53, 56, 57. 二列目：61, 60, 62, 59, 49, 51, 50. Susanne Brugger－Koch, *op.cit.*, S.93f.

12) ヤコブス・デ・ウォラギネの『黄金伝説』には以下のように記されている。「ある冬の日のこと、彼が馬でアミアンの市門を通りぬけていこうとしたとき、ひとりのはだかのおもらいに出会った。だれひとりとして施しをめぐむ人はいなかった。マルティヌスは、この男は自分に助けられるように定められているのだとさとって、ほかに施すものがなにもなかったので、剣を抜いて、着ていたマントをふたつに切り、ひとつを貧しい男にあたえ、残りの半分を自分が着た。」これは彼がまだ洗礼を受けていない時の逸話である。(ヤコブス・デ・ウォラギネ著、前田敬作、山中知子訳『黄金伝説４』、人文書院、1987年、221頁)。

13) 彼は二年間軍務に服したあと、軍籍をはなれ、ポワチエの司教聖ヒラリウスのもとに行き、侍祭に任じられた。侍祭とはミサのとき、ミサの進行に留意しながら司祭に仕える下級聖職者である。同書、222頁、および訳注３。

14)「あるとき、しばらく旅に出て修道院に帰ってくると、留守のあいだにひとりの洗礼志願者が、洗礼を受けないまま死んでいた。そこで聖マルティヌスは、遺体を庵室にはこび、そのうえにかがみこんで一心に祈り、死者をよみがえらせた。」同書、223頁。

15)「あるとき、悪魔は王の姿に身をやつしてあらわれた。緋色の衣を着て、王冠をかぶり、黄金の長靴をはき、口もとをほころばせ、なんともおめでたい顔つきをしていた。……ついに悪魔が口をひらいた。『マルティヌスよ、あなたがあがめている相手がわかるか。わたしは、キリストである。地上に降臨しようとおもうのだが、まずあなたに姿をあらわそうとおもったのである。』……マルティヌスは、聖霊の注賜を受けてこう言った。『わが主イエス・キリストは、緋衣をまとい、金ピカの王冠をかぶってあらわれるなどとはおっしゃらなかった。だから、わたしは、ご受難の姿もしていなければ、磔刑の聖痕もないような者がキリストであるとは信じない。』この言葉を聞くと、悪魔は、たちまちかき消え、部屋じゅうに悪臭を残していった。」同書、232-233頁。

16) Wolfgang Kemp, *Mittelalterliche Bildsysteme*, in: Marburger Jahrbuch für Kunstwissenschaft, Bd.22, 1989, S.127-130.

17) Ernst Murbach, *op. cit.*

18) エプストルフの世界図については次の文献を参照。*Die Ebstorfer Weltkarte*, hrsg.

von Hartmut Kugler. Bd.1 Atlas, Bd.2 Untersuchung und Kommentar. Berlin 2007.

19) *Ibid.*, Bd.2, S.69.

20) イェルサレムに「十字架磔刑」ではなく「復活」が表現され、またキリストが北向きである理由については次の論文を参照。Kerstin Hengevoss-Dürkop, *Jerusalem – Das Zentrum der Ebstorf-Karte*, in: Ein Weltbild vor Columbus. Die Ebstorfer Welkarte. Interdisziplinäres Colloquium 1988. Hrsg. von Hartmut Kugler in Zusammenarbeit mit Eckhard Michael, Weinheim 1991, S.205-222.

21) 世界図の中心にイェルサレムが位置する例はすでにツィリスの天井画成立以前、1100年頃に見られる。*Ornamenta ecclesia. Kunst und Künstler der Romanik. Katalog zur Ausstellung des Schnütgen-Museums in der Josef-Haubrich-Kunsthalle*. Hrsg. von Anton Legner, Köln 1985, Bd.1, S.103.

22) M. ジェニーもこの場面が意図的に十字架の交差部に置かれたとする。Markus Jenny, *Unter dem Siegeszeichen des Kreuzes. Eine theologische Deutung der Zilliser Bilderdecke*, in: Neue Zürcher Zeitung, 26. März 1967, Blatt 4. D. フリューラー＝クライスはそれを否定するが、その際何ら理由づけもなく、また天井画が内包する意味についても深い掘り下げがない。Dione Flühler Kreis, *Die romanische Bilderdecke der Kirche St.Martin in Zillis wiederbetrachtet*, in: Zeitschrift für schweizerische Archäologie und Kunstgeschichte 1993, Bd.50, S.223-234.

23) 註11、さらにMarc Antoni Nay, *op. cit.* 折込み添付リスト参照。

24) Huldrych Blanke, *Zillis – Evangelium in Bildern. Die romanische Bilderdecke in Zillis/Graubünden neu gedeutet*, Zürich und Eschbach 1994, S.154.

25) Marc Antoni Nay, *op. cit.*, S.28f. また Jürgen Thies, *Die Symbole der Romanik und das Böse*, Nürtingen 2007, Bd.2: *Die romanische Bilderdecke der Kirche St.Martin in Zillis/Graubünden im Fokus*, S.239も参照。

26) Huldrych Blanke, *Bernhard von Clairvaux und Zillis*, in: Zeitschrift für schweizerische Archäologie und Kunstgeschichte 1992, Bd.49, S.325. 彼によれば、天井画で重要な事柄は受肉と十字の形である。

27) 十字架磔刑像を欠いたキリスト伝の後続の図像として内陣天井にマイェスタス・ドミニを推測する説もある。*Die romanische Bilderdecke in der Kirche St.Martin von Zillis, op. cit.*, S.29; Huldrych Blanke, *Zillis – Evangelium in Bildern, op. cit.*, S.140f. しかし筆者は、天井画の完結した統一的図像プログラムからして、後続の図像は必ずしも必要ではないと考える。

28) Markus Jenny, *Unter dem Siegeszeichen des Kreuzes*, *op. cit.*, Blatt 4.

29) この場面の別の解釈として、ジェニーはマタイ福音書13章47-50節を引き合いにだす。彼によれば漁師は教会の布教活動の象徴である。Markus Jenny, *Zur Anordnung der romanischen Deckenbilder von Zillis*, *op. cit.*, S.83.

30) *Die romanische Bilderdecke in der Kirche St.Martin von Zillis*, *op. cit.*, S.31.

31) Bernhard von Clairvaux. *Sämtliche Werke lateinisch/deutsch*, hrsg. von Gerhard B.Winkler, Innsbruck 1992, Bd.II, S.196-197. Apologia ad Guillelmum Abbatem XII, 29.

32) *Ornamenta ecclesia*, *op. cit.*, Bd.1, S.107.

33) 中世の地獄の表象が図像学的にギリシア神話世界と結合する点で、ボリューの表現は注意をひく。Bernhard Rupprecht, *Romanische Skulptur in Frankreich*, Darmstadt 1984, Abb.50-52, S.86.

34) Markus Jenny, *Unter dem Siegeszeichen des Kreuzes*, *op. cit.*, Blatt 4.

35) ロマネスク時代の柱頭彫刻には正面向きの怪物が見られることもある。例ショヴィニュ、サン・ピエール教会内陣の柱頭彫刻、12 世紀後半、Bernhard Rupprecht, *op. cit.*, Abb.99.

36) チューバをもった天使と世界の四方の結びつきはマタイ福音書 24 章 31 節で述べられているが、さらにヨハネ福音書 7 章 1 節には地の四方に立って地の四方の風をひきとめている四人の御使いが登場する。マインツのハインリヒの世界図（1109/10 年ごろ）では楕円形の世界の外側四方に四人の天使が見られる。ただしチューバは持っていない。

37) ヤコブス・デ・ウォラギネ前掲書、220 頁、232 頁。

38) 邦訳は、呉茂一訳、ホメーロス『オデュッセイア』、第 12 巻（『世界文学全集 1』所収、集英社、1974 年、160 頁）を参照。

39) Reinhold Hammerstein, *Diabolus in musica. Studien zur Ikonographie der Musik des Mittelalters*, Bern 1974, S. 88.

40) 拙稿「西洋中世美術にみる天国と地獄の《音楽》」、東洋英和女学院大学死生学研究所編『死生学年報 2015 死後世界と死生観』、リトン、2015 年、27-52 頁参照。

41) Werner Wunderlich, *Frauen, die sich nicht über Wasser halten. Zur kulturgeschichtlichen Genealogie von Nymphen, Nixen, Wasserfeen*, in: Engel, Teufel und Dämonen, Ein Blick in die Geisterwelt des Mittelalters, hrsg. von Hubert Herkommer und Rainer Christoph Schwinges, Basel 2006, S.146f.

42) Diether Rudloff, *Kosmische Bilderwelt der Romanik.* Zum Bildprogramm von Christoph Eggenberger, Urachhaus 1989, S.163.

43) Kerstin Bartels, *Musik in deutschen Texten des Mittelalters*, Frankfurt am Main 1997, S.404.

44) Patrologia Latina, tom.172, ed. J.-P. Migne, (以下 PL) col. 807-1107. *speculum ecclesiae*. 特に col. 855-857. Septuagesima; Herrad von Landsberg, *Hortus De-*

liciarum. Hrsg. von Dr. Otto Gillen, Pfälzische Verlagsanstalt 1979, S.126.

45) 音楽を奏でる三人組のセイレンはこれ以降は見られず、大抵は一人、ときに二人組で表現される。Reinhold Hammerstein, *op. cit.*, S.88.

46) Herrad von Landsberg, *op. cit.*, S.126; *Herrad of Hohenbourg, Hortus Deliciarum*, R. Green, M. Evans, Ch. Bischoff, M. Curschmann, London 1979. Reconstruction, Fol.221r (Pl.125). 実際、帆柱は十字架のように表現されている。

47) Jörg-Geerd Arenzen, *Imago Mundi Cartographica. Studien zur Bildlichkeit mittelalterlicher Welt- und Ökumenenkarten unter besonderer Berücksichtigungen des Zusammenwirkens von Text und Bild* (=Münstersche Mittelalter-Schriften 53), München 1984. S.273.

48) アウグスティヌス、服部英次郎訳『神の国』(三)、岩波文庫、1981年、81頁。Helmuth Gericke, *Mathematik in Antike, Orient und Abendland*, Wiesbaden 2003, Teil II, S.57f.

49) 153という数の分析はアウグスティヌスがもっとも好んだもので、著作の多くの箇所で言及している。Ernst Hellgardt, *Zum Problem symbolbestimmter und formalästhetischer Zahlenkomposition in mittelalterlicher Literatur. Mit Studien zum Quadrivium und zur Vorgeschichte des mittelalterlichen Zahlendenkens*, München 1973, S.66, S.172.

50) Augustinus, *In Ioannis evangelium tractatus* CXXII, 8-9. PL 35, col.1964f.; *De doctrina christiana* II, 16,25. Corpus Christianorum, Series Latina, 32, 51.; Heinz Meyer, *Die Zahlenallegorese im Mittelalter. Methode und Gebrauch* (= Münstersche Mittelalter-Schriften, Bd.25), München 1975, S. 185.

51) Beda, *In principium Genesis usque ad nativitatem Isaac et electionem Ismaelis*, Corpus Christianorum, Series Latina, 118A, 117; Heinz Meyer, *op. cit.*, S.151.

52) *Ibid.*, S.122f.

ツィリスの天井画図版出典
Diether Rudloff, *Zillis*, Basel 1989

The Hidden Symbolism of Life and Death on the Painted Ceiling in Zillis (Switzerland, Graubünden)

by Keiko SUZUKI

The church of St. Martin in Zillis, located near the Viamala road over the Alps, has a painted ceiling that dates from the beginning of the 12th century. The paintings are on 153 wooden panels. They are arranged in horizontal rows of 9 panels each, and vertical columns each containing 17 panels. The design of the paintings gives an idea of "land surrounded by the sea", almost like a map of the world. However, this "world" shows the life of Christ according to the New Testament and some scenes from the legend of St. Martin. Fabulous animals and mythical ocean people fill the sea.

In the center of the paintings a cross is formed by the decorative frame, and the cross extends into the area of the sea both vertically and horizontally. The cross is a symbol of the Resurrection, which is overcoming Death, and it rules over the area of the sea which denotes chaos, evil, and Death. In the center of the cross Christ is represented as the King who conquers the temptations of the Devil. St. Martin follows Christ in a scene where St. Martin vanquishes the Devil. The pictures show an example of conduct not only for the people who crossed the dangerous alpine passes, but also were intended for the influential people of the Holy Roman Empire.

The paintings teach people how to attain Eternal Life by overcoming evil. It is not only the paintings themselves, but also the number and arrangement of the panels that play an important role in the symbolism of the artwork. 17 panels form the vertical axis of the cross. This number constitutes the base of the entire 153 panels, as the collective sum of the numbers 1 to 17 is 153 (1+2+3...15+16+17=153). According to the number symbolism of the Middle Ages, the number 17 means Eternal Life. Thus it can be said that the paintings include a hidden symbolism of "Life and Death".

〈論文〉

昔話『蛇婿入』にみる心の変容

――殺された蛇の視点から――

前川美行

はじめに

日本昔話の一つである『蛇婿入』は、「苧環型（おだまき）」「水乞型（みずこい）」など類話の多い昔話である。それは時を経て伝承されるにつれて、物語そのものが人々の心に合わせて象徴的な変容を遂げてきた物語といえよう。人々の心のあり方や社会のあり方とともに語られ、伝えられてきた生きた物語なのである。

それはまた現代の私たちの心にとっても通底するテーマを内包している。そこで、変容し成長する蛇婿入物語をまず紹介し、母・父・娘の視点からの“内なる女性”のイニシエーションとしての物語解釈を行った。さらに、蛇の視点からの分析を試み、事例の夢とともに、「針を抜く」こと、蛇の再生の心理的変容における意義について一つの考察を試みた。

1．『蛇婿入』物語

昔話『蛇婿入』は『猿婿入』などと同じく「異類婿」と分類され、苧環型・水乞型・姥皮型の３類型に大きく分けられる。まれに女性が蛇である類話もあるが、ほとんど蛇は男性である。子どもの頃、絵本・アニメ・親からの口承話として聞いたり、読んだりした昔話の中で、『蛇婿入』を知っている人はどのくらいいるだろうか。あまりいないのではないだろうか。セミナーで聴衆に問いかけた際にも、また大学ゼミ生に尋ねた際にも知っていたと答えた人はほとんどいなかった。このように、日本各地に伝わり、類話の多い昔話であるにもかかわらず、子どもに語る昔話集には入ることが少ないのも『蛇婿入』の特徴である。

その特徴は特に苧環型において顕著である。水乞型は「手無し娘」に繋がり、姥皮型は「姥皮」に繋がり、それぞれに語られているが、特に苧環型は語られることが少ないようだ。異類との知らぬ間の婚姻や異類殺しの意味が読み取りにくいからだろうか。意識から遠いものは忘れられやすいことを思うと、語られない物語としての苧環型は現代の隠されたテーマを表している可能性もある。ここでは、まず物語のテーマと展開を類型ごとに比較して考えてみよう。

（1）苧環型

苧環とは、麻糸を空洞の玉にして巻いたものだが、物語の中で針に通された苧環の糸をたどることから「苧環型」と名付けられている。

まず初めに『蛇婿入』苧環型の一つ、熊本県・天草郡に伝わる物語を紹介する。

> ――娘が妊娠する。男の姿は娘にだけ見える。乳母が木綿針に糸を通して男の襟に刺させる。乳母が糸をたどると水の中に入っている。立ち聞きするとお前は金気を持っているから仲間に入れぬ。俺は子どもを持つぞ。人間は知恵が多いから魔の子は三月の桃酒と五月の菖蒲酒でおろすと語るのが聞こえる。(後略)（関敬吾編 1978）[1)]

これは親の知らぬ間に娘と付き合い妊娠までさせたけしからん男（蛇＝異類）を殺し、異類との子どもを堕胎させる物語であり、純朴な娘を母の知恵が守っていると受け取ることができる。さらに現代に伝わる“桃の節句”と“菖蒲の節句”の由来を説明する物語のようでもあり、子どもの健やかな成長を祈る意味が込められているとも受け取れる。すると娘を守り、さらに生まれてくる子を邪気から守り健やかに育つために伝承される知恵の物語とも考えることができよう。

またここで「金気」と呼ばれている針は、家事の道具であることから“女性”に属するものと考えられると同時に、鉄製であることからは“文明”や“意識”を表わすとも考えられる。

臨床心理学者でユング派分析家でもあった織田尚生（1993）[2)] は、この物語を「父権的ウロボロスの侵入を受けた娘」が「内なる原初的な母であるグレートマザーとして機能した母親の援助で、蛇の子を流産」し、「母娘の姉妹的関係の段階の枠」を越えられずに終わる物語と解釈している。

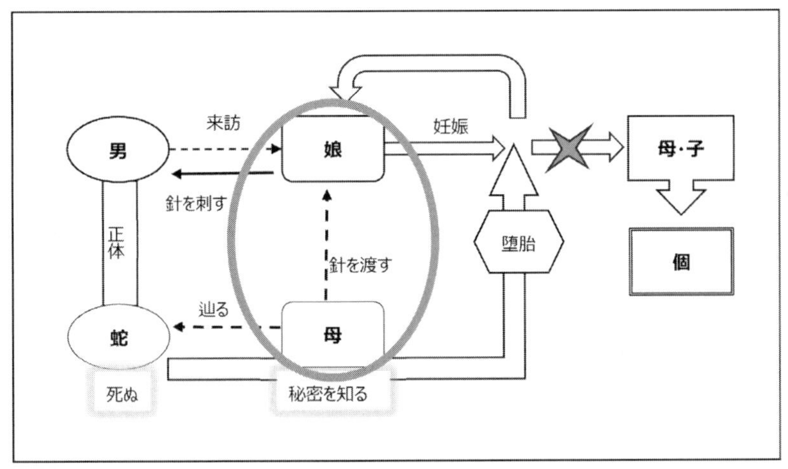

図1　蛇婿入（苧環型）:「母の視点」から見た調和

この解釈を意外に思われる方もいるかもしれない。異類の子どもを妊娠して子どもを産んだとしてそれが娘にとって幸せかどうか、親の視点からすれば明らかにノーであろう。娘には幸せになってもらいたいと願うのは自然な親心であり、男の正体を突き止め秘密を知り、蛇の子を産むことを阻止した母の知恵は称賛されこそすれ責められることではなかろう。

しかしながら織田の述べるとおり、確かにこの結末では娘は家から出られない。“娘”としての段階から子どもを産むという形で次の段階に進む展開が生まれたのに、阻止されたのである（図1）。さらに娘の意思は語られず、母の行動のみが述べられていることも特徴的である。つまりこれは「母の視点」の物語なのである。結果として娘は母の許にとどまり、成長を止められる。図1のようにグレーのリングの中の関係は維持され、この親子は「母娘の姉妹的関係の段階」にとどまる（織田）のである。

もう一つ、苧環型として香川県・三豊郡に伝わる物語を紹介しよう。

――姫のところに侍が通ってくる。母が縫い物針に糸を通して頭の髷に刺させる。糸をたどると洞穴に入っている。立ち聞きすると、黒鉄を立てられたので死ぬが、子どもをこしらえたという。しかし三月節供の桃の花酒を飲むと、桃の悪で子は下りるという。三月の節供の酒を飲ませると蛇の子がたくさん産まれる。(関 1978)[3)]

蛇の子どもは天草郡の話のように堕ろされる場合のほか、この三豊郡の話のように立派な子として生まれる場合、あるいはたくさん生まれてそののち殺される場合などさまざまである。生まれたとしても「蛇の子」であり、グレーのリング内に受け入れられることはない。

この二話では乳母や母が糸を辿り秘密を知る役割をとるが、母ではなく娘自身が糸をたどる話もある。しかし父が登場する話は大変少なく、織田の指摘するように苧環型では「母娘の姉妹的関係」が世界の中心であり、その調和が保持されていると言えよう。

以上のことから、苧環型に共通するあらすじは、“素性の知れない男が娘のところに通い娘は妊娠するが、男に蛇を刺す。針を刺された蛇は死に、蛇の後をつけた母は秘密を知る。そして子どもは堕ろされ、世界はもとに戻る”というものである。図のグレーリングはそのまま閉じる。

以上のように苧環型は母の視点からの世界の調和が中心である。カップル誕生をよしとする物語と比較すると、カップルは形成されず子どもも望まれない。グレーリングの開放は阻止されている。また、娘の意志や感情が語られないまま妊娠したり堕ろされたりする展開であるのも特徴的である。苧環型では「娘」という存在は、異類の来訪を受け入れ次世代を生みうる身体的な存在としてのみ物語の始まりに登場し、それ以外には展開にも終わりにも関与しない。母（原初的グレートマザー）の視点からは、意識の目覚めによる娘の解放は不要なのであろう。

ところで、物語の始まりは男（蛇）の来訪である。日本神話ではスサノオの狼藉に怒ったアマテラスは天岩戸に引きこもってしまったが、苧環型の素性のわからない男は激しく破壊する力は持たず、あっさりと針に刺されて死に、秘密までも知られ子どもも殺される。苧環型は圧倒的な母（グレートマザー）の力が支配している物語である。

（2）水乞型・姥皮型

次に水乞型について考えてみたい。水乞型は話の始まりも展開も苧環型とは異なっている。まず、福島県・南会津郡に伝わる水乞型を紹介しよう。

——干天のとき、長者の頼みにより雨を降らせ、蛇は約束通り娘を娶る。娘は針千本と瓢箪千を持って嫁入りする。その瓢箪を沈めにかかった大蛇は疲れはて、針を体に刺されて死ぬ。(後半姥皮。娘は逃げる途中、蛙の婆から姥っ皮をもらい、飯炊き婆としてある長者の家で働く。夜、姥っ皮を脱ぎ観音経をあげていると、そこの息子に見られる。息子は病気になる。占いもののいうとおり家じゅうの女を会わせる。娘が行くと病気も治りその家の嫁になる。(関 1978)[4]

水乞型の始まりは、「干天」である。自然が調和を失い大地が干上がっている状態は、世界のバランスが崩れていることを象徴的に表している。苧環型では安定した世界が突然の来訪者によりバランスを崩されるが、来訪者を殺し堕胎すれば世界の調和は取り戻される。しかし、水乞型では自然のバランスが崩れた状態から物語が始まる。

そこで自然の調和や世界のバランスを取り戻すために「父（長者)」が蛇と取引をする。意識を持ち取引をする父という存在が登場し、物語の世界には男性原理が生れている。父は自然の霊力を持つ蛇に雨を降らしてもらい、引き換えに娘を差し出す。娘は供犠となり、父は娘を失う。すなわち、雨は降ったものの大事なものを父は失うことになる。

供犠として差し出される娘はギリシャ神話にもグリム童話にもみられる。三人娘のうち上の二人が拒絶し、末娘が承諾するという物語もある。また水乞型では蛇を殺した後、村に戻る話と、村から出て姥皮型と結合する二通りの展開があり、蛇を殺す際には針や瓢箪が使われることが多い（関 1978)[5]。針は女性と文明の力の象徴であり、瓢箪は鈴なりの実の付き方や末広がりの実の形などから縁起良く呪力を持つと考えられていたものである。

父は、大地の豊饒性が失われた初めの状態に対して、大地を潤し調和を取り戻そうとしたが、再び豊饒性は失われる取引をする。娘を差し出すことで命のつながりが絶えることにもなるからである。作物は得て富は得ても、命は絶えていく図式が父の物語なのであろう。以上のように、父の視点から作られる世界は女性原理を喪失し均衡を失っている。

ところで、娘の視点で見るとどうなるだろうか。物のように取引されてしまう娘が自分の知恵によって蛇を死に至らしめる。文明の利器と、自然の霊力によって娘は供犠であることと蛇から解放された。そこから「姥皮」物語

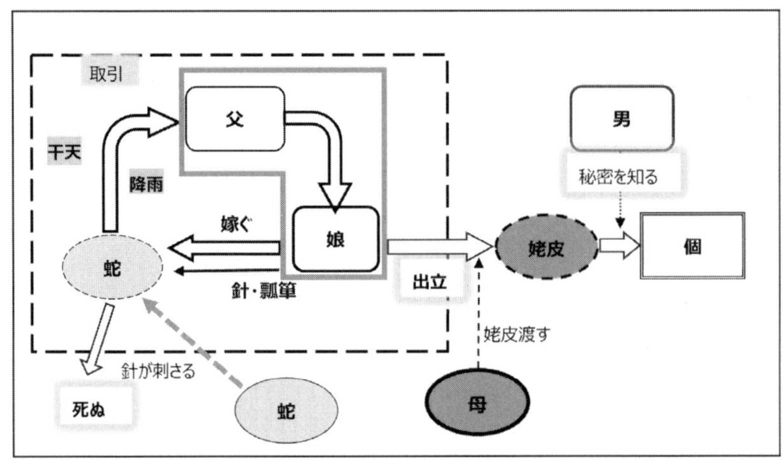

図２　蛇婿入（水乞型・姥皮型）：「父の視点」から見た調和と、「娘の視点」への移行

や「手無し娘」物語が始まり、生きる娘の視点からの物語が始まる。そして新たに男性と出会い結婚へと展開する（図２）。嫁ぐことは意思ではなかったものの、蛇を殺すことにより娘は出立、個として新たな関係を作り出したのである。

２．“内なる女性”性の変容過程

（１）分析心理学的物語解釈

以上述べてきたように、“異類との婚姻”として分類される蛇婿入の苧環型と水乞型では、始まりと展開・結末に違いが認められる。それでは、『蛇婿入』として括られるこれらの物語に通底する共通テーマはなんであろうか。物語としては“娘（女性）”が主人公であり、“娘の成長”をテーマとして挙げることができると考えられる。

ところで、臨床心理学、特に分析心理学の領域では、物語を心理的物語として象徴的に読み解く手法がある。昔話は、現実とは異なる世界を“語り”ながら、聞く人を物語の世界に引き込み、普遍的な心の真実を映し出して、聞く人の心を強く揺さぶるものと考えられている。

ユング（Jung, C. G., 1948-1999）[6] は、「神話やおとぎ話においては、夢における と同様に、こころ（Seele）が自分自身について発言しており、さまざまな元型が自由に働きあって」表れていると述べる。ユングは、患者の語る妄想やイメージが神話のテーマと類似していたり、共通の要素を持っていたりすることから、「人間の心の胚芽の中に意識に先んじて普遍的に存在している、自律的な原イメージ」の存在を概念化（元型）し、個人を通して表れてくる普遍的無意識による像と考えた。

また、ユングの直弟子である分析家フォン・フランツ（von Franz, M. L., 1975-1979）[7] は、「おとぎ話は、普遍的無意識的な心的（psychic）過程の、最も純粋で簡明な表現」であると述べる。無意識や元型的イメージは私たちには未知のものであり、言葉に置き換えることは不可能で、「物語の筋と結びついた全体のモティーフの中に」含まれるものから理解することが最良の方法であると言う。逆に言えば、表現されないままの無意識が自分自身を表現しようとする場合、「直感的な訴えや似たような材料への類推によって、聞き手たちの中に反応を引き起こそう」として、おとぎ話の姿で何度も人の心に語りかけ無意識自身の持つイメージを表現するというのである。

ここで重要なことは、“直感的な訴え”や“似たような材料への類推”という点である。無意識的心的過程の理解は、物語の登場人物に元型を記号的に当てはめて意味を探し、言語を読み解くように解釈を試みることではなく、言語では表しきれない深い心理的体験をそのまま深く味わうことでもある。その場合、解釈が多くの人の心に物語そのものを味わったときに感じたような深い体験として心に落ちていくこと、「たしかにそうだ」と納得する解釈であることが重要である。深い味わいを持つ詩を単に散文で解説するのではなく、詩の訴えるものをより深く理解できるような解釈になることが分析心理学的な解釈の特徴である。

さて、そのように分析心理学領域では、昔話や物語を心理的物語として象徴的に解釈してきたが、それは個人的心理の物語にとどまらない。元型という言葉からもわかるように、普遍的なテーマを内包している昔話の理解は、私たちが生きている現代における心の真実、すなわち普遍的な心理を理解することに繋がると考える。そのような分析心理学的手法で日本昔話やグリム童話を分析した河合隼雄の著作『昔話の深層』（1977/1994）や『昔話と日本人の心』（1982/2002）は高く評価されている[8] ことからもわかる。

（2）心理的変容の物語として読み解く

ここで、『蛇婿入』を分析心理学的に解釈した論考を紹介することにしたい。

織田尚生（1993）[9] は、蛇婿入の二型の差異として異性とのかかわりの違いに注目し、“内なる女性”の変容方向性の差異を心理的発達段階のようにとらえている。織田は、新しい関係が生じる変容は、“内なる女性”が自身に沸き起こる激しい怒りを意識的に生きることから展開すると述べる。苧環型では、娘は、母の言葉通りに蛇に針を刺し、自身も堕胎される。しかし、水乞型では娘は父の言葉通りに取引に従い、自然の霊力への畏敬の念を持っているかのように嫁ぐことを承諾するが、同時に針と瓢箪を用意し、それをわざわざ池に落として蛇に沈めさせるよう術策を弄する。この術策を、織田は心理的に発達した意思を持った娘ゆえの行動ととらえている。娘は怒りに基づいて術策を弄したのであり、怒りを込めて対決したと考えている[10]。

織田は、瓢箪＆針作戦を行う娘は、苧環型における存在の薄い娘とは明確に異なると述べる。そしてこの違いに注目して、内なる女性が自分自身の内に沸き起こる激しい怒りを意識的に生きて、「対決」（父権的ウロボロスとの対決）することによってこそ自分自身を開放できると述べる。内なる女性が新しい異性との関係を成立するために、すなわち人格の中で新たな統合が起こるために必要なことである。織田は女性自身の持つ攻撃性に言及し、心に「普遍的」にある「怒りの女性」が切り開く変容過程と考察した。男女全ての人にとって心の内にある“内なる女性”性の心理的変容と言えるだろう。

“「怒り」の感情を生きる”ことを重視している点は、男性的な理解であると筆者には思われる。「怒り」による術策、「対決」等ととらえること自体が、男性原理に基づいた男性の視点で見た“内なる女性”の物語解釈と筆者には思われるのである。

筆者は水乞型のこの場面から、少女や子どもの主人公が知恵によって窮地を脱する昔話や物語を連想する。小さな子どもが霊力や守りの力を借りて、鬼や山姥に一杯食わせるという愉快な昔話の類である[11]。和尚や母などによって授けられた知恵であったり、動植物から教えられる秘密であったりする。娘は助けを求めたり恨んだりするのではなく、権力や自然に翻弄される小さな存在として持てる知恵を精一杯働かせる。“術策を弄して”と言うよりも、“機略を講じて”自分自身を解放したように筆者には思われる。豊かな知恵は男性原理ではなく、このような無力な小さな存在を通して発現されると思うのである。

同様に河合隼雄（1982/2002）[12] は、日本昔話に登場する女性に注目している。河合は日本人の自我は「女性像によって示す方が特徴をよく表している」と考え、昔話の中に登場する「女性の意識」という視点を重視する。昔話に登場する女性の持つ意識が、私たちの自我のあり方を象徴的に示唆していると考えるのである。その例として日本昔話に登場する“決意し、切断する、小気味よい女性”を挙げ、河合はその女性たちを「意志する女性」と名付けている。それは「わが国特有の過剰な感傷性から、ふっきれた存在として、さわやかな」存在であると説明する。昔話に登場する「意志する女性」のあっと驚くような行為は、男性原理から理解することや読み取ることは難しいが、因果律を超えた動きから解決が生まれ、結果的に事態に風穴を開ける。緊張しているときにふっとお腹がなって気が緩んだり、笑いが生れたりするような状況である。それは、ユーモア、機微、とんち…などが持つ働きであろう。日本昔話においては、そのような働きが女性の姿で登場することに河合は注目した。その女性像は「男女を問わず持ち得る、自我＝意識のひとつの在り様」を示唆するようなふるまいをし、「新しい自我像を示すものとして注目に値する」と述べる。この視点から見ると、水乞型の娘が講じた瓢箪＆針作戦は怒りによる対決の面のみではなく、“意志する女性”の持つ小気味よい知恵の力や新しい自我像を示唆していると言えないだろうか。

さらに河合は同じ著書の中で蛇婿入・水乞型の展開型でもある「手無し娘」物語を、“内なる女性”性の成長過程として分析心理学的に読み解いている。彼は、娘が手を切られ放浪することの重要性を指摘している。内なる女性の変容を人間の心の中にある関係性から読み解き、母なるものや父なるもの等の元型との関係や異性性との関係、異類なるものとの交流を解釈することで心の変容過程を考察した。河合の解釈は、物語を心の物語として主観的水準でとらえ理解する分析心理学の優れた視点を提示し、我が国における心理臨床の発展に大きく寄与した。

最後に、フォン・フランツと同じく女性分析家である山口素子の解釈(2009)[13] を紹介しよう。山口は、蛇婿入物語に登場する蛇を殺す針に注目した。山口は山姥とは何かについて論考する中で蛇婿入に言及した。針は男性的な攻撃性と破壊的な力を象徴すると同時に女性の内なる男性性を表すと言う。「針は、むしろもともと女性の自己としての山姥に属しているとも考えられ、女性性の中に本来的に備わっている攻撃性と破壊性と考えられる」と述べている。雛祭りの嫁入り道具にも鏡針揃が含まれているように、そもそも「針」は女性が日常生活で使用してきたものである。また文化的な針仕事は、一針一針「地道に刺し、加工していくことで、自然から文化への方向性を導く」作業であり、「針」は無意識の領域から意識を持った個としての誕生を促す働きを象徴していると言えるだろう。

山口は水乞型を、針によって父権的ウロボロスと戦い、自分自身とアニムスを変容させる物語と解釈している。すなわち、女性性の中に備わっている本来的攻撃性が発動して心理的変容が起こったと考える。針を女性自身の内なる生来的攻撃性と理解する視点が、織田の「怒り」と考える点と少し異なっている。ともあれ、織田も山口も日々の心理臨床現場で出会う問題から『蛇婿入』を分析考察し、女性の生き方や苦悩の理解に深い示唆を与え、さらに男性も含めたすべての人における“内なる女性”性の解放についての仮説を提示したのである。

（3）“内なる女性”性の解放

では物語の構造から、プロセスの象徴的意味について分析して考えてみよう。水乞型は世界の調和が崩れ、母の視点からの調和には戻れない状態から始まる。

不調和は、まず「干天」として描かれている。すでに述べたように豊饒が生み出されない状態であり、女性性がうまく働いていない状況であると読み取れる。

次に、取引をする父と蛇がともに男性として描かれ母の存在がないこと。つまり水乞型の世界は意識が目覚めた世界で、グレートマザーの力は排除される一方で男性原理に偏ってしまい、内なる女性性が疎外された心理状態を象徴していると考えられる。それが「干天」の表す状況である。父や王の登場、さらには共同体の形成など、社会の変化で象徴される自我の誕生や意識の獲得は、母娘関係を断ち切って個の成立を促し、社会的契約関係の始まりを生じさせた。しかし、その世界に欠落しているものがあり、それをいかに取り戻すかをテーマとして物語は展開する。

そこで男性原理が支配する世界の調和を取り戻すべく、父は蛇の力を得て支配力を強化しようとした。そして蛇を支配下に置くために娘（内なる女性性）を供犠として差し出した。蛇に娘を嫁がせることは娘を異世界に送り出すことでもあるが、同時に蛇を文明世界に取り込もうとしたとも考えられよう。図２で見ると、動物界の蛇を男性原理の働く文明（点線四角）世界に住まわせて自然をコントロールしようという行動といえるだろう。しかし、その支配力強化の企ては娘によって裏切られる。従順なはずの娘は自分の知恵を持ち、呪力を借りて蛇を殺し、男性原理の支配する世界から一人で出立したのである。ここで、娘は解放されたように思われた。しかし、供犠となった娘には名もなく住む家もない。さて、娘はいかにして生きていくことができるのだろう。内なる女性性が生きることができること、それがすなわち女性原理を取り戻す物語になるのだ。

その時、出立した娘の前にグレートマザーは蛙の婆（姥）となって現れた。苧環型では人の姿で登場した母が、水乞型では家の外に棲む蛙の婆、すなわち動物に近い次元の存在として存在する。意識の獲得により家は父の家となり、娘はその家の住人となり、グレートマザーは家の外の住人として生きていたのだ。図２のようにそれぞれ異なる次元に生きていた母と娘がここで出会い、母は針ではなく姥皮を渡す。次元は異なっているが、苧環型の母も水乞型の蛙の婆も秘密めいた方法で娘を守るのは同じである。姥皮を被ることで、娘は動物の姿となって生き延びる手段を得た。一時的な姿である。

ここで、母と娘の次元の違いを扱った物語として継子譚を挙げてみたい。「米福粟福」の類話である「米ぶき粟ぶき」（黄地百合子 1984）[14] を見てみよう。あらすじは、継子である米ぶきを継母がいじめるもので、後半はシンデレラと同じ型となり、汚い服を着た米ぶきの方が嫁に行き、実子よりも幸せになるという結末になる。

継子譚での「継母」の登場は、すでに「実母」が死に、娘と母の次元が異なっていることを示唆する。このような物語では母娘結合が分離されたことで個性化が進む（山口）。戻る場所である「母」との関係が断ち切られている継子の方は前に進むしかない（河合）。すなわち、母娘関係が断ち切られていることを継子という構造が表現し、それが個性化を促すことを示唆していると考えられる。

一方「実子」は結婚できずに母のもとに戻り、個性化には至らない。このように、継子／実子の違いを明示することは、母・娘の次元の違いをわかりやすく提示するものであり、個性化の道にとって重要な要素を物語の設定が示しているといえよう。

それに比べると、蛇婿入はより隠喩的な表現をとる。継子という設定ではなく、干天や取引を描くことにより、象徴的に母のいない世界を表現している。その世界で女性（娘）は供犠として旅立ち、自分を自らの力で解放する。母は妨害でさえあるように見える力（醜い姥皮）で間接的に娘を守り、そして娘は自力で生き延び個性化に進む。意識の覚醒によって男性原理が働くことは、自由で意志する内なる女性を押し殺しかねないが、内なる女性は自身の力で自由に意志し、機略を講じて自らを解放して生き延びる。これが、水乞型の示す内なる女性性の変容過程であり、同時に個性化の過程を示唆していると考えられるのである。

3．供犠であること

ところで、苧環型の生まれる子どもは、貴種＝王として崇められる場合もある。図1のように意識が開かれていない世界では、来訪者と無意識的に交わり伝来物を受け取ると同時に、同質性保持のために来訪者に異類の汚名を着せて殺す。蛇殺しは自覚されることなく忘れられ、意識は目覚めない。ここでは、異類の子は王になる可能性と同時に異類として殺される可能性もある。

本論で引用した苧環型では、堕胎し清めの儀式をせねばならないと語られている。娘が集団に戻るためには儀式が必要で、それほどまでに社会が同質性を重視し閉じられていることを、母娘関係が同質のままであることとパラレルに描きだしている。

それに対して水乞型の娘は供犠となるが、蛇を殺し家から離れる。父の取引のために供犠としてのスティグマを背負った娘は、蛇を殺した後も家には帰れない。その後、姥皮を被ること自体が人とは一線を引く形になり、娘には共同体から孤立する分離方向の力が働いていることがわかる。死ぬべき人である供犠としての娘には、すでに名前はなく、帰る場所もなく、前に進むしかない。ここでは娘は、一時的に動物の次元に移行することで母娘結合に戻るが、それは仮の姿で夜には姥皮を脱ぐ。心の奥は人のままであり、自分と向き合うかのように観音経をあげるのである。

そこで偶然の力が働く。競い合いやルールや論理的なつながりではなく、男性が“偶然に”娘の姿を見たことを契機に展開する。そして母の皮から脱皮する。それは、動物の次元での蛇との婚姻ではなく、人と結婚するという形で人格の統合がなされたことを示している。対立物である男女が統合され、個性化が進むのである。

供犠であることは継子と同様に、母や親の力のみならず村という共同体からも分離したことを意味する。個人的意識や個人的無意識、そして家族や共同体の持つ共通の普遍的無意識から、異質なものとして締め出された存在ゆえに個性化は促進されたといえよう。

では、機略を講じて蛇を殺し自分を解放した後、姥皮をかぶった娘の個性化の契機となる「偶然、男性が見ること」とはどのようなことだろうか。『鶴女房』では見ることは禁じられたが、ここでは見られたことが娘の個性化を促した。

4．蛇の視点から読み解く

（1）殺された蛇の視点から

異類婚のような異類との交流は社会にとって禁忌であると同時に歓迎されることでもある。来訪者は歓迎されかつ殺されもする両義的存在で、共同体の健やかな維持と発展には欠かせないものでもあった。村＝共同体は閉鎖性を持つゆえに同質性は保たれるが、衰退を防ぐために異類の訪れと交わりは重要であった。社会に文明を伝来し、変容を促した鉄砲とキリスト教の伝来のように。

さてそこで異類の来訪者であり自然の霊力を持つ存在としての蛇に目を転じてみたい。

苧環型の蛇は、何らかの要因により境界を越えて人の世界へとやってきた。そこで見初めた娘と交わり、自分の子を持つ偉業を成し遂げ、蛇仲間に自慢している。ところが、針を刺された蛇は仲間からは忌避される。同時に、針は自分にとっても悪い影響があり、命を落とす。この蛇は、蛇の世界から見ると蛇の世界の調和を崩し、新たな世界を切り開く存在でもあるようだ。トリックスター的に領域を行き来し、ハイブリッドを誕生させる力を持つ。まさに来訪者として相応しい力の持ち主であったのだろう。しかしながら、自然をも司るグレートマザーの力の前ではあっけなく殺されてしまう。自慢の子どもも殺され、領域を超えたこの偉業は知られぬものとなる。

また水乞型の蛇は、人と結婚することを条件に霊力を行使する。ここでもやはり何らかの蛇側の要因があって人と交わることが必要なようである。悪魔のように娘をさらうのではなく、自然と共存するこの蛇の存在は日本的であろう。そして父との取引を忠実に果たして娘を嫁にもらう。ところが無垢な花嫁にまんまと騙されてしまい、瓢箪を沈められず体じゅうを針に刺されて死ぬ。自然を左右できる力を持ち、雨を降らすほどの蛇があっけないものである。蛇から見ればかわいそうなことである。蛇にとっても雨を降らすことが決して遊びやゲームのような簡単な仕事ではなく、娘を嫁にもらうほどの難仕事であった。そして苧環型で人知れず娘と交わったのと同様に、正面から仕事の見返りとして娘を嫁にもらうことは蛇側にとっても何らかの必然性を持っていたのではあろうと筆者は考える。

約束どおり雨を降らし、また娘の言うなりに必死になって瓢箪を沈めようとする蛇の立場から見れば、何としても人との間にハイブリッドの子孫を残す必要があったのではないだろうか。その蛇を人はだましてしまった。その後、蛇は登場しない。あっけなく死んで忘れられた蛇。娘と同様、蛇も蛇世界の供犠であったのかもしれない。つまり娘と蛇は人世界と蛇世界の対であり、共に供犠であったと考えられる。彼らは各々の世界の調和を守るために捧げられた。ここで蛇が死ぬことにより、蛇世界の調和は守られたのだろうか。

（2）刺された針を抜き、姥皮を脱ぐ夢

供犠として蛇の命が捧げられたのと同様、供犠として捧げられた娘もやはり社会的な命を失った。蛇との出会いによって“内なる女性”は“意志”を持つ女性として動き始めたが、そのままでは生きられない。そこで、原初的グレートマザー（蛙の婆）が女性に力を貸した。一人で旅立とうとするものの名前や所属がない女性には、社会に出る前に社会から守るための守りが必要だった。その守りが醜い皮であった。では、その皮を脱ぐ契機になるのは偶然によるものか。個性化を促すものはなんであろうか。

ここで最後に姥皮を脱いで個性化が進む過程の一つの仮説モデルとして、

筆者の担当した事例を紹介してまとめとしたい[15)]（※ご本人の許可はいただいているが、プライバシーの関係上、経過中の重要な要素のみを抜粋して紹介する）。

【事例紹介】

本事例は大災害に遭遇し一命をとりとめたものの、その後どのように生きていけばよいのかと途方に暮れて心理療法に訪れた若い女性（Aさん）の面接経過である。

Aさんは疲労が蓄積し仕事を続けられなくなり休職に至る。被災による苦悩とともにそれを理解してもらえない職場や上司に対する不満を面接では訴えていた。やがて彼女は、喪失感や心理的疲労と同時に自立の課題を乗り越えていった。面接期間は約7か月間、計14回である。

報告された28個の夢には彼女自身の姿がよく表れていた。夢は自分の見たくない姿を映し出し、その真実に向き合わされることになるのだが、Aさんは自分の問題と直面しながら自立への道を進んでいった。気分が落ち込むと被災したことを思い出して辛くなったり、他人に責任転嫁してしまうこともあったが、やがて自分の限界や問題をみつめ未熟さに気づくようになった。そして退職し、家を出て一人暮らしをし、結婚を決意した。結婚の準備をしながら個人としてのさまざまな責任に直面していた13回目のセッションで印象的な2つの夢が報告された。

【夢22】　針（8㎝くらい）が両腕に一杯入っている。両腕に埋め込まれていく映像が浮かぶ。スーッと入って痛くない。ところが、鈍痛がしてくる。取り出さないといけないらしい。
取り出そうとするととても痛い。脂肪がとれるみたいな感じで取れる。少しとって痛いのでやめるが、腕全体が一杯赤黒く腫れてしまう。でも、また取ろうとしている。

「すごく気持ち悪い。映像では母が刺していたような…。なに？」と感想を述べた。

【夢23】　皮膚を脱ぐ。自分の脱いだ半透明の皮膚が脱衣カゴに丸めて入れてあるが、脱いだ皮膚に赤いプチプチがある。私は出かけようとしながら、帰ったらそれを直さないといけないなと思っている。

「気持ち悪くない。帰ったら、あれを直そうと思っている。」この夢は、蛇婿入の針と、姥皮を筆者に連想させた。

その次の14回目（最終回）には4つの夢を報告した。そのうちの1つを紹介する。

【夢26】 新人として、新しい職場で仕事をしている。

Aさんのこの3つの夢をまとめると「昔刺された針を抜き、皮膚を脱ぎ、家を出る。そして新しい道に進む」というプロセスが見える。象徴的に「針を抜き、皮を脱いだ」ことが一つのイニシエーションとなり、Aさんの個性化が進んだと考えることができる。そこで、昔話には見られない「針を抜く」という行為に注目して考えてみたい。

（3）蛇の再生

蛇婿入を蛇の視点から見ると蛇には蛇の必然性があること、さらに蛇も供犠と理解できることを先に述べた。では、娘が生き延びたように蛇も生き延びることはできないのだろうか。「生き延びた娘」と「死んだ蛇」という対で完成されたのであろうか。

ここで一つの仮説を提示したい。Aさんの夢で、腕に刺さっていた古い針は蛇に刺さった針であるという考えである。自分こそが殺された蛇であったという仮説である。つまり、蛇は内なる女性性そのもので、針を抜いて蛇を甦らせることは内なる女性性を**自ら**回復させることでもあると考える仮説である。

さて、水乞型で契機となるのは「偶然、男性が見ること」であったが、Aさんの契機は「自ら針を抜く」ことであった。これは社会の違いを反映しているといえないだろうか。すなわち、現代において内なる女性性は「主体的な行為」によって解放されると筆者は考える。Aさんは災害の被災者である。心理療法過程では、被災の傷を超えることと青年期らしい自立のテーマが並行して進んでいた。そのAさんが「自ら針を抜いた」ことは殺されていた蛇を再生させ、自らの持つ異類性を甦らせることとも理解できる。では、自らの中の蛇＝異類とは何であろうか。さらなる個性化のためには娘と蛇という対がこうしてともに生きること、すなわち“内なる女性性”とともに“内なる蛇性”を生きることを夢が示唆したのではないかと考えている。

おわりに

複雑に発展した現代。異なる社会の情報が互いに多量に一斉に送信され共有される。異文化でありながら同じ道具を使用し、幼い子どもが簡単にスマホを操作するほど社会に浸透する技術。また、暴力が猛威をふるい恐怖が蔓延する。力、男性原理が席巻している。社会の構造は多様化を期待されながらも、同質の凝固体のように固まり、変容し難くなっている。これは「干天」状態なのかもしれない。身体性は阻害され、記号化された情報に翻弄される。そして、心においてもまた同様の事態が進んでいる。グレートマザーの力にすっかり飲み込まれてしまった母に、さらに飲み込まれている娘。あるいは父の支配や権力につぶされ、それでも自らを削って社会で生きようとする人々。内なる女性性はグレーリング（図 1）の中に閉じ込められているか、あるいは殺されているのではないか。そのような現代では蛇性の再生がヒントを与えてくれるだろう。

A さんの夢は、筆者に蛇の視点を気づかせてくれた。自らの中の蛇性を殺して生きることは内なる女性性を殺すことでもあり、自らの蛇性を再生し蛇性を生かすことが、内なる女性を生き生きとした「意志する女性」とすることができるということではないだろうか。すなわち「針を抜く」行為は、蛇婿入姥皮型が示す個性化プロセスの現代的メタファーとして重要な示唆を与えてくれているのではないかと考えている。今後もこの問いを考え続けていきたい。

謝辞：苦しみを乗り越え、豊かな内的世界を教えてくださった A さんに深謝申し上げます。

註

1） 関敬吾編（1978）21 頁参照。
2） 織田尚生（1993）44 頁参照。
3） 関敬吾編（1978）24 頁参照。
4） 関敬吾編（1978）59 頁参照。
5） 関敬吾編（1978）64 頁参照。
6） Jung, C.G. (1948) Zur Phänomenologie des Geistes im Märchen, *Die gesammelten Werke 9/1 Die Archetypen und das kollektive Unbewußte*, Zürich, Rascher Verlag.（林道義訳（1999）『元型論』紀伊国屋書店、400-401 頁参照）。
7） Von Franz, M. L. (1975) *Interpretation of Fairy Tales : An Introduction to the Psychology of Fairy Tales*, Spring Publications. 氏原寛訳（1979）『おとぎ話の心理学』創元社、4-6 頁参照。
8） 1982 年に『昔話と日本人の心』で大佛次郎賞を受賞。
9） 織田尚生（1993）49-56 頁参照。
10）昔話には、感情表現が削がれて、描かれないことが多いが、読む者はそこで自由に感情を体験している。
11）小僧ががんばり、和尚が助ける「三枚のお札」（関、1956、156-159 頁）や、母娘が魔女の助言により鬼を笑わせて窮地を脱する「鬼が笑う」（同上、63-67 頁）など。
12）河合隼雄（1982/2002）314-330 頁参照。
13）山口素子（2009）180-183 頁参照。
14）黄地百合子（1984）325-354 頁参照。
15）前川美行（2015）参照。

参考文献

赤坂憲雄（2002）『境界の発生』講談社。
Jung, C.G. (1948) Zur Phänomenologie des Geistes im Märchen, *Die gesammelten Werke 9/1 Die Archetypen und das kollektive Unbewußte*, Zürich, Rascher Verlag. 林道義訳（1999）『元型論』紀伊国屋書店。
真下厚（1984）「“蛇婿入”の位相」関敬吾監修『昔話の形態』名著出版、209-236 頁。
河合隼雄（1977/1994）『昔話の深層：ユング心理学とグリム童話』＋α文庫、講談社。

河合隼雄（1982/2002）『昔話と日本人の心』岩波文庫、岩波書店。
前川美行（2015）「「針を抜く夢」について―共同体からの離脱と「個」の成立―」『ユング心理学研究』第 7 巻第 2 号、91-110 頁。
黄地百合子（1984）「姥皮型継子話の位相」関敬吾監修『昔話の形態』名著出版、325-354 頁。
織田尚生（1993）『昔話と夢分析―自分を生きる女性たち―』創元社。
関 敬吾（1956）『日本昔話Ⅱ　桃太郎・舌きり雀・花さか爺』岩波文庫、岩波書店。
関 敬吾（1978）『日本昔話大成 2』角川書店。
山口素子（2009）『山姥、山を降りる』新曜社。
Von Franz, M. L. (1975) *Interpretation of Fairy Tales : An Introduction to the Psychology of Fairy Tales*, Spring Publications. 氏原寛訳（1979）『おとぎ話の心理学』創元社。
吉田敦彦（1992）『昔話の考古学』中公新書、中央公論社。

Psychological Changes of Characters Described in the Japanese Folklore Tale *Hebimukoiri*:

From the Perspective of a Snake Killed with Needles

by Miyuki MAEKAWA

The Japanese folklore tale "Hebimukoiri" has various versions that have been classified into different types of tales such as "Odamaki-gata," "Mizu-koi-gata," and so on. It is a story that has undergone much symbolic transformation as it has been handed down orally over a long period of time. The story is alive and continues to develop because of people's changing social, cultural, and psychological lives. At the same time, it includes a significant psychological theme for not only people of old, but also for people living nowadays. In this article, the author analyzes how the initiation of the "inner woman" occurs in this folklore tale from the perspective of the mother, the father, and the daughter who are its main characters. In addition, the author suggests a new, contemporary version of the tale that contains both the symbolic significance of the action of pulling out needles and the rebirth of the snake.

〈卒業論文〉

『ブレイブ・ストーリー』で考える物語の役割

高橋美樹

はじめに

この宮部みゆき作品に筆者が初めて出合ったのは中学1年生の頃であった。もともとファンタジ―小説が好きで良く読んでいたが、ちょうどこの作品がアニメ映画化されるということで発売された新装文庫版が目に留まった。リアルな現実とファンタジーが絶妙に混ざり合った内容と、物語を通して出てくる主人公の葛藤や決意に当時の筆者は強く感動し、その後もなんども読み返した。卒論では、主人公の心の変化に着目してこの作品の魅力と物語の役割について取り組むことにした。

宮部みゆきの冒険ファンタジー長編小説『ブレイブ・ストーリー』は、学芸通信社配信により大分合同新聞に連載（1999年11月から2001年2月まで）され、[1] 2003年に角川書店からハードカバーとして出版された。児童向けの小説とされているが、現代社会の問題やそれを暗示させる内容が多くちりばめられている。2006年以降、映画化・漫画化・ゲーム化など多様なメディア化がされており、その後も再版や世界観を引き継いだ新章（設定や主人公等は違うが、宮部は原作者として記載されている）など根強い人気を保っている。映画のキャッチコピーとしては〈“扉”の向こうへ行けば運命を変えられる〉、〈叶えられる願いは、ひとつだけ〉などがある。第30回日本アカデミー賞優秀アニメーション作品を受賞し、さらに2008年には英語翻訳版（A. O. スミス訳）がアメリカの児童図書翻訳賞を受賞した[2]。

1. あらすじ

少し長くなるが、はじめに原作のあらすじを述べる。なお、アニメ映画では原作の設定やエピソードの多くが削られている。その中には母親の過去の略奪婚、父親の不倫、ヒト柱や“影”の一部の描写も含まれているため、基本的に原作に準拠して考察する。

RPG ゲームが好きな小学５年生の三谷亘は、母親の邦子と父親の明の一般的な三人家族で近づく夏休みを楽しみに毎日を過ごしていた。

ある日、亘は学校の帰りの途中に「幽霊ビル」の噂を聞く。そのビルとは建設会社が何度も倒産したために長い間放置されている建物で周辺の子どもが知る場所であった。その話を聞いた数日後、亘の学校に少し変わった転校生「芦川美鶴」がやって来る。そんな折、亘はひょんなことから問題の幽霊ビルでこの世界ではない別の世界である“幻界”を繋ぐ扉「要御扉」を見つける。目の前で「要御扉」をくぐっていった転校生美鶴をとっさに追いかけた亘は“幻界”に迷い込んでしまう。直ぐに亘は“幻界”の住人により送り返されるが、再び現世に戻ってきた亘を待っていたのは父親が自分と母親を残して、父親が愛人の元へ去り家庭が崩壊するという現実であった[3]。亘の家族の現状を聞いて遠方から駆け付けた父方の伯父さんや祖母と共に慌しい日々を過ごした亘は、帰宅中に幽霊ビルの中で有名ないじめっ子「石岡」とその子分が転校生の美鶴をいじめている現場を目撃する。その結果いじめに巻き込まれた亘はなりゆきで美鶴を助ける事になる。

次の日、行方不明となった美鶴のことが気になり、その身の上について調べた亘は、美鶴の家族が彼の母親の浮気が原因で起きた一家心中により、既に両親と２歳の妹が亡くなり、美鶴は唯一の生き残りとして親戚中を盥回しにされた挙句、今は叔母さんのもとに引き取られたことを知る。壮絶な美鶴の身の上を知った亘は強い衝撃を受ける。

さらに時を同じくして父親の愛人が亘たちのもとに突如として現れ、父親は彼女と結婚するために本心から離婚を望んでいるという。母親の精神は不安定になり自殺を計る。亘もそれに巻き込まれそうになるが、行方不明になっていた美鶴に助けられる。美鶴は亘に「要御扉」を通り、“幻界”に居るという“運命の女神”に命を掛けて会いに行けば、ひとつだけ願いを叶えてもらえるということを教える。亘は運命の女神に「父親が出て行かないように、もう一度家族が仲良く暮らせるように」という願いをもって「要御扉」を通って“幻界”に赴く。

“幻界”に来た亘は「ラウ導師」の試練をクリアし、「勇者 ワタル」として“幻界”に散らばった宝玉を集める旅を始める。RPG のような世界の“幻界”では、人間に似た「アンカ族」、兎に似た「飛び足族」、虎に似た「獣人族」、トカゲのような姿の「水人族」、猫のような「ネ族」など多種多様な種族がそれぞれの特性を生かして生活をしていた。

ワタルは、訪れた町で濡れ衣を着せられて危うく殺されそうになったり、自警団「ハイランダー」と事件を解決したりと様々な経験を積む。そんな旅の途中で“水人族”「キ・キーマ」と“ネ族”の「ミーナ」と仲間になり、「ハイランダー」の一員にもなる。仲間たちとの旅では「旅人」を異端視する「老神教」の信者や魔物により幾度も命の危機にさらされる。しかし、同じ旅人であるミツルや“幻世”の住人に助けてもらいながら旅を続ける。

ある日、千年に一度、“幻界”の中から誰か一人と旅人の中から一人選ばれ、次の千年間、混沌から世界を守るために「ヒト柱」にされる「ハルネラ」の時期が近いという事実を知る。それはただの死よりも辛く、旅人であるワタルとミツルのどちらかが必ず選ばれてしまうというものであった。ワタルは大いに焦り、女神に会って「ヒト柱」をやめるように懇願することも考えるが、そうすると彼が“幻界”に来た本来の目的は叶わなくなる。板ばさみになったワタルであったが、ミーナやカッツ達の応援によりミツルを追いかけて“北の統一帝国”に向かう。

一方、先に北の大陸に渡ったミツルは、運命の塔に行くために帝国の首都を魔法ですべて破壊し、魔族の住む魔界につながる“常闇の鏡”を封じる役割を持つ宝玉を手に入れて、ワタルより早く運命の塔へ登ってしまう。ミツルが去った後の帝国では魔族が溢れ出し、“幻界”中を覆い尽くそうとする。ワタルたちは必死に戦うが、魔族は強力で数も多く歯が立たない。その上、今まで励ましてくれたワタルの仲間が魔族により命を落とす。魔族による“幻界”の崩壊は目前に迫る中、最初に旅の指南をしてくれたラウ導師がワタルの前に現れ、“ミツルから宝玉を奪い取る”という条件で、運命の塔へ登ることを許す。

ワタルはミツルを追って運命の塔を登るが、塔の途中で自分の“憎しみ”であるもう一人の自分「分身(ダブル)」と戦うことになる。ワタルは戦いの末に自分の憎しみを受け入れ勝利したが、ミツルは憎しみがあまりに大きく、受け入れることができずに負けてしまう。ミツルはワタルに見守られながら迎えに来た妹と共に光となり、天に上って行った。彼が残した最後の宝玉を手に入れたワタルは、最後の試練である“幻界”から捨てられた「負なるもの」(魔族・魔界の生き物）の集合体と戦って勝つ。

全ての試練が終わり、塔の頂上に鎮座する「運命の女神」にワタルは最後に導きだした心からの願いを女神に伝える。ワタルは当初の目的である、「不当に捻じ曲げられた自分の運命を正す」ことではなく、「魔族により滅びそうになっている“幻界”を救う」ことを願い、女神はその願いを聞き入れ“常闇の鏡”を破壊する。願いを叶えたワタルは今までの旅で得た“勇気”と“心のありよう”を胸に現実世界に帰って行く。

亘は“幻界”から母親が自殺未遂を起こした夜、「要御扉」をくぐる直前の現世に戻ってくる。そこでは両親の離婚という不幸な出来事も愛人の存在も何も変わっていない。もう一人の「旅人」であり、“幻界”を守るための「ヒト柱」となった美鶴は現世では引っ越しをしたことになっていた。

2.　登場人物と世界観

三谷亘（「ワタル」）　主人公。三谷家の一人っ子で小学５年生。ゲームが好きですこしとろいところがある。両親の離婚により「家族三人が、また仲良く、平和に暮らせるように」という願いを叶えるために「運命の塔」を目指す。“幻界”では勇者と「ハイランダー」としてキ・キーマやミーナと共に旅をする（図１：アニメのなかのワタル）。

三谷邦子　亘の母親。夫から突然告げられた離婚と愛人の来訪により精神を病み、亘と共に自殺しようと家のガス栓をひねる。亘の産まれる前、田中理香子と三谷明の仲を嘘の妊娠を理由に裂き、明を奪って結婚した過去を持つ（図３：アニメのなかの三谷邦子）。

三谷明　亘の父親。理論づけて考える性格で亘を理論で説得させてきた。亘と母親を置いて家を出ていく。昔、田中理香子とは恋人の間柄であったが、三谷邦子の嘘に騙され結婚した。偶然再会した理香子と再び関係を持つようになり、理香子の妊娠の話を知らされ離婚を邦子に告げる（図３：アニメのなかの三谷明）。

田中理香子　明の愛人。邦子のもとに訪れて激しい言い争いをする。すでに明の子供を妊娠している。実は三谷明が邦子と結婚する前に付き合っていた元恋人。明が邦子と結婚した後、別の男性と結婚していたが偶然明と再会したことにより不倫関係を持つようになる（図３参照）。

図１（左から）キ・キーマ、ミーナ、ワタル（三谷亘）5)

図２：ミツル　芦川美鶴 6)

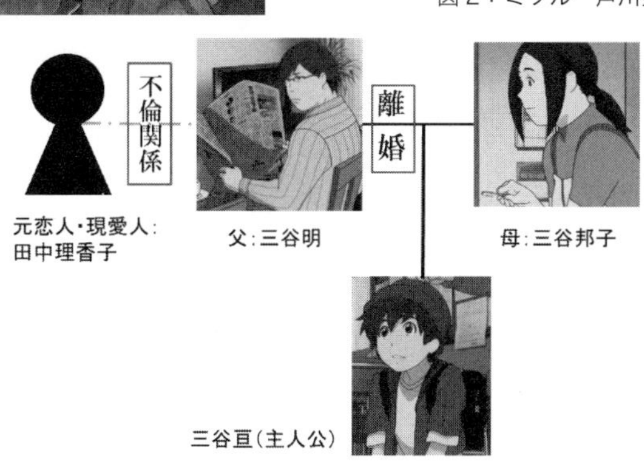

図３：三谷一家を巡る関係図 7)

芦川美鶴（「ミツル」）　夏休みの前に突然亘の通う小学校に転校してきた小学５年生。幼いころに母親の不倫が原因で一家心中が起き、両親・二歳の妹を失う。親戚中を盥回しにされ現在は叔母と二人暮らし。「再び家族と共に暮らす」「せめて妹だけでも生き返らせる」という願いを叶えるために「運命の塔」を目指す。“幻界”では大魔導士。「運命の塔」で「憎しみでできたもう一人の自分（分身）」との戦いに負け、光となって千年間“幻界”を見守る「ヒト柱」になる（図２：アニメのなかの芦川美鶴）。

ミーナ　ネ族の娘。ヒト殺しの罪をかぶせられたワタルを助けた。行方不明になってしまった両親を探してワタルと共に旅をする（図１参照）。

キ・キーマ　水人族の男。ワタル曰く「現世だったら運送屋のお兄さん」。水人族にとって幸運の証である「旅人」ワタルに偶然出会い旅を共にする。明るい性格で仲間思い（図１参照）。

カッツ　アンカ族の女性で“幻世”の自警団「ハイランダー」。ワタルが初めて訪れた街の地域長をしており殺人の容疑でワタルを捕まえた。のちに冤罪を自力で証明したワタルの勇気を讃え「ハイランダー」に勧誘する。魔族襲来の折に子供をかばって致命傷を負い、ワタルたちに看取られて亡くなる。

ラウ導師　“幻界”に来たばかりの「旅人」に装備を与え旅の準備などを手伝う老人。基本的に旅に干渉しないが、有事の際は白い鳥の姿になって「旅人」の前にあらわれる。

運命の女神　はるか昔に“幻界”を作ったとされ、“幻界”の人々から信仰されている。一部の宗教では“老神”から“幻界”を奪った邪神ともされている。「運命の塔」に住み、困難を越えて女神のもとにたどり着いた「旅人」の願いを一つだけ叶えてくれるという。ワタルの願いにより“常闇の鏡”を自ら砕く。魔族の侵攻を運命の塔から見ることしかできないでいた。最後に“幻世”を去るワタルに「ありがとう」と告げる。

「**要御扉**（かなめのみとびら）」　亘たちの住む現世と“幻界”をつなぐ扉。原作の小説では十年に一回の周期で運命を変えたいと強く願う者の前に現れる。今作では廃ビルの階段途中に現れた。

「**運命の塔**」“幻界”のどこかに存在するという女神の住む塔。両手を合わせたような形をしている。憎しみでできた「分身（ダブル）」と「旅人」を戦わせる試練を与える。

「**分身**（ダブル）」　運命の塔で「旅人」の前に立ち塞がる憎しみが作り出したもう一人の自分。ワタルは受け入れられたが、ミツルは大きくなりすぎた憎しみを受け止められず敗北した。

“幻界”（ヴィジョン）　亘たちの住む現世にすむ人の心が作り上げた世界。特に、「旅人」の影響を強く受けてその姿を変えるため、亘と美鶴が旅をする“幻界”は違うとラウ導師は発言している[4)]。“混沌の深き淵”と呼ばれるところから運命の女神が作り出したとされ、常に魔界侵攻の危険にさらされている。“幻界”自体は“北の統一帝国”と“南の連合政府”の政府が治める二つの大陸で構成されている。“南の連合政府”は「女神」を信仰するヒトが大半を占め大小様々な国が協力し、多様な種族が支えあって生きている。“北の統一帝国”では「アンカ族」以外の他種族を迫害する思想が根強く、国教として「老神教」を信仰しており、北の大地は魔界に通じる“常闇の鏡”が存在する場所でもある。この世界ではどの種族にも変わらず死後「光」になり女神のもとへのぼった後、再び生まれ変わるとされている。それは女神教の教えによるものであり、老神教の場合は不明。

“老神”と「老神教」 北の大地を中心とした一部地域で信仰されている宗教。「老神教」の創世神話では、老神が“幻世”を創ったが隙を突かれて女神に“幻界”を奪われたと語られている。老神が自身に似せて作った種族が「アンカ族」であり女神が自身の醜悪な外見に似せて作ったのが「アンカ族」以外の他種族とされているため信仰地では他種族を迫害する事が常識化されている。また、「旅人」は女神が「アンカ族」に似せた存在で、殺すことは同宗教の信徒として大変喜ばしいことでありワタルは命を狙われることとなる。

3. 通過儀礼についての考察

この作品から物語の考察をするために、まずこの作品の「舞台」の移り変わりからみていきたい。前述したようにこの作品は、現実世界→“幻世”→現実世界と舞台が移っている。通過儀礼とは「集団内での人生の節目により身分の変化を獲得するために課された条件を満たす事」を指し、民族学者・文化人類学者のファン・ヘネップ（1873-1957年）が用いて定着した用語である。また、丹羽泉が作成した通過儀礼の図式（図4）[8]では対象の人物が旧地位から離脱し新地位に移る事で通過儀礼がなされるとする[9]。また、より複雑な儀礼では過渡の内にさらに分離、過渡、統合が起きるとする。通過儀礼にも比較的単純なものから複雑なものまで様々であるが、一般には儀礼の過程がいくつかの段階に分けられていることが多い。ファン・ヘネップは、よく見られる通過儀礼の区分は、分離の儀礼（rites de séparation）、過渡の儀礼（rites de marge）、および統合の儀礼（rites d’agrégation）の3つであると述べている[10]。

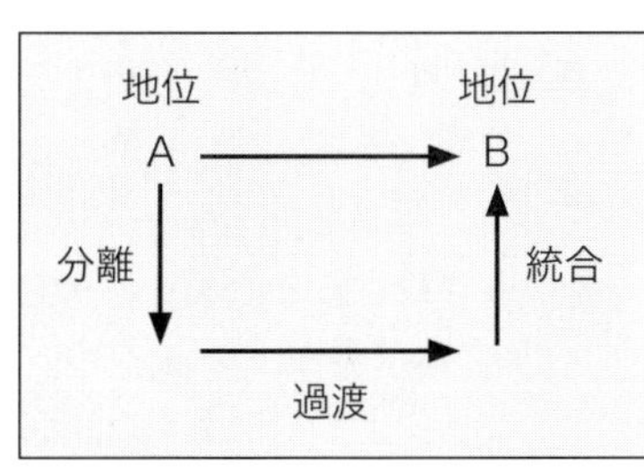

図4：丹羽泉による通過儀礼の図式

これらを踏まえると、亘は現実世界での不幸により自身の成長を強いられた。そのため現実世界からの分離（と同時に

「小学生５年の三谷亘」の立場からも分離）し「要御扉」を渡って異世界へ赴く（このとき「勇者ワタル」）の地位を獲得)。異世界で自分の望み、弱さや現実世界の出来事やトラウマを想起させる出来事に立ち向かって自分を整理していく過渡期を経て、再び「要御扉」を渡り異世界で得た仮の地位「勇者ワタル」から、新地位として現実世界に統合することで「(長い旅を通して）強くなった、しっかりした小学５年生の三谷亘」の地位を得たといえる。

ここで重要となることが、過渡の期間の終了と統合への境界である。物語終盤に登場する「運命の塔」が先ほど述べた二つの問題を解決する場所であろう。「運命の塔」とは“幻世”に存在する創世の女神が住む場所であり、旅人の目指すゴールである。ここでワタルは勇者として最後の試練（自分の憎しみと戦い、負の感情からの誘惑を断ち切る）をクリアする。最後の試練の場へ向かう直前に階段を上るワタルは、塔の壁面に今までの三谷亘の人生と“幻世”が“虚無”に襲われて滅ぼうとする様子が映し出されていることを見る。ここでワタルは現実世界での三谷亘を再び認識するとともに、勇者ワタルに留まるかどうかの選択を迫られる。「運命の塔」で尋ねられる最後の選択において求められる回答は、「三谷亘」であると予想できる。ここでは過渡の終了と統合の始まりが起きているとも考えられ、今まで勇者であり“幻世”で過ごす一員として“幻世”を構成する一員でしかなかったワタルが、三谷亘の地位を思い出すことで“幻世”を創世する存在となることを選択したのではないか。

4.　亘が見た「黒い影」と「もう一人のワタル」

ここで少し観点を変えて「もう一人のワタル・黒い影」の示す意味について考えてみたい。この“影”とはワタルが父親に酷似した“幻世”の男とその男の愛人を殺害した直後に愛人の腹から現れた存在である。彼は最初に赤ん坊の姿でワタルの前に現れ、物語終盤の運命の塔ではワタルとそっくりの同じ姿をとってあらわれる。“影”はワタルの所業（殺人）を非難し、ワタルを殺そうと追いかけてくる。戦闘を通して、“影”は“もう一人のワタル”と気づいたワタルが“影（自分)”と同一化することによってワタルは勝利することとなったが、それがワタルの心に暗い影を落とすことになった。

ここでは、自身の分身が命を脅かすべく迫ってくる姿はル＝グウィンの『ゲド戦記』の“影”に類似している。『ゲド戦記』では主人公のゲドが大きな魔法を使う代償として“影”が召喚されたのに対し、『ブレイブ・ストーリー』では主人公のワタルが殺人（親殺し）をする代償として“影”が召喚される。ここから「大きな行為により代償として自身が分裂してしまう」のではないかと考えられる。では、ここで分裂した自身とはどのようなものであるかについてユング心理学の観点から考察したい。

スイスの心理学者 C. G. ユングによれば、人間には「その人の生きていない半面＝影」[11] が必ずあるとしている。この世に生きる限り三次元として存在せねばならず、三次元のものには必ず影ができるのであり、人間が生きていくうえで影は必ず出現するとしている。特に現代において人間は発展の途上で「多様な生き方」を生み出した。この生き方の多様性により「生きる」先を絞ってゆくことを現在の人間は強いられている。そこで多くの「生きていない半面」が生まれてくる。具体例として、医者として働く道を選ぶ（生きている半面）と同時に弁護士の道（生きていない半面）を並行して選べない事が挙げられるであろう。また、正反対の側面（善行と悪行等）も“影”に当てはまるといえる。

山中康裕（1998）もユング心理学の立場から、思春期においてこの“影”は「未だはっきり区別されておらず、曖昧に混ざっている状態[12]」であるとしており、ここから大人としての自分が定まってくると述べている。また河合隼雄は、思春期において“影”とは「生きる半面」であり「生きていない半面」なのである。“影”から目をそらせ続けるのではなく、適度に振り返り、同化する努力が大事であると河合は述べており[13] ワタルが作中で“影”を通して様々な葛藤を見たように“影”に形を与え正体を構成する感情を理解していった事が問題解決への道筋になったと考えられる。

“影”の属性は、血なまぐさいものであったり、得体のしれない化け物であったり、受け入れ難い感情をいだかせる。そして、受け入れられず無意識下に抑圧されたものは自身にとって強大な脅威と認識される。ワタルの“影”もワタルの憎しみという側面を与えられ、勇者として誠実であろうとするワタルにとっての脅威となった。また、現実世界で自分の存在意義を見失い、消極的な人間になっていた亘にとって、自分の母親のせいで結ばれなかった父親と愛人との、実現しなかった夫婦の関係があり、そこで自分の代りに生まれたであろう「もう一つの存在」を“影”という形に幻視したのではとも考えられる。この仮定ならば、母親のせいで「生まれなかった子供」である“影”が最初に愛人の胎内から不完全な状態で生まれてワタルの所業を罵り、ワタルに恐怖を与えた事に説明がつく[14)]。

それでは、この脅威とどのように付き合うべきであろうか。おそらく、得体のしれない化け物として恐れるのではなく、人間の長い歴史の中で、“影”に形としての器を与えることによって対峙法を探るという行動をとるべきだと筆者は考える。上述したものの中では、「共通の敵をつくる」、「共通の善悪を超えた媒体を祭り上げる」などがこれに当たるのではないか。この「共通の敵」とは人間の無意識に通じる悪意や敵意などの負の感情や抑圧されたものの投影でもあり、たとえばコナン・ドイルの『シャーロック・ホームズ』のなかでは「モリアーティー教授」やJ. K. ローリングの『ハリー・ポッター』のヴォルデモート等がこの役割を演じているといえる。

5. “幻世”での体験

亘が勇者として旅をおこなった“幻世”では亘の心の様を映しだすと描写がされている。突然の家族の分裂という現実を受け入れ進むようになったことには、影との戦いだけではなく、ワタルが体験した死と母親の臨死体験、そして“幻世”での体験も重要であったと考えられる。

5.1. 母親の臨死体験と“幻世”での死の目撃

“幻世”から帰ってきた亘は以前と変わらない現実世界と向き合って生きていかねばならない。両親、特に共に生きていくであろう母親が変わらなければ亘一人では依然としてままならない世界である。しかし、この作品の終盤に母親と亘の興味深いやり取りがある。

亘は離婚で憔悴した母親のガス自殺に巻き込まれそうになっていたが、友人ですでに“幻世”にて旅を行っていたミツルに助けられる。物語の終盤で母親は、1日程度の昏睡状態に陥っていたことが明かされている。目覚めた母親は見舞いにきた亘に昏睡状態の時に見ていた夢の話を告げる。それは亘が勇者ワタルとして“幻世”を旅した一部始終であった。立派な勇者として旅をしていた息子の夢を見ていたと告げる母親に亘は「それなら、僕らはもう大丈夫だね[15)]」と返している。亘は“幻世”において、母親は自殺未遂によって、両者とも命の危機に瀕した。二人は同時に臨死体験に近いものを体験したといえる。

ワタルが「運命の塔」に登る直前、魔族に襲われて目の前で息を引き取った旅の仲間でありワタルの目標だったカッツが死んでしまう。それはワタルの心に深い傷を負わせた。初めて目の当たりにした「死」にワタルは悲しむ。しかし、この「死」の体験のおかげでワタルは生きる事の大切さを知る。命の尊さを知った亘だからこそ安易に命を奪いたいという気持ちや、生まれた命を無かったことにする思いをしてはいけない事と判断し、その欲に飲み込まれずに済んだのではないか。憎しみを司る“影”との戦いでワタルが勝利できたのも、命を奪う罪深さ、生きていることの尊さを感じたからではないかと考える。

ここから亘の得たものを母親が夢として見る事で、ワタルの体験の追体験を行っていたようである。亘のように母親も成長したといえるのではないか。これを裏付けるように、精神不安定であった母親が、それまで疎遠であった父方の祖母と話し合いたいと申し出ている。ちなみにアニメ映画のなかの「後日譚」では、母親の邦子が原付で働きに出ている姿が描かれている。

5.2 “幻世”の意義

亘を成長させ、母親も間接的に成長させてくれた「僕の幻世[16)]」という異世界にはどのような意味が込められていたのであろうか。筆者にはまず、「箱庭」ではないかという考えが浮かんだ。影をめぐる心理療法として、対話、夢分析、そして箱庭療法等が挙げられる。織田尚生（2008）は箱庭療法の「箱」の機能として、治療者の保護を挙げ、次のように述べている。

> 「箱」という空間的な制限は保護の機能だけでなく、クライエントにそのこころの世界を無理に開かせ、強制的に表現させるという意味合いも含んでいる。（中略）わたしたちの自然発生的なイメージを箱庭表現として実体化することが大切である。（中略）つまり、わたしたちのこころに本来備わっている、自然治癒力による治癒が促進されるのである。[17)]

自身の治癒能力により心の傷をいやす場所が「箱庭」であるならば、無意識化された父親への感情や自分の暗い感情を意識化させ解決させた“幻世”は「箱庭」と同様のものといえる。ドロシー・ソウヤーが「夢、アクティブ・イマジネーション、ファンタジー、描画、その他の方法を通して接触できる強力なイメージは、心の健康に必要なバランスをもたらすことができる[18]」と述べているように、“幻世”が生きる力を亘にもたらしたと考えた。

6.　宮部みゆきが伝えたかったこと

6.1.　宮部みゆきについて

『ブレイブストーリー』のような異世界ファンタジーものから時代小説・現代ミステリー、という幅広い作品を書いている。現在62作品[19]ある小説の主人公格は犬や異能力者、刑事、旅館の店主、サラリーマン、定年退職した夫婦などさまざまである。物語の展開として主人公たちは事件に「参加する」タイプの“参加能動型”である。宮部の作品には少年・少女が主人公になっているものが半数近くあり、特に15歳前後の思春期〜青年期にあたる年齢層の主人公が多い（この傾向は時代物に多い）。『ブレイブストーリー』の主人公「三谷 亘」も小学5年生の11、12歳[20]であり、思春期の入り口にたったばかりの年であることがわかる。

6.2.　宮部みゆき作品における「子ども」

中島誠は宮部の子供観について次のように述べる。

> 宮部は、子どもの眼から、子どもの気持ちから何でも見て、誰とでもつきあう。子どもは、大人がつき合おうとする相手には鋭い警戒心を持ち、大人が怖がって目を覆おうとする相手に、何々さんと言って近づいてゆく。子どもには大人に見えないものが見える。（中略）子どもの目を通して大人をみる術を会得しているといってもよい。子供はすべての暗闇にお化けの形を見出す。そして千にひとつ、万にひとつには、その暗闇に、本物のお化けが隠れていることがある。[21]

このほかにも、宮部みゆきのインタビューなどから彼女は「子ども」に対して独自の考えを持っていること、子どもの視点をあえて使用していることが読み取れる。子どもの目にはすべてのものがそのままの姿で映る。それは大人たちが自身をごまかし、見ぬふりをしてしまう事柄であっても、子どもはそれに対して真摯に向き合うことができる。それは時折本人の不幸や悩みの種の一つになってしまう事があるが、それを踏まえてこその“世界を見る”という事なのではないか。『ゲド戦記』を書いたル＝グウィンも、若い人たちが変化や可能性を求めてファンタジーやSFを読むのに対し、変化を恐れる大人たちは、想像力からうまれた物語を拒絶し自分だけの世界で過ごすことを好むと述べている[22)]。

20世紀以降の現代社会において、次世紀を生きる子どもに過度な期待がなされ、それが現在の「大人になることに期待が持てない」子ども、「子どもに戻りたい」大人を増やすことにつながったと思われる。大人の過度な期待によって純粋な子どもではいられなくなった「半大人の子ども」や「半子どもの大人」は、どのように物事を見るのかをリアルに描くために宮部は『ブレイブ・ストーリー』の最初の三分の一を割いて、亘が“幻世”に行くきっかけを詳しく書いたと考えられる。

7. ファンタジーの役割

最後に児童小説の意味と『ブレイブ・ストーリー』の特質について考察したい。

ファンタジーの読者はファンタジーの異世界で「自分にはできない事をできるようにする」ことに自分を重ね合わせる。これがファンタジーが根強く支持されている所以であるように思う。亘がファンタジーを通して自身を作中の登場人物に投影することで新たな自分をかいま見て精神的な成長を遂げたように、読者も登場人物を自分自身にあてはめる事が出来るのではないか。あるいは『はてしない物語』や『ソフィーの世界』等の方が、読者によってはファンタジーとしてより多く役立つ場合もあるかもしれない。

筆者は以前、未分化な自分の内面に名前を付けて枠にはめて整理するためにファンタジーが存在すると曖昧な考えを持っていたが、登場人物ごとの役割を考察したことで、ファンタジーの「役割」というものをある程度明確にすることができた。『ブレイブ・ストーリー』は“児童小説”という形をとるが、最初は新聞で連載されたことを考えると、大人のためにも書かれたといえる。内容は小学生には少し難しく、何度も読み返してようやく全てを理解できるような複雑な事情がある。あるいは思春期の多感な時期の子どもが持っている不安に一つの解決策を与えようとしたのかもしれない。心理学的な視点や臨死体験についての考察をとおして、“幻世”が亘自身の未分化で曖昧な心の状態を形に起こすための「亘専用の小さな世界」としての「箱庭」かつ自分の世界であると考えることができた。これらのことから、主人公ワタルの「旅」は、子どもが苦難を乗り越え一段階大人に近づくための“通過儀礼”であったと位置づけられる。

ファンタジー児童小説から歴史小説まで幅広く手掛ける宮部みゆきの小説は、時代背景と会った内容の展開が多い。それゆえに現代を背景にした作品では、児童小説であろうと離婚や家庭の崩壊などを扱っている作品が多く、『ブレイブ・ストーリー』も単なるファンタジーではない。また、彼女はあるインタビューで「自分が想像できない世界を持った作品を書く事が出来ない」という意味の発言をしている。逆に言うと、彼女のすべての作品は「心に描くことができるほどリアリティにあふれている」ことになる。『ブレイブ・ストーリー』は「大人になることに期待を持てない子供」と「子供に戻れない大人」に物語の中で旅をさせることによって、大人が見ようとしないものを見る子供の視点を取り戻させようとしているといえる。

冒頭で述べたように、筆者が中学生になった頃に『ブレイブ・ストーリー』が映画化された機会に本を手に取ったのが始まりであった。前半の重い現実の問題と、後半の扉を潜った先の悩みの無い自由な世界の落差をとても魅力的に感じたことを覚えている。今思えば、筆者は幼少時から両親のけんかを体験した。離婚は起きなかったが、それが身近な脅威だと感じていたからこそ、突然親においていかれた亘に共感できたと思われる。実際この本を何度も読み返し、そのたびに新しい“幻世”に出会えた。これまでは、一つの作品を読むことはその著者の心や考えに触れる「外」の接触と考えていたが、そうではなく、著者を通して自分の心を覗く「内」の接触と思えるようになった。改めて自己投影ができるほど深い作品を作り出す宮部みゆきの素晴らしさと新しいひらめきを与えてくれた、参考文献の著者の方々に心から感謝したい。

注

1) その後に名古屋タイムズ、京都新聞、中国新聞、信濃毎日新聞、徳島新聞、高知新聞、北日本新聞等に連載された。「好き好き！！みゆきさん！！「ブレイブストーリー下」」http://home.att.ne.jp/theta/rokujou/date/brave2.htm　2015/08/07 閲覧。
2) 「宮部みゆき｜『大極宮』公式ホームページ」http://www.osawa-office.co.jp/write/miyabe.html　2015/08/07 閲覧。
3) ここでは父親が一方的な加害者であるかのように描写されているが、実際は最初に付き合っていた愛人と父親の仲を嘘で割いたのが亘の母親であると描写される。亘がそれを正確に理解していたか不明であるが、“幻世”の旅の中で自分は生まれなければ良かったという葛藤が見て取れる。
4) 宮部みゆき『ブレイブ・ストーリー』上巻、角川書店、2003 年、390 頁、ラウ導師の台詞より。しかしこの世界でワタルとミツルは幾度の干渉を相互的にしていることから、それぞれの“幻世”は完全に分離したわけではなく、互いに重なった世界と考えられる。
5) 「ブレイブ・ストーリー / 宮部みゆき」より画像引用　http://www.kadokawa.co.jp/sp/200605-03/　2016/2/16 閲覧。
6) 「夏休み特集 2006-かつての、そして現代のゲーム少年に送るアニメ映画『ブレイブストーリー』マイナビニュース」より画像引用　http://news.mynavi.jp/articles/2006/07/07/movie/　2014/07/19 閲覧。
7) 映画「ブレイブ・ストーリー」フジテレビ、GONZO 制作、2006 年より画像引用。
8) 丹羽泉 2010 年、210 頁。
9) 丹波泉 2010 年による。
10) 「通過儀礼（つうかぎれい）　コトバンク　日本大百科全書」https://kotobank.jp/word/%E9%80%9A%E9%81%8E%E5%84%80%E7%A4%BC-98911　2015/03/16 閲覧。
11) 河合隼雄 2003 年、296 頁。
12) 同上、河合、297 頁。
13) 河合隼雄 1967 年、104-105 頁。
14) 尚、殺害と赤ん坊の描写は原作小説のみに存在しており、映画の方ではこの箇所は亘の父親が亘を罵る演出に差し替えられている。この描写の比較からも亘が父親に負の意識を感じている存在であると考えられ、“影”の持つ意味がほぼ同じのではと考えられる。
15) 宮部みゆき 2006 年、下、481 頁。

16）宮部みゆき 2006 年、下、437 頁。女神へのワタルの台詞より。

17）織田尚生、大住誠 2008 年、12 頁。

18）ドロシー・ソウヤー「16 章　イメージと深層心理――カール・ユングの遺産」シェイク編『イメージ療法ハンドブック』2003 年、329 頁。

19）『宮部みゆき　著作リスト｜大沢オフィス公式ホームページ』http://www.osawa-office.co.jp/write/miyabe_list.html　2014/04/13 閲覧。

20）『楽天ブックス｜著者インタビュー』http://books.rakuten.co.jp/event/book/interview/miyabe_m/　2014/04/13 閲覧。

21）中島誠 2002 年、210 頁。

22）U. ル＝グウィン 2006 年、241 頁。

参考文献・資料

石堂藍『ファンタジー・ブックガイド』国書刊行会、2003 年。

岡野幸江『現代女性作家読本⑯　宮部みゆき』現代女性作家読本協会編、鼎書房、2013 年。

織田尚生、大住誠『現代箱庭療法』誠信書房、2008 年。

河合隼雄『物語と現実　河合隼雄著作集 第Ⅱ期 第 8 巻』岩波書店、2003 年。

河合隼雄『ユング心理学入門』培風館、1967 年。

ジョゼフ・キャンベル『千の顔をもつ英雄』新訳版、上・下（倉田真木、斎藤静代、関根光宏訳）、早川書房、2015 年（邦訳初版、人文書院、1984 年。原著：Joseph Campbell, *The Hero with a Thousand Faces*, 1949）

U. ル＝グウィン『ゲド戦記 1　影との戦い』清水真砂子訳、岩波書店、2006 年（初版 1976 年、原著：Ursula K. Le Guin, *A Wizard of Earthsea*, 1968）。

U. ル＝グウィン『ファンタジーと言葉』青木由紀子訳、岩波書店、2006 年（原著：Ursula K. Le Guin, *The Wave in the Mind: Talks and Essays on the Writer, the Reader, and the Imagination*, 2004）。

アニーズ A・シェイク編『イメージ療法ハンドブック』成瀬悟策監訳、誠真書房、2003 年（原著：Anees A. Sheikh ed., *Handbook of Therapeutic Imagery Techniques*, 2001）。

ドロシー・ソウヤー「16 章　イメージと深層心理学――カール・ユングの遺産」老松克博訳（原題：Dorothy Sawyer, “Images and Death Psychology: The Legacy of Carl Jung”）シェイク編 2003 年、310-337 頁。

中島誠『宮部みゆきが読まれる理由』現代書館、2002年。
丹羽泉「通過儀礼」星野英紀、池上良正、氣多雅子、島薗進、鶴岡賀雄編『宗教学事典』丸善、2010年、210-211頁。
萩原規子『ファンタジーのDNA』理論社、2006年。
J. ブルーナー『ストーリーの心理学　法・文学・生をむすぶ』(岡本夏木、吉村啓子、添田久美子訳)、ミネルヴァ書房、2007年（原著：Jerome S. Bruner, *Making Stories: Law, Literature, Life*, 2002)。
別冊宝島編集部著・編『別冊宝島865号　僕たちの好きな宮部みゆき』宝島社、2003年。
アルノルド・ファン・ヘネップ『通過儀礼』秋山さと子、彌永信美訳、思索社、1977年（原著：Arnold van Gennep, *Les rites de passage. Étude systematique des rites*, 1909)。
宮部みゆき『ブレイブ・ストーリー』上・中・下、角川文庫、角川書店、2006年（初版2003年)。
山中康裕『少年期の心　精神療法を通してみた影』中央公論社、1998年。

『楽天ブックス｜著者インタビュー』
http://books.rakuten.co.jp/event/book/interview/miyabe_m/
「大極宮―大沢オフィス公式ホームページ―」
http://www.osawa-office.co.jp/index.html　2014/04/13閲覧。

<Bachelor's Degree Thesis>

Functions of Fantasy Stories Considered from *Brave Story*

by Miki TAKAHASHI

(Graduate of the Faculty of Huamn Sciences, Toyo Eiwa University, March 2016.)

In this article, the multiple functions of fantasy stories, especially as seen in the work Brave Story by Miyuki Miyabe (Bureibu Stōrī, 2003, Kadokawa Shoten) will be presented. The author argues how Brave Story has a similar schema to the 'rites of passage' as proposed by A. van Gennep (1873–1957). The story depicts the growth of the hero Wataru, an 11-year old 5th grade boy, through his adventures in his 'dream', which enable him to confront his father, and accept the reality of his family's situation and the divorce of his parents. From a psychological viewpoint, it is also possible for the readers to experience the events of the story vicariously, and through this they may also change themselves. Miyuki Miyabe certainly wrote Brave Story not only for children such as Wataru, but also for adults, judging from the fact that the story was originally published as a serial novel in a newspaper (1999–2001), and subsequently in other newspapers before its publication as a book.

〈卒業論文〉

国境を超える家族・子どもと日本
――インドネシア＝日本多文化家族からみた日本社会――

齋藤 百合香

1．はじめに：問題の所在

本稿の目的は、多文化家族を持つ人々にとって快適な空間とはどのようなものなのかを明らかにすることにある。グローバル化が進行する現在、祖国を様々な理由で離れ、異国で生活する人たちはごくありふれた存在になろうとしている。日本にさまざまな形で生活をしている在日外国人は、父母の一方が外国籍の出生は平成7年に20,254人を記録して以降、一貫して2万人を超えており、平成20年には23,956人を記録した。国際結婚数自体の減少の中、平成23年においても20,311人の出生と全出生数の約2%の水準を保っている。また、父母のどちらも外国籍であった出生は平成23年において9,281人であったことから、父母の一方あるいは双方が外国であった子どもの出生は平成23年において38,032人となる（鈴木 1996: 15)。今後、多文化社会に向かっていく中で、特に宗教的な背景を持つ外国人の親や子供に対しては、これからどのように向き合っていくべきかを考える必要があると思われる。異文化での戸惑いや驚きを経験しながら、異国の言語や風習を学びながら生活する人たち、日本人と結婚し、日本での生活しているインドネシア人やその子供は、異文化の中でどのような適応の努力を重ねているのであろうか。今回はその中でも、このような環境の中で育つ「インドネシアの文化を持つ人たち」に焦点を当てて研究を進めたい。

筆者自身、インドネシア人の母と日本人の父を持ち、インドネシアで生まれた。自身の経験も踏まえながら、インタビュー調査も実施し、研究の問いを明らかにしようと試行錯誤した。筆者も幼稚園に上がる時に日本に来て、全く日本語や日本文化を知らずにたくさん苦労した経験がある。自分の母親が外国人であることで、耳にピアスがあいている文化の違いや、母親が日本語をまだよく分からなかったときには、学校の連絡が伝わらなかったりしたこともあり、日本以外の文化を持つことにとてもコンプレックスを持っていた時期もあった。中学生までは友人に気づかれるまで、インドネシア生まれであることは言わなかった。自分は人と「違う」ということを認めたくなく、皆と同じ日本人として生きたいと思っていたからである。小学生の時に、世界地図を使った授業で担任の先生が「齋藤さん（筆者）が生まれたところはどこかな？　前に出てみんなに教えてください」と言われたことがあった。当時の筆者にとってはとても嫌な出来事であり、それ以来、絶対に自分から言うことはなかった。しかし高校に入学してから、筆者の考え方が変わる出来事があった。当時、友人と学校で話していた時、「実はインドネシアで生まれて、お母さんがインドネシア人なんだよね」と伝えたことがあった。なぜその友人にはそのことを言ったのかは覚えていないが、その友人は「え！　そうなの！　じゃあインドネシアにお婆ちゃんいるの？　外国にお婆ちゃんいるなんて羨ましい！」と、思いもよらない返事が返ってきた。その友人とのやり取りで、筆者が今までもっていた心の中の隠していた部分が自信に変わった。周りの人の考えや環境が自分の気持ちを大きく変化させたことを実感し、同じような思いをしている人や、身近に異文化の背景を持つ人には少しでも伝えられるものがあるはずと思った。

インドネシアの場合、日本と異なる文化がいくつも存在し、その文化を持つ人々が日本で生活する際に、様々な苦労があると予想できる。筆者自身の経験なども踏まえながら、深く考え、今後日本でのグローバル化でお互いにとって日本人にとっても快適な空間となるためには何が必要かを考えたい。

2．ムスリムの生活習慣

日本とインドネシアでは、どのような文化の違いがあるのかを明らかにするため、参考文献を中心に先行研究を進めた。イスラムの宗教的義務行為としてよく知られているのは、一日五回の礼拝や女性のスカーフの着用、ラマダン月の一ヶ月間の断食（日の出から日没まで）、食事制限などがある。しかし、日本の社会の中で、これらの宗教的義務行為を実践しようとするのはなかなか難しいと考えられる（樋口 2007: 234）。

その中でも、大きく分けて三つの大きな違いが挙げられる。一つ目に、宗教に対する国家の立場の相違である。インドネシアの総人口のおよそ 2.15

億人のうち、約88%がムスリムである事実は、たとえ国教がイスラム教でなくても、インドネシア社会におけるイスラム的な宗教環境に寄与している。二つ目に、インドネシアにおいて教育機関はムスリムの人間形成を担っているのではなく、幼少期からムスリムとしての環境の中で育ってきたのである。学校教育に限定されない教育環境の中で育ち、ムスリムとしての認識を形成しているのである。三つ目に、インドネシアでは、学校教育のみならず、宗教教育が当たり前のように存在している。イスラムでは、幼い年齢からの宗教教育が成人以降の信仰実践のために不可欠であると考えられており、早いうちからの宗教教育の重要性が強調されている。

日本の学校に就学させた場合、ムスリムの保護者にとっての問題は、日本の学校に適応させつつも、いかに子どもがムスリムとしての信仰を維持しうるかにあると言える。充分な宗教教育が受けられない状況の中で、ムスリムとしての信仰を維持するための配慮が必要なのである。しかし、ムスリムの子どもが円滑に学校生活を過ごすうえでいくつかの問題がある。なかでも、給食、断食への配慮、宗教的要素を含む学校行事への参加が切実な問題となっている（服部 2007: 8)。学校や保育所の 60% 以上がこのような児童を受け入れた経験があるとともに、対応に苦慮した経験を持つケースも 80% 以上にも上る（堀田・松永・森本 2012: 122)。

これまでは、日本文化や従来の教育内容に児童が合わせることが行われていた。しかし、それぞれの文化の考慮や、文化的調整に基づいた新たなカリキュラムの制作が求められる。日本の学校における外国人児童に対する宗教的配慮は、個々の学校や担任教員の判断に委ねられているのが現状である。これらの問題についての対処方法にも多様性がみられる。各々の特徴について以下のようなものがある。

(1) 礼拝の実施

日本のムスリムは 7 万 1400 人余りと推定される。現在イスラム教の礼拝する場所のモスクは神戸、東京、名古屋などに少なくとも 7 ヵ所、より小規模なモスクであれば全国に 50 ヵ所、金曜礼拝の場所は 200 ヵ所とも言われており、イスラム教は日本にとって遠い存在ではなくなりつつある（服部 2007: 4)。しかし、イスラムにとって礼拝とは重要な義務行為である。したがって宗教を優先するイスラム社会では、仕事を中断して礼拝に立ったとき他の人から小言を言われることはない。教義に一番厳格であるサウジアラビアでは、仕事を中断して礼拝をしなければならない。インドネシアにある日本企業では、現地社員の立場を考慮し職場に礼拝所を設置し、さらに、休憩時間も、礼拝時間を考慮しているという。国際会議やシンポジウムのプログラムも、現地事情がよく考慮されている。日本のように、午前は9時に始めて12時まで、昼食をはさみ、午後は1時から5時くらいには終わるという観念はない。イスラム国では、入学と同時に教科書によるイスラムの基本教育が始まる。教科書には、覚えなければならない大切なクルアーンの章句が、原文のまま載っており、生徒は読み方、書き方を暗記までしなければならない。暗記は礼拝に必要とされるためである（岡倉 2001）。

(2) スカーフの着用

女性のスカーフの着用については、コーランには次のように記されている。「女の信仰者にも行っておやり、慎み深く目を下げて、陰部は大事に守っておき、外部に出ている部分は仕方ないが、そのほかの美しいところは人に見せぬよう。胸には覆いを被せるよう。自分の夫、親、舅、夫の息子、自分の兄弟、兄弟の息子、姉妹の息子、自分の（身の周りの）女たち、右手にかかる者、性欲の持たぬ供廻りの男、女の陰部というものについてまだわけのわからぬ幼児、以上の者以外には決して自分の身の飾りを見せたりしないよう。」ここでの「外部に出ている部分」は、イスラムでは顔と手首とされている。「陰部」はそれ以外のところとされ、恥部と言ったほうがいいかもしれない。「自分の右手にかかる者」とは奴隷のことであり、「性欲を持たぬ供廻りの男」とは去勢者、「自分の身の飾り」は、胸や腕などの体の部分を表している。ここで除外された人々（自分の夫、親など）以外の成人男性に、女性は自分の「陰部」、恥部を見せてはならないのである。これは胸や、腕をあらわにして、男を誘惑してはならないのである。それがイスラムの女性が外出の際にスカーフを付ける理由である（エスポジト 2009: 70）。

また、除外された成人男性に対して、女性も自らを隔離しなければならず、現代でも、サウジアラビアなどイスラムの教えを厳粛に守っている国では、女学校で男性教師が教える場合教室で直接ではなく、テレビを通じての授業となっているという。

スカーフで覆ったり、自らを隔離したりするのは女性蔑視であり、女性の自由を束縛するものだという批判が、とくにキリスト教側からなされているが、イスラムにおけるこの習慣は、そもそもは社会的に弱い女性を守ることに狙いがあった（岡倉 2001）。

1970 年代後半以降、顔全体を覆うような（多くの場合）純白の布をスカーフとして着用している女性が大学キャンパスを中心に急増したという。こうしたスカーフが登場するまでは薄布を頭の上から軽く被せるようなものが多く、現在でも農村部やまた年配の女性においてはこうした形態の方がより一般的なのであるという。男性においてもイスラム的とみなされる服装の変化がある。インドネシアにおけるイスラムの服装といえばかつてはスカルノ帽と呼ばれる帽子に、バティック柄のシャツ、日常的には腰にサロンをつけていた。背広や、ネクタイなどの西洋的なスタイルは、イスラムに反するとみなされていたこともあったという。しかし 20 世紀初頭の近代主義者は、スラックスを着用するようになった。西洋的な服装をすることはイスラムの現状を改革し社会を発展させるという近代主義イスラムの考えに矛盾しないという。その後、スカーフの着用は大学生に限らない現象となった。社会現象となり、スカーフ着用者層が拡大することにより、スカーフの種類や着用方法にも変化や差異が生まれてきた（野中・奥田 2005）。

（3）ハラール（食事制限）

ムスリムにとって、イスラム法的合法は食品を「ハラール食品」といい、合法でない食品の代表的な例としては、豚肉やアルコールが挙げられる。さらに豚肉以外の食肉についても、決まりによって血抜きされていないものは合法でないとされている。また、豚肉やアルコールそのものでなくても、料理や調味料（しょうゆ、味噌など）にアルコール成分が入っている場合、その食品はハラールではない。ムスリムにとって食品の問題は非常に重要であり、緊急の場合を除いてハラールでない食品は避けなければならない。子どもを日本の学校へ通わせる場合、多くのムスリム保護者は事前に毎月の給食の献立を確認し、食べられない食品が含まれている時は、子どもにお弁当を持たせることで対処している。教員の中には理解を示し、積極的に食品の成分を教えてくれる者もいるという。しかし、保護者の宗教に基づく説明に理解を示さない教員がいる場合、保護者たちは「アレルギー」として教員への理解を余儀なくされていることもある（服部 2007: 8-9）。

イスラム教でアルコールを売買し飲むことはイスラム法が厳しく禁じているが、例外的に、医療目的でのアルコールの利用が許される場合もある。欧米では、最近のイスラム教徒移民は、飲酒を慎むことやアルコール飲料に触れるのを慎むことをイスラム教徒としてのアイデンティティをはっきりと表す特徴の一つと考えている。豚肉について、イスラム教徒は豚を病原菌や病気、とくに旋毛虫病をもつことが知られている動物なので、豚肉製品を食べることは、クルアーンで禁じられているだけでなく、不健康で不衛生だ、と信じている。豚肉や豚肉製品に物理的に接触することも、触れた人や物が「けがれてしまう」、と思われている。しかし、その原因を洗うか取り除くかすれば清めることができるという。アメリカのイスラム教徒は一般に、豚肉と豚肉製品を禁じる規定を守っている。アルコールの場合と同様に、知らないうちに豚肉製品が食卓に出てしまうのが心配で、非イスラム教徒の自宅のディナーに招かれても、招待に応じたがらないイスラム教徒もいる。けれども、アメリカの食品製造業は、豚肉製品を広く使用しているので、アメリカのイスラム教徒が豚肉を避けることは困難なことである。アメリカでは、豚のラードがクッキーの食感をよくさせるために使用されるため、クッキーのような一見問題ない食べ物にも含まれている恐れがあり、ポテトチップスがラードで揚げてあることもある。そのため、アメリカのイスラム教徒の中には、ラベルを一つ一つ、注意深く見て豚肉製品が使われていないことを確認する人もいるが、そのように細かく気を配る必要はないと考えている人もいる。こうしたことから、レストラン特に揚げ物を出すファストフードのお店で食事をしてもいいのかという問題もある。揚げ物などの料理をする時に、どのような油を使っているのか、消費者にはわからないからである。その一部のモスクやイスラミック・センターでは、彼らの宗教共同体が豚肉とアルコールを避けられるように、含まれている成分のリストを回覧しているという（佐々木 2014）。

3．日本で暮らすムスリムの子どもたち

（1）ラマダンと学校生活

イスラム暦で断食月（ラマダン月）は、ムスリムが日の出から日没まで飲食を一切断つ月で、子どもたちは7歳ごろから実践し始める。この場合も日

本の学校に通う子どもたちの給食に影響が出る。保護者が担任の教員に説明し、教員が学級の子どもたちに説明することで通常は理解を得られるが、教員の理解を得られない場合もある。特に子どもの健康を心配する教員たちは、子どもの健康に異常が生じた際の責任の所在は保護者にある点などの了解を強く求めるという。また、保護者側が教員に理解を求めることを最初からあきらめ、子どもの断食を教員に伝えず、体調不良という理由で給食を回避する場合もあるという（服部 2007: 8-9)。

（2）宗教的要素を持つ行事への参加

日本の学校では、七夕や節分、端午の節句、ひな祭り、クリスマスなどの行事を「宗教的な行事」として実践しているわけではない。ムスリムの保護者の中には、これらの行事の準備段階は子どもの教育に役立つ側面も多いことから参加させても、行事の当日は子どもを休ませるなどの方法をとることもあるという。クリスマスプレゼントの交換などで学校によっては毎月積み立てをしている場合もあり、宗教的な意味合いがないものは受け取り、受け取れない場合にはあとで返金するなどで対処しているという（服部 2007: 8)。

これらのことを日本ですべて実践することは、自分たちだけではなく周りのサポートが必要不可欠であり、容易ではないことはわかる。しかし、イスラムの子供達の教育の場は家庭によって異なっており、それは日本でも同様で、その家庭が宗教行事のどこまでやっているかによって、子供の敬神の気持ちは大きく違ってくる。イスラムの義務行為を怠ったとしても、そのことを気にし、悔悟し、償いの気持ち忘れない限りムスリムといっていいのではないかと思っている。イスラムは自己責任の宗教であり、他人に迷惑をかけない限り、他人にとやかく言われることもないという。例えば、ラマダン月の断食は、成年の男女に課せられた共通の義務であるが、人はすべて同じ環境や状況の中で生活しているわけではない。したがって状況に応じた免責条項がある。病人や旅行者、生理中の女性はその期間中は免除され、あとから同じ日数を断食するか、あるいは決められた方法で、決められた償い（施し）をすることになっている。このことは、ムスリムの誰もが知っていることである（樋口 2007)。

（3）イスラム教育

また、インドネシアと日本の学校教育の環境には大きな隔たりがあり、日本の学校に就学するムスリム児童の宗教的価値形成にはいくつかの問題点が挙げられた。それは、日本人には意識されにくい日本の学校システムや学校文化が、ムスリム児童やその保護者にとって困難に感じられる点があった。そのため、日本の学校関係者がイスラムについての基礎知識を今以上に持つことが必要であると考えられる。

日本の学校教育では、対象となる児童や生徒が日本国民であることを前提としている。外国籍児童や生徒の義務教育諸学校への就学の取り扱いとして、親や保護者は子供に教育を受けさせる法令上の義務を負わず、行政当局の教育の機会が提供されている。学齢期にあたる子どもの親や保護者が子どもに義務教育を受けさせる法令上の義務を負う日本人とは根本的に異なる扱いを受けている。その反面、外国籍の子どもであっても日本の子どもと同様に扱うことが原則とされ、日本の学校への適応が基本的原則とされてきた。

日本では信仰が個々に委ねられており、地域社会のなかで宗教教育が強調されることはないのである。このように、日本とインドネシアにおける宗教的教育環境には大きな違いがあり、この教育環境の相違が、在日インドネシア人ムスリムの子どもたちの教育に大きな影響を及ぼしている。

外国人登録者数、夫妻の一方が外国籍である婚姻数、父母の一方あるいは双方が外国籍である出生数の増加などから学校や保育所などは、外国人住民のニーズを把握しながら地域の特性に沿ったシステムを構築していくことが必要である。これからは、地域や社会全体で多文化教育の重要性を主張していく必要がある。

在日インドネシア人ムスリムは、ボランティア的な教育活動によって子どもに対する宗教的教育環境を創出し、さらに遠隔教育によってインドネシアのカリキュラムにもとづく宗教教育を提供するといった活動を展開している。イスラム教、キリスト教、ヒンドゥ教それぞれにインドネシア大使館や領事館を中心とした全国組織を形成している。信仰の実践や、宗教を通じた交流を目的としながら、滞在地域や在留資格によって個別に結成され、それぞれの生活事情に応じた活動を行っている特色がある。名古屋のインドネシア・ムスリム協会（KMI）の主な活動は、ダアワ活動（宗教講話会の開催など)、中高生のための奨学金プログラム、女性を中心とするプログラム(宗教講話会、セミナー、子どもの宗教活動など)である。在インドネシア私立学校との連携による遠隔教育というものもある。在日インドネシア人ムスリマ組織であるファヒマによって、母国の私立学校と連携する形で行われている。

同じような取り組みで、ファジャル・ヒダヤ財団(FH)による学校運営も行われている。1998年に設立され、近隣の貧しい住民に対する地域住民学習活動センターや孤児院、教員トレーニングセンターなどを次々に設立している。ここでも遠隔教育が行われており、2003年からは在日インドネシア人の子どもに対して実施している。2006年には日本にいる15人の子どもが参加している。受講可能な科目は、数学、インドネシア語、宗教科目、公民の4科目である。授業料は月額20万ルピア(=2700円)、諸活動費年額50万ルピア(=6700円)、その他の事務処理費用が月額200円となっている。在日インドネシア人にとって、それほど高額ではないことがわかる。

このように、在日インドネシア人ムスリムの組織が子どもの教育に関して組織的な援助を提供していることがわかる。KMIによる宗教教育活動や、ファヒマとFH小学校との遠隔教育は、海外で育つムスリムの子どもの教育を支援する機能を担いつつある(服部 2007: 6-12)。

4．日本で暮らすインドネシア＝日本の多文化家庭に関する調査

(1) 調査方法

この調査の目的は、日本で生活している外国人の親を対象に、自身や自分の子どものアイデンティティ、さらには教育についてどのように考えているかを明らかにするため、インタビュー調査を実施する。このことから、日本での生活の現状を知ることで、今後共生していく中での問題点を明らかにすることで改善点とより良い空間とはなにかを明らかにしたい。

本稿の調査対象は5名の以下のとおりである。1人目は日本人と結婚し、日本で生活をしているインドネシア人女性のエニさん。2人目はインドネシア人と結婚し、日本で生活しているインドネシア人女性のディタさん。3人目はインドネシア人の両親を持つ子どもであるカイラさんでディタさんの娘

でもある。4人目はインドネシア人の母親を持つ子どもであるミユキさん。5人目はインドネシアの親を持つ子どもで、今はフィリピン人と日本人のダブルである夫と結婚し、子供が1人いるメグミさん。以上の5名に協力してもらった。

調査手法はインタビュー調査であり、調査期間は2014年7月から9月の夏休みの期間を利用して行ない、主な調査場所は神奈川県の横浜にあるインドネシア人家族の会に所属している人たちに調査を行なった。

「インドネシア人家族の会」は、「インドネシア人妻の会・家族の会」として1988年4月、神奈川県、特に横浜市に住む日本人と結婚したインドネシア人の妻・夫やその家族が、親睦と交流を深める目的で設立された。設立の第一の目的は、インドネシア家族間の親睦と交流にある。育児などで相互扶助をもっとも必要とする30代を中心に運営されている。第二の目的は、インドネシアの文化を地域の日本人に紹介するためである。インドネシアの料理講習会やインドネシア舞踊や歌などを通じて、区や市の国際理解の催しやイベントに積極的に参加し、日本人との交流の機会が増えることで日本の文化や社会を学ぶ機会も増えると考えている。第三に、日本で日本人の配偶者と生活する上で自分たちだけでは理解できない日本人の考え方や行動様式を話し合い、勉強する場と位置付けていることである。

調査結果をまとめる前に、調査に協力してもらった5名の文化背景をまとめておく。エニさんの場合、22歳の時に出張でインドネシアに来ていた日本人男性と結婚し、インドネシアで子供を1人産んだ後、日本にやってきた。子どもは22歳の大学生で、その間日本中心の生活をしている。日本に来たばかりのころは、全く日本語が話せず、夫との会話はインドネシア語で行なわれていた。ディタさんは、インドネシアで生まれで9歳の時に日本にやってきた。子どものころはインターナショナルスクールに通っており、大使館で働くインドネシア人男性と結婚し、日本で生活している。現在2人の子供を持つ母親でもある。カイラさんは、ディタさんの長女であり、現在13歳の中学生である。生まれは日本で、幼いころから日本語を話し小学校も、日本の公立学校に通っていた。ちなみに、インドネシア語も話すことができる。ミユキさんは、インドネシアに住む中国人の両親から生まれた。中1の時に両親が離婚し、母親が日本人の男性と結婚してからは日本で生活をしている。母親は中国人であるが、言葉はインドネシア語を話し、ミユキさんも日本に来るまではインドネシア語のみを話していた。日本に来てからは、日本の公立学校に通い、日本人と同じように生活している。メグミさんは、インドネシア人の母を持ち、インドネシア生まれの日本育ちである。

（2）調査結果

1）言語的多様性

言語については、生まれた場所によって、言語の変化があることがわかった。設問1では、カイラさん以外、インドネシアで生まれ、日本に来るまでは日本語に触れることなく生活してきたため、日本に来てから日本語の勉強を始めた人がほとんどだった。

設問2と3では、話す相手によって言語の変化があるか聞いた。日本語もインドネシア語も日常会話レベルには達しているため、相手に合わせて日本人には日本語を、インドネシア人にはインドネシア語をというように使い分けていた。

設問4では、会話の他に漢字やカタカナなどを含めた読み書きのレベルについて調査した。会話は出来るが漢字は簡単なものなら読めるが、書くことは難しい（エニさん）。また、幼い頃から日本で生活しているため、日常生活で使うような一般的な漢字なら読み書きができる（ディタさん）。カイラさん、ミユキさん、メグミさんも、小学校から高校まで日本の学校に通っているため、学年それぞれのレベルの読み書きができる。

ちなみに、ディタさんとカイラさんの家での会話は主にインドネシア語で行われており、たまに日本語の単語を混ぜて使うこともあるという。設問5では、それぞれ言葉に関することで苦労した経験があるかを聞いた。現在は、日本で生活する際にあまり不自由に思っていることはないが、日本に来たばかりの頃は、苦労の連続であったと答えが多かった。

2）宗教的実践

宗教については、取り組み方がそれぞれであることがわかった。「イスラム教の神様は優しいから、出来る時にできるものをやればいいんです」とエニさんは言う。毎年8月に世界中のイスラム教の人たちはラマダンを行なう習慣があるが、日本でも行なっているのはエニさん、ディタさん、カイラさんの3名であった。ミユキさんとメグミさんに関しては、インドネシア生まれではあるが、キリスト教であるため、ラマダンは行わないという。次の設問で出てくる、スカーフや食事、礼拝に関しても、イスラム式のものは行わないという。

設問2では、スカーフの着用について聞いた。ここでは、日本ではやらないという答えが全員から初めに返ってきた。しかし、100%やらないというわけではなく、イスラム教の勉強会や、ラマダン明けの大使館での集まりがある際には、スカーフを身に付けるという。エニさんが20年前に日本に来たばかりの頃は、そのような集まりがあっても、スカーフをやらなかったという。その理由を尋ねると、「ここは日本だし、変な外人と思われるのが嫌だった」（エニさん）だからだという。

設問3では、家での食事はどのようなものを食べているかを聞いた。ディタさん、カイラさん、ミユキさんの家庭では毎日インドネシア料理を食べているという。ディタさんとカイラさんの家庭においては、食材もしっかりとイスラム式の調理をされたハラールのものを売っているお店に行き、食材を調達している。「幼い頃からそうしてきたから、日本でもできることは守りたい」（ディタさん）という。エニさん、メグミさんに関しては、日本料理とインドネシア料理の他にイタリアンや洋食などの一般的な日本人の家庭とあまり変わらない食事をしている。エニさんの家庭では、日本人の夫が会社の飲み会など家でご飯を食べない時にインドネシア料理をつくる。これは、夫がインドネシア料理が嫌いだからだということではなく、子供たちにインドネシア料理を知ってもらいたい、慣れてもらいたいという思いがあるからという。メグミさんは、インドネシア料理は、調味料が揃わないと作るのが難しい。あとは、日本での生活が長いためあまり自分で作ったことがないとの理由で日本人スタイルの料理が多いと答えた。

3）アイデンティティ形成

アイデンティティについては、自分はインドネシア人であると思っているひとがほとんどであることがわかった。しかし、ミユキさんが、日本人の恋人に対してだけ同じ“日本人”として接していた。「外国人の親を彼氏に見られるのが恥ずかしい。学校の友達は昔から知ってるけど、彼氏に言ったらびっくりすると思うから。」とミユキさんはいう。設問1で、日本とインドネシアとどちらが好きかを割合で表してもらった。すると、インドネシアよりも日本の方が好きの割合が多いと答える人が２名いた。

設問２では、居心地が良いのはどちらかを聞いた。ディタさんは、設問１で日本とインドネシアの好きの割合が半分ずつであったが、居心地を聞いてみると、日本の方が上回った。設問３から設問８では、自分は何人（なにじん）であると思うかを聞いた。ここでは、生まれた場所（国）の人である意識が高い傾向があることがわかった。しかし、ミユキさんは日本とインドネシアの生活が人生の中でだいたい半分ずつであるため、自分は“ハーフである”という意識の方が強いという。

設問９では、親であるエニさん、ディタさん、メグミさんに、どこで老後を迎えたいかを聞き、子ども側であるカイラさん、ミユキさんには、将来どこで働いていきたいかを聞いた。親である３名は、子供が大きくなったらインドネシアに帰るという意見が挙がった。「インドネシアは空気が良いし、田舎がいいよね、やっぱり。親戚もたくさんで、みんなファミリアだし」（エニさん)。「家族がみんなインドネシアにいるし、もともとインドネシア人だから、戻りたいな」（ディタさん)。「インドネシアは物価が安いし、日本よりも良い暮らしができる。お金貯めて、インドネシアでビジネスやりたいな。お店とか」（メグミさん)。

３名とも仕事や子供の学校の都合でインドネシアに帰るのは年に１度ほどであるという。経済的な面でも、頻繁に帰れないため、子育てが落ち着いたら田舎でゆっくり過ごしたいという意見が多かった。

一方、子ども側である２名の意見は以下の通りである。「両親のように、日本とインドネシアを繋ぐ仕事がしたい」（カイラさん)。両親が大使館で働いていることもあり、そのように思うという。「もっと英語も頑張って、３ヶ国語ができるようになって世界中を飛び回りたい。客室乗務員になりたい」（ミユキさん)。昔から英語に触れる機会が多くあり、外国にとても興味を持っているという。カイラさん、ミユキさんは自分の持っている文化を生かした将来の夢を持っていることがわかった。

5．考察：日本で暮らすムスリム家庭とその子どもたちの抱える問題点

(1) 言語スキルの向上・維持

環境が変化した場合に、言葉の変化があることがわかった。生活していく中で、言葉でのコミュニケーションは必要不可欠になってくるが、日本で生活を始めたばかりのころは、コミュニケーションが取れずに大変な思いをした人が多かった。ここでは、言葉が理解できないことで様々な問題点も存在していた。日本に来たばかりの外国人やその子供が日本の生活に馴染むためにも、「言葉の壁」を越える努力が必要であることが明らかになった。

インドネシア語はアルファベット文字を使用しているので、日常生活のなかで漢字に触れる機会がない。そのような環境のなかで日本語を学習することは、日本に来たばかりの外国人やその子どもにとって極めて困難なことであった。今では日本語を理解することができるようになり、日常会話においては、インドネシア語と日本語のバイリンガルと言えるが、日本語の読み書きの能力は低いことが分かった。通常“ひらがな”は習得しているが、“カタカナ”の読み書きになると個人差がある。さらに、“漢字”に関しては、ほとんど身についていないのが現状であることも明らかになった。

子供の場合は、通っている学校で言葉を覚え、毎日の友人との会話中で日本語が上達することができる。しかし、親が外国人の場合、日本語学校に通わないとコミュニティーに参加できず、日本語を使う機会もないため、なかなか上達しづらいとも考えられる。

結婚して、日本に来た場合は日本語学校などに通ったり、子供向けのテレビを見たりして日本語を習得していることがわかった。エニさんは、子供と一緒に毎日夕方に放送されるNHKの子供の歌番組を見ていたが、最初は全く意味が分からなくても、映像の中のキャラクターの表情から、どんな話をしているのか想像しながら見ていたそうである。また、子供が学校で日本語を覚えてくるため、親子の会話の中で覚えることもあるという。

子供の場合、親のどちらかがインドネシア人の場合でも、日本生まれには最初から日本語を教える為、インドネシア語がわからないことがある。どちらも話せる場合、公共の場で日本人と話す場合には日本語で話し、相手がイ

ンドネシア人の場合は、インドネシア語を話す人が多いことがわかった。

インドネシア語と日本語を混ぜて使う人もいる。また、会話は流暢に出来ても、読み書きが出来るとは限らない。簡単な漢字だとしても、難しいと感じるようだ。会話であれば、その人の表情や身振り、雰囲気などで何を話しているかが伝わるが、文章になると、情報が文字しかないので困ることがある。そのため、子供が学校から持ってくる手紙が読めず、子供が忘れ物をしてしまったりすることもあったという。当時夫は海外出張が多く日本にいなかったため、このような問題が頻繁に起こっていたそうである。

日本語が出来なくて苦労したことは何かと聞くと、ほとんどの人が、日常生活全般に不便を感じたと答えた。具体的には、病院で症状を言う時、目的地までの道順を聞く時、買い物の時など、人に何かを尋ねる度に苦労していたという。近所に住む人たちとのコミュニケーションや、日本人の夫の親族とのコミュニケーションが上手く取れなかったこともあったようである。日本語が話せないために、いろいろな人に迷惑をかけたと、エニさんはいう。

(2) 宗教的行為の実践

インドネシアでは、宗教への取り組みが人によって異なり、信仰の強さも人それぞれであるということが明らかになった。これは、イスラムの教えでは、食事の決まりに関しては必ず行わなければならない項目であるが、スカーフの着用は人それぞれなのである。

日本でも、スカーフを被り、食事にも気をつけているディタさんやカエラさんに比べて、インドネシアにいる時はスカーフを被るが、日本では滅多に被らないというエニさんのようなタイプの人もいる。エニさんの場合、来日以来、今から5年ほど前まではスカーフを全く被らなかった。しかし、最近になって大使館の集まりや、鶴見にあるインドネシア人家族の会の副会長として活動する時にはスカーフをかぶるようになったが、そのきっかけは、日本にイスラム圏の人が増え、空港やデパートに礼拝ができるスペースが作られたり、レストランにはハラールマークがついたり、イスラムの人の受け入れを感じられるようになったからという。「今までは隠してたけど、そのままの自分でいていいと認めてもらえる感じがする」とエニさんはいう。スカーフに関しては、それぞれの取り組みがあるが、ラマダンや豚肉やお酒を飲まないなどの飲食に関してはエニさんも注意している。

家庭での食事については、それぞれの家庭の家族構成で違いがみられた。夫や父親が日本人の場合は、和食をはじめ、イタリアン、中華、洋食など、様々な種類の料理が食卓に並ぶ。しかし、会社の飲み会など家で食事をしない時には、インドネシア料理を作る事があるという。夫や父親がインドネシア料理を嫌がっているというわけではなく、子供たちにインドネシア料理を知ってもらい、慣れてもらいたいという思いもあるという。家族に日本人がいない場合、ディタさん、カエラさんの場合は、ほとんどインドネシア料理を食べている。買ってくる食材も専門店で買って来たハラールマークのついたものを食べるほど、食事には気を使っている。これは、ディタさん自身が幼い頃からインドネシアの家庭でそのように過ごしてきたからであるという。

（3）アイデンティティの維持

アイデンティティについては、日本での生活年数や、現在の生活レベルによって答え方に違いが見られた。日本での生活年数が長いということは、それだけ日本での生活にも慣れているといえる。これは、日本で自分の空間をうまく見つけ、作り出せているということである。

日本とインドネシア、どちらの方がどれくらい好きかということを割合で表してもらった。すると、日本の方が好きと答えたのはエニさん、ディタさん、カイラさん、メグミさんだった。それぞれ日本での生活年数は、エニさんが20年、ディタさん15年、カイラさん13年、メグミさん12年だ。反対にインドネシアの方が好きと答えたミユキさんは、好きと言った人たちと比べて日本での生活年数が7年と短いことがわかる。日本に長くいればいるほど、日本での生活に慣れ、思い入れも強くなると考えることができる。

次に、それぞれ自分は何人であると思うかと答えてもらったところ、多くの人が自分はインドネシア人であるという意識をもっていることがわかった。しかし、ミユキさんの場合は異なり、日本人の恋人に対してだけ、自分は日本人であると思っている。「友達にはインドネシアのことを知られてもいいけど、日本人の彼氏には知られたくない。どう思われるか不安だから」とみゆきさんは言う。友人と恋人では、位置付けが異なるため、このような回答になったと予想できる。スカーフや食事など、宗教的な取り組み方は様々であったが、それでも自分がインドネシア人であることに誇りを持っているということが言える。環境がどれだけ変化しても、心の中はインドネシアにいる時と変わらないとディタさんは言う。最終的に老後をどこで迎えたいかと、エニさん、ディタさん、メグミさんの親世代に聞いてみると、インドネシアに帰りたいという回答が帰ってきた。これは「インドネシアの方が親戚もたくさんいて安心」「生活費が安いから」「田舎でのんびり過ごしたい」などの理由であった。カエラさん、メグミさんには、これからどこで働いて行きたいかと聞いてみると、カイラさんは、インドネシアと日本を繋ぐ両親のような仕事をしたいという。ミユキさんは、日本語、インドネシア語、英語を使って世界中を飛び回る客室乗務員になりたいという。

5．おわりに

本稿の目的は、「多文化家族を持つ人々にとって快適な空間とはどのようなものなのか」特に、インドネシアの文化を持つ人の場合に焦点を絞って研究を進めた。日本にいる外国人やその子供だけでは決して多文化共生のための問題を解決できないことが明らかになった。この章では、今までの章で述べてきた内容を改めてまとめ、はじめに述べた本稿の問いと今後の課題について明らかにしていこうと思う。

第一章では、本稿を書こうと思ったきっかけ、問題意識をまとめた。第二章では、イスラム教とはそもそもどのような宗教なのかということを参考文献や、論文をもとに先行研究として調べた。有名な礼拝や食事は何のために、どのような意味があって行われているのかを明らかにした。日本人と異なる文化を持ち、日常生活の中で様々な取り組みがされていることも改めて知り、日本で生活する中でどう工夫しているのか新たな疑問もでてきた。第三章では、第二章で知ったことをもとに、日本にいる人たちはどのような生活をしているかを調査するため、5名にインタビュー調査を行なった。同じインドネシアの文化を持つが、決して同じイスラム教の取り組みや考え方をしていないことがわかった。生まれた場所、育った環境、今までの経験によって信仰するレベルや価値観は異なるが、それでもお互いを認めていることがわかった。

幼いころの作者のような思いをしている人がいるとすれば、周りの人々の「自分と違う人」という考え方が根本的な原因にもなっているのではないか。

そこで、日本の公立学校においても外国人の子供をただ受け入れていくだけでなく、日本語教育、母語教育などのその子供の将来にとって必要な教育を提供できる体制や、日本人の子供も一緒になった多文化共生に向けた教育を実施できる環境を整える必要があると思う。また、同じ日本で暮らしている外国人やその子供の抱える問題や、多文化共生について常に関心や意識を持ち続けていくことが必要なのである。これは公立学校でもできることであり、関心や問題意識を持つことが一番重要で、これからは外国人だけでなく日本人も巻き込んで、日本人も外国人もお互いにとって暮らしやすい環境作りに向けての取り組みをしていかなければならない。さまざまな異なる文化を持つ人々が、お互いの違いを認めあうとともに同化するのではなく、対等な人間関係を築き共に生きていくことが必要不可欠であると言える。

すべての日本人が異文化を持って日本で生活している人々のおかれている現実に目を向け問題意識をもち、共生するために自分たちに何かできることはないかを常に考えられるように変わっていかなければならないのである。

本稿を書く中で、自身が経験してきたことを思い出し、改めて周りの意識がその人自身の考え方を変化させることを実感した。人はみんな違うのは当たり前で、生まれた国、日本と異なる文化を持つことで、コンプレックスを持つ必要はないのであるのである。むしろ、その文化を持っていることは、他の人は持っていない強みであると言える。多数の文化を知っていれば、それだけその国や人の事も理解することができるし、同じ文化を持っていても人はそれぞれ「違う」という意識を人一倍持つことができるため、同じ境遇の人と関わる際に苦労や思いを共感できるはずである。社会に出た時、家庭を持った時、その考えを身近な人に伝えられるのではないか。少しずつでも、こんな考え方を持つ人が増えることを願ってやまない。

謝辞

本調査の趣旨を理解し快く協力して頂いた、調査対象者の皆様に心より感謝申し上げます。

別添1：インタビュー調査結果（言語について）

言語	設問1	設問2	設問3	設問4	設問5	備考
	日本で住みはじめてから言葉の変化があったか。	公共の場で、日本語とインドネシア語どちらを使うか。〈相手：日〉	公共の場で、日本語とインドネシア語どちらを使うか。〈相手：イ〉	読み書き・会話それぞれのレベルは。	日本語ができなくて、苦労したことは。	
A	○	日本語	インドネシア	読、書：△ 会話：○	病院、行き先が聞けなかった。	簡単な読み書きはできるが、漢字は小学生レベルまで。
B	○	日本語	インドネシア	読、書：○ 会話：○	友達や先生とのコミュニケーションが取れなかった。	
C	×	日本語	インドネシア	読、書：○ 会話：○	近所の友達ができなかった。	
D	○	日本語	インドネシア	読、書：○ 会話：○	学校で友達ができなかった。	
E	○	日本語	インドネシア	読、書：○ 会話：○	学校の授業が難しかった。	

別添2：インタビュー調査結果（宗教実践について）

宗教	設問1	設問2	設問3	設問4	備考
	ラマダン	スカーフ	食事	家の食事は、どんなものをつくるのか。	
A	○	ほぼ×	○	多様	スカーフは大使館に行くときにつけている。
B	○	ほぼ×	○	インドネシア料理	インドネシア人との集まりに行くときだけスカーフをする。
C	○	ほぼ×	○	インドネシア料理	インドネシア人との集まりに行くときだけスカーフをする。
D	△	×	×	インドネシア料理	母親がインドネシアに住む中国人。
E	△	×	×	多様	

別添３：インタビュー調査結果（アイデンティティについて）

アイデンティティ		A	B	C	D	E
設問１	日本とインドネシアどっちが好きか〈割合を聞く〉	イ：25、日：75	イ：50、日：50	イ：30、日：70	イ：70、日：30	イ：60、日：40
設問２	インドネシアと日本で居心地が良いのはどちらか。	イ：25、日：75	イ：30、日：70	イ：30、日：70	イ：25、日：75	イ：25、日：75
設問３	人といる時、自分は何人であると思われていると思うか。〈日：家族〉	インドネシア	インドネシア	インドネシア	ハーフ	インドネシア
設問４	人といる時、自分は何人であると思われていると思うか。〈日：友人〉	インドネシア	インドネシア	インドネシア	ハーフ	インドネシア
設問５	人といる時、自分は何人であると思われていると思うか。〈日：恋人〉	インドネシア	インドネシア	インドネシア	日本人	インドネシア
設問６	人といる時、自分は何人であると思われていると思うか。〈イ：家族〉		インドネシア	インドネシア	インドネシア	インドネシア
設問７	人といる時、自分は何人であると思われていると思うか。〈イ：友人〉		インドネシア	インドネシア	インドネシア	インドネシア
設問８	人といる時、自分は何人であると思われていると思うか。〈イ：恋人〉		インドネシア	インドネシア		
設問９	最終的に老後をどこで迎えたいと思うか〈親〉 どこで働いていきたいか〈子〉	インドネシアに住みたい。	インドネシアに戻りたい。	インドネシアと日本を繋ぐ仕事がしたい。	世界中を飛び回りたい。	インドネシアで暮らしたい。

参考文献

岡倉徹志　2001：『改訂版　イスラム世界のこれが常識』PHP 研究所。

奥島美夏　2009：『日本のインドネシア人社会』明石書店。

工藤正子　2008：『越境の人類学　在日パキスタン人ムスリム移民の妻たち』財団法人東京大学出版会。

佐久間孝正　2011：『外国人の子どもの教育問題：政府内懇談会における提言』勁草書房。

桜井啓子　2003：『日本のムスリム社会』筑摩書房。

佐々木良昭　2014：『ハラールマーケット最前線：急増する訪日イスラム教徒受け入れ態勢と、ハラール認証制度の今を追う』実業之日本社。

四戸潤弥　2001：『イスラム世界とつきあう法』東洋経済新報社

ジョン・L・エスポジト　2009：『イスラーム世界の基礎知識』(山内昌之監訳）原書房。

鈴木一代　1992：『グローバル化社会と多元的アイデンティティ』埼玉学園大学。

――――　1994：『日系国際児の文化間移動と言語・文化・文化的アイデンティティ』埼玉学園大学。

――――　1996：『国際児の文化的アイデンティティ形成をめぐる研究の課題』埼玉学園大学。

野中葉・奥田敦　2005：「インドネシアにおけるジルバッブの現代的展開における総合政策学的研究」『総合政策学ワーキングペーパーシリーズ，no.75』慶應義塾大学大学院政策・メディア研究科。

服部美奈　2007：「在日インドネシア人ムスリム児童の宗教的価値形成―名古屋市における自助教育活動の事例から」『神田外語大学紀要』19 号、1-28 頁。

濱村美和子・狩野鈴子・三島みどり・永島美香　2004：「在日外国人の育児の現状について（第 1 報）：在日フィリピン人の母親の育児ストレスとその対処法」『島根県立看護短期大学紀要』10 号、45-52 頁。

樋口美作　2007：『日本人ムスリムとして生きる』佼成出版社。

堀田正央・松永幸子・森本昭宏　2012：「日本語を母語としない保護者を持つ子どもの認可外保育施設利用に関する研究―保育者の意識を中心に―」『埼玉学園大学紀要』19 号、113-123 頁。

宮田律　2000：『イスラム・パワー　21 世紀を支配する世界最大勢力の謎』講談社。

見市建　2004：『インドネシア―イスラーム主義のゆくえ』平凡社。

山根聡　2011：『４億人の少数派―南アジアのイスラーム』山川出版社。

<Bachelor's Degree Thesis>

Japanese Multicultural Families:
Japan Experienced by Indonesians

by Yurika SAITO

(Graduate of the Faculty of Social Sciences, Toyo Eiwa University, March 2015.)

In this article, some possible ways in which Japan might change in order to make life for multicultural families more comfortable, especially for children being raised in such families, is explored. This is done through examining how Japan is seen by Indonesian-Japanese multicultural families, specifically regarding the case of Japanese people's reactions to their Muslim beliefs and aspects of their lifestyle related to those beliefs. Using current research, some cultural differences between Japanese people and those of Indonesian Muslims, and facts about Muslim children being raised in Japan will be explained. Then, the results of interviews carried out by the author with Indonesian mothers and their bicultural (Indonesian-Japanese) children will be presented. From these data, (1) the difficulties experienced by such mothers and children, and (2) their activities to overcome these difficulties are presented and discussed. Finally, some conclusions are made by the author based on this information. One is that it is inevitable that Japanese community members and multicultural family members must build communities in Japan in which culturally-diverse members can live comfortably. It is the author's opinion that every person living in Japan needs to recognize and respect diversity and the diverse values of all residents of Japan, rather than expect the assimilation of minorities toward the mainstream.

〈研究ノート〉

『ギルガメシュ叙事詩』の新文書
――フンババの森と人間――

渡辺和子

はじめに

『ギルガメシュ叙事詩』(標準版) 第5書板の新文書が2014年に公刊された (Al-Rawi/George 2014)。[1] それによって、この叙事詩の魅力がさらに深まったと同時に研究課題も増えた。その中には、人間と自然の関係、また都市文明と野生との関係についてこの叙事詩の立場を再考するという課題も含まれている。

1. 自然破壊は批判の対象か

「世界最古の長編叙事詩」とされる『ギルガメシュ叙事詩』を、「人間による自然破壊に対する批判を含む世界最古の作品」とみなすことは不可能ではない。しかしそれは現代にあるような環境破壊、地球温暖化などの視点からの批判ではないはずである。ここでは標準版の『ギルガメシュ叙事詩』を扱うが、それは紀元前1100年頃までに、それ以前のギルガメシュに関する伝承をまとめて編纂されたものと考えられている。

堆積平野であるメソポタミアでは、支配者たちが自らの権勢を顕示する巨大建造物建設のために遠くの産地に遠征して石材や木材を調達しようと試みていた。『ギルガメシュ叙事詩』の主人公は、メソポタミア南部の都市国家ウルクの王ギルガメシュであり、その盟友で「野人」のエンキドゥと共に、はるか北西のレバノン山地に赴いて、杉の森を守る精霊フンババを殺害して大量の杉を伐採し、それらを筏に組んでユーフラテス河を流し下る。ウルクに帰還したギルガメシュは、この「武勇」によって「英雄」として喝采を浴びるが、神々の目にはこの武勇は暴挙と映った。

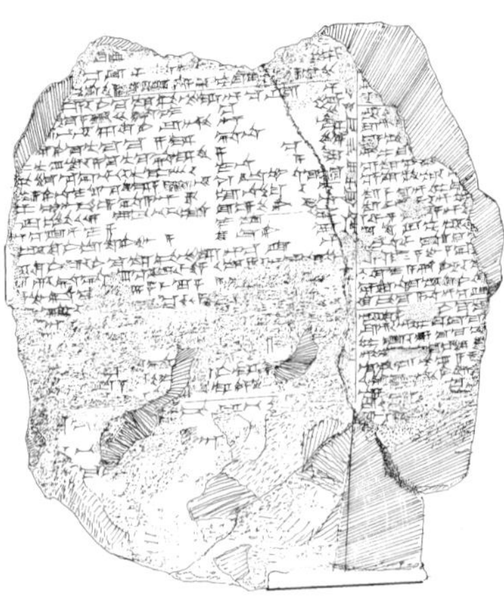

新文書（Sulwimaniyah Museum T.1377 = SB Gilg. V MS ff）の粘土板（写真）とアル・ラーウィによるハンドコピー（上段が表面、下段が裏面）。11 x 9.5 x 3 cm。出典：Al-Rawi/George 2014, 87-90。表面の左側の第 1 欄に 1-46 行が残り、その右隣の第 2 欄に 61-103 行が残る。さらに右には第 3 欄があったが欠損している。縦方向に粘土板を回転させて裏面を出すと、は右から第 4 欄（欠損している）、第 5 欄（249-276 行が残る）、第 6 欄（300-324 行が残る）の順に読んでゆく。

2. 新文書

第5書板には、ギルガメシュとエンキドゥがフンババの森の入り口に立ったところから、フンババを殺害し、大量の杉を伐採して帰るところまでが書かれている。これまで知られていた第5書板を記した粘土板文書（テクスト）を合わせて再構成しても（George 2003, 602-615)、かなりの欠損部分を含むが、全部で302行あると推測されていた（George 2003, 615)。新文書の出現によって、現在では324行あるとされる。しかしそれは、今後の発見によって変更される可能性もある。新文書が含む行は、「欠損部分」によって隔てられる次の4つの部分に分けられる。

(1) 1-46行　(2) 61-103行　(3) 249-276行　(4) 300-324行

(1) と (2) は表面に、(3) と (4) は裏面に書かれている。それぞれに詳察が必要であるが、本研究ノートでは (1) 1-46行に焦点を合わせて考える。[2)]

3. フンババの森の前で

3.1. 邦訳

はじめに新文書（「N」とする）1-46行の邦訳（私訳）を示す。

1　[彼らは] 森を [見上げて立ち尽くしていた。]
2　　[杉の] 高 [さをじっと見上げていた。]
3　　[森への入] 口を [見つめていた。]
4　[フンババが] 行き来するところに跡ができ、
5　　[通り道は] よく踏み固められてよい道になっていた。
6　[彼らは] 杉の [山を見ていた。]
7　　それは神々の棲家、女神たちの座所。
8　杉は豊かさを [地の面] に与えていた。
9　　日陰は [心地] よく、明るさにあふれていた。
10　とげのある草が茂り、森の覆いとなっていた。

11 杉とバッルックの木々が［密集して］入る隙間がなかった。
12 1ベールにわたって、若枝［を出した］杉（の木立が）続いていた。
13 糸杉［の…］は3分の2ベールにわたって続いていた。
14 杉は60キュービットの高さ［まで］（樹液の）塊をつけていた。
15 樹液は流れ出て雨のように降り注いでいた。
16 [(そして)流れ下って（？)］峡谷が運んだ。
17 1羽の鳥が森全体に（通る鳴き声で）鳴きはじめた。
18 ［…］は答えて、叫び声をあげた。
19 ［一匹の（？)］のセミがかまびすしい音を立てた。
20 ［…］は賛美の声をあげ、盛大に祝っていた。
21 ヤマバトはさえずり、キジバトは答えて鳴く。
22 コウノトリの［鳴き声に］森は歓喜し、
23 シャコ（キジ）の［叫び声］に豊かな森は大いに喜ぶ。
24 ［母サル］は大声で歌い、子ザルはキーキー叫ぶ。
25 音楽家と太鼓奏者（？）の［一団のごとく、］
26 彼らは毎日フンババの前で大音響をとどろかせる。
27 杉がその影を落とし、
28 ［恐］怖がギルガメシュに落ちた。
29 ［鳥肌］が彼の腕を［捕え］、
30 すくみが彼の足を襲った。
31 ［エンキドゥは］彼の口を開いて語り出し、
ギルガメシュに言った。
32 「［さあ、］森の中に［入ろう！］
33 ［あなたの手を開］け！そして戦いを始めよう！」
34 ［ギルガメシュ］は彼の口を開いて語り出し、
エンキドゥに言った。
35 「私の友よ、［なぜ］私たちは臆病者のごとく震えているのか？
36 ［私たちは］、あらゆる山を越えてきたのではないか？
37 私たちの前に［…］…？
38 ［…］私たちは光を見るだろうか？」
39 私の［友］は戦いを熟知している者であり、
40 格闘を体験してきた者であって死を恐れない。

41　あなたは［血］を塗り付けてきたのであり、死を恐れない。
42　　［怒り狂え！　そしてアーピ］ルの［ごとく］あなたの意［識を］変化させろ！
43　［あなたの叫びが太鼓のごとく大きく響くように。］
44　　［あなたの腕から鳥肌が失せるように。］あなたの足［からすくみが去るように。］
45　［私の友よ、互いに（手を）しっかりつかめ！　私たちは一人のようになって…］
46　　［あなたの心が戦］い［に向かうように。］
(欠損)

3.2. 注釈

［…］内は原文の欠損部分、…は欠損していないが判読不明な部分、(　) 内は理解しやすくするために補った言葉を示す。

1-13: 最初の13行はこれまで知られていた第5書板のテクストH_1（これまでのH、注2参照）1-12と同じであることがわかる（George 2003, 603-605)。すなわちN 13がH_1 12にあたる。しかしH_1 12は半分ほどの欠損があり、H_1 13-15には解読可能な文字がほとんど残っていない。そしてH_1 16以降は欠損している。しかし30行以降はテクストH_2（これまでのAA、注2参照）によってある程度補うことができる。実質的にはN 13-30は初めて読むことができた行である。

8–26: 新文書によって明らかになったことのうちには、このような自然讃歌がメソポタミア文学のなかにあったという驚くべき事実がある。フンババの森は極めて豊かであり、植物が隙間なく茂り、さまざまな鳥、セミ、サルの声が大音響をたてている。その様子がフンババの前で行われる音楽隊の演奏にたとえられている。ジョージが指摘するように、フンババはその森であたかも王侯のようにかしずかれている（Al-Rawi/George 2014, 74参照)。[3)] この箇所においてフンババは決して下等でも野蛮でもなく、驚嘆すべき豊な森で、「文化的」に、尊重されて暮らしていることが示されている。

12: 1ベールは2時間で歩ける距離をさすが、ここでは約6キロメートルと解する。

14: 1キュービットは約50センチメートルとされるため、60キュービットは約 30 メートルになる。

19: 欧州ではイタリアにセミがいるが、それより北の諸国にはいないせいか、アッカド語についての英語やドイツ語の辞書に「セミ」はなく、「コオロギ」とされる。ジョージは「セミ」*zizānu* を "cicada" ではなく "tree cricket" と訳す。Al-Rawi/George 2014, 84 参照。

29–30:「苦しむ義人の詩」として伝わる作品に並行箇所がある（Lambert 1975 (orig. 1960), 42-43, Ludlul II 77-78)。Al-Rawi/George 2014, 84 参照。後述の 44 も参照。

42: アーピル（*āpilu*、文字通りには「答える者」）はシャーマンの一種であり、ここで筆者は「アーピルのごとくあなたの意識（*ṭēmu*、正気、理性、判断力）を変化させろ！」と訳すことがふさわしいと考えるが、これはシャーマニズム研究にとっても重要である。当時から、この種のシャーマンがトランス状態（変性意識状態）で神の言葉などを人々に伝えると考えられていたことになる。

44:「鳥肌」(*mangu*) は筆者の試訳である。辞書では湿疹、疱瘡のような皮膚に出る病状とされるが、恐怖に襲われた時に腕の皮膚に出る現象としては「鳥肌」であろう。また、足に出る現象としては「すくむ」「がくがくと震える」などが考えられるが、ここでは「すくみ」(*lu'tu*) としておく。辞書にある「脆弱さ」の一つといえる。

45: ここでは「つかみ合え！」という命令形があるが、二人で一緒に戦おうという意味であるので、つかめるのは互いにせいぜい片手ではないか。いずれにしても、ギルガメシュは一人では動けなくなっているが、ここでも虚勢をはっている。足がすくんで動けないので引っ張ってほしい、あるいは怖いので手をつないでほしいということかもしれないが、言葉としては、二人が並ぶことで体を大きく見せてフンババに立ち向かおうと提案しているのであろう。

4.「臆病者」は誰か

4.1.「ト書き」

現時点での 1-46 行の最大の問題は 31-46 行におけるギルガメシュとエンキドゥの会話にあると筆者には思われる。それは「臆病者」は誰かという問題でもある。

『ギルガメシュ叙事詩』のような作品では（おそらく他の文学作品でもほぼ同様と思われるが)、誰が誰に対して発している言葉であるかが、読者と聴衆にとって明確にわかることが肝要である。そのために、この叙事詩の編者は多くの文字数を使って、たとえば「エンキドゥは彼の口を開いて語り出し、ギルガメシュに言った」(N 31)、「ギルガメシュは彼の口を開いて語り出し、エンキドゥに言った」(N 34) のような「ト書き」を置いて、その後に直接話法で語られた言葉を書いている。ところがジョージは、次に示すようにこの鉄則を崩す読みを提示している。

4.2. ジョージの解釈

N 28–30 において「[恐怖が] ギルガメシュに落ちた。[鳥肌] が彼の腕を [捕え]、すくみが彼の足を襲った」とあるように、恐怖に襲われたのはギルガメシュであってエンキドゥではない。エンキドゥが続いて「[さあ、] 森の中に [入ろう！　あなたの手を開] け！　そして戦いを始めよう！」(N 32–33) と言っていることからも、エンキドゥは恐怖感をもっていないと考えられる。しかし、その次にはギルガメシュが「私の友よ、[なぜ] 私たちは臆病者のごとく震えているのか？」(N 35) と言う（下線：渡辺)。確かに原文では「私たち」と第 1 人称複数形の動詞が用いられているが、ジョージはこれについて「書き間違い」であることを疑っている。そしてジョージの翻訳では、38 行目の後に「エンキドゥは答えた」を、さらに 44 行目のあとに「ギルガメシュ」を挿入する次のような提案をしている。

27　杉がその影を落とし、
28　　[恐] 怖がギルガメシュに落ちた。
29　[鳥肌] が彼の腕を [捕え]、
30　　すくみが彼の足を襲った。
31　[エンキドゥは] 彼の口を開いて語り出し、
　　ギルガメシュに言った。
32　「[さあ、] 森の中に [入ろう！]
33　　[あなたの手を開] け！　そして戦いを始めよう！」
34　[ギルガメシュ] は彼の口を開いて語り出し、

　　エンキドゥに言った。

35　「私の友よ、[なぜ] 私たちは臆病者のごとく震えているのか？

36　　[私たちは]、あらゆる山を越えてきたのではないか？

37　私たちの前に [⋯] ⋯？

38　　[⋯] 私たちは光を見るだろうか？」

《エンキドゥは答えた。》

39　私の [友] は戦いを熟知している者であり、

40　　格闘を体験してきた者であって死を恐れない。

41　あなたは [血] を塗り付けてきたのであり、死を恐れない。

42　　[怒り狂え！　そしてアーピ] ルの [ごとく] あなたの意 [識を] 変化させろ！

43　[あなたの叫びが太鼓のごとく大きく響くように。]

44　　[あなたの腕から鳥肌が失せるように。] あなたの足 [からすくみが去るように。]

《ギルガメシュは言った。》

45　[私の友よ、互いに (手を) しっかりつかめ！　私たちは一人のようになって⋯]

46　　[あなたの心が戦] い [に向かうように。]

原文ではエンキドゥの言葉 (N 32-33) とギルガメシュの言葉 (N 35-46) が1回ずつであるが、ジョージによれば「ト書き」なしでもう1回ずつ言葉を発していることになる。この解釈は一見すると矛盾がないように見えるが、果たしてそうであろうか。

4.3. 新しい解釈の試み

これは『ギルガメシュ叙事詩』全体の理解にも関わる問題であり、にわかに正解を提示できるわけではないが、現時点での反論を試みておきたい。

第1点は、前述したように「ト書き」は重要である。しかしジョージは『ギルガメシュ叙事詩』の数箇所で「ト書き」の省略があるとしている (I 224, V 305-306 and VII 235, Al-Rawi/George 2014, 84)。しかしこの問題について論じるには標準版『ギルガメシュ叙事詩』の全行を精査する必要がある。この叙事詩はある編者 (たち) がまとめたと考えられる。たとえば

「ギルガメシュは言った」と書いている、あるいは語っているのは編者であるが、決して「編者は言った」という「ト書き」はない。また、誰かの発話は必ず直接話法で記される。A の発話のなかに B の発話が直接話法で書かれることもしばしば起こる。すでに筆者が指摘したように、第 1 書板では登場人物の狩人やシャムハトが、彼らの「予知」による「予言」のなかで、すなわち彼らの直接話法の言葉のなかに、他の人々の発話が直接話法で記されているため、極めて複雑な構成になっている（渡辺 2014、64-71 参照）。

第 2 点は、ギルガメシュが「私たち」（N 35）と言っていることが重要である。たとえギルガメシュが一人で恐怖に震えていたとしても、ギルガメシュ自身がそれを認めたくないために、二人とも震えているかのような発言をしたとは考えられないか（しかし後述するように、エンキドゥも震えていた可能性がある）。

そもそもギルガメシュがフンババ殺害を思い立ったのは、野人エンキドゥを友として得たからである。ギルガメシュはエンキドゥと初対面で取っ組み合い、その直後にフンババ殺害の冒険に誘っている（II 201; George 2003, 566-567）。しかしエンキドゥは、フンババは最高神エンリルが定めた「天命」として、「人々の恐れ」とされているという理由で反対した（II 219a; George 2003, 566-567）。それに対してギルガメシュは「私の友よ、なぜあなたは臆病者のごとく語るのか」（II 232）と言い返している。

フンババの森の入り口に立った二人のうち、恐怖に襲われたのはギルガメシュであるが、虚勢をはるのもギルガメシュである。そしてエンキドゥは、ギルガメシュの武勇伝のために助力しなければならない存在である。

第 3 の、最重要論点は、N 39-42 の私の［友］は戦いを熟知している者であり、格闘を体験してきた者であって死を恐れない。あなたは［血］を塗り付けてきたのであり、死を恐れない。［怒り狂え！　そしてアーピ］ルの［ごとく］あなたの意［識を］変化させろ！」という言葉である。もしこれをジョージが考えるように、エンキドゥが王としてのギルガメシュに対して言っているならば、ギルガメシュが正規軍を率いて敵と戦う場合を指すであろう。そうであるならば、指揮官として戦うのであって、接近戦で返り血を浴びることはない。何よりもここでは、シャーマンとしてのアーピルへの言及が重要である。ギルガメシュは都市文明の中で育ち、自分自身の夢解釈も母である女神ニンスンに、旅に出てからは野人エンキドゥに頼ってきたことを考えるならば、シャーマンとは程遠い存在である（渡辺 2014、72-78 参照）。ここではむしろ、エンキドゥがかつて荒野で生活していた時に――具体的には書かれていないが、必然的に――猛獣に襲われそうになれば格闘したり、毛皮を剥いで身にまとったりしたことを指していると考えるべきであろう。それだけではなく、エンキドゥにはシャーマンのような資質があり、体に（動物の）血を塗り付けて変性意識状態になれることを指していることになる。[4]

したがってこれらの言葉によってギルガメシュはエンキドゥに対して、フンババと戦うために、その本性としての野性を発揮するように命じていると考えられる。他力本願の冒険であるが、それを認めたくないギルガメシュが虚勢をはってエンキドゥを叱咤激励している。自分には鳥肌とすくみがあっても、エンキドゥにはあってはならないという身勝手な命令である。

最後に俯瞰的に考えると、ギルガメシュがフンババ殺害を企てたのは、エンキドゥという強い友人を得たこともあるが、それ以上に、死すべき存在として後世に名を残そうとしたからである。ところがエンキドゥは最初から、エンリルの「天命」を犯すことに罪悪感があった。N 265-272（＝第 5 書板のテクスト dd 181-189//dd 240-245, George 2003, 610-613）には次のようにある（271-271 行は N では省かれているが、上記テクスト dd の並行箇所によって補完する）。

265　エンキドゥは口を開いて語りだし、
　　　［ギルガメシュに言った。］
266　「私の友よ、［杉の森の守］護者であるフンババを、
267　　彼をやっつけろ！　彼を殺せ！［彼の意識（*ṭēmu*）をなくせ！］
268　フンババ、杉の森の守護者、［彼をやっつけろ！　彼を殺せ！　彼の意識をなくせ！］
269　　最［高のエンリル］が（それについて）知る前に、
270　そして［偉大な神々が］怒る前に。
271　　ニップルのエンリル、［ラルサ］のシャマシュ、［…］
　　永遠の［伝説（？）］を打ち立てよ、［…］
272　　いかにしてギルガメシュが［恐ろしい（？）］フンババを殺したのか。」

エンキドゥには、フンババ殺害には抵抗があったが、ギルガメシュを助けると決断してからは忠実な僕（しもべ）であった。しかし、なるべくなら神々には知られないように、あるいは時間がたってから、すなわち、ギルガメシュの武勇伝が成立した後に神々が知るようにと願っていたようである。エンキドゥの方も、「フンババを殺せ！」といいながら、心のうちは複雑であり、後で下されるエンリルからの罰を恐れていたことになる。互いに「私の友よ」と呼びかけ合う二人であったが、明らかな上下関係があった。

これらの論点を総合すると、N 35-46 は原文通りにすべてギルガメシュの言葉と解する方が矛盾が少ない。

そしてこのギルガメシュの言葉には続きがある。第５書板に属すると判明した H_2 のテクストでは、第１欄がさらに７行続くため、ギルガメシュの言葉も次のようにあと４行続くことがわかる。

47　死を忘れて生を［求めよ！］
48　［…］…慎重な人間。
49　先に行く者はその身を守り、彼の相棒を安泰にするように。
50　彼らこそ［将］来、名を打ち立てることになる。」[5)]

おわりに

エンリルが定めたフンババの「天命」を暴力的に変更したことへの罰は、エンキドゥへの死の宣告であった。エンキドゥ自身もその定めを受け入れることは簡単ではなかった。エンキドゥはレバノン山地に向かう前からこのような恐るべき結末を予感していたはずである。そして森の前に立った時には、結末の恐ろしさに震えたとしても不思議ではない。ギルガメシュの「私の友よ、なぜ私たちは臆病者のごとく震えているのか？」(N 35) という言葉は、二人とも恐ろしさに震えてはいたが、それぞれ何を恐れているかが違っていたことになる。しかしながらギルガメシュにとって後のエンキドゥとの死別はもっとつらいものになってゆく。

多くの助けを得ながら、蛮勇をふるってフンババを殺害したギルガメシュであるが、彼自身にとっての死の問題は「飼いならされて」いなかった。

フィリップ・アリエスは「飼いならされた死」がかつてあったと論じたが(アリエス 1990、1-23)[6]、そのはるか昔に、全く「飼いならされていない死」について、そしてその問題に文字通り命をかけて取り組む人間について語る文学があったことになる。ギルガメシュは決して自らに妥協することなく、たった一人で地の果てに赴き、帰還する（渡辺2011)。これこそが「英雄的快挙」であったかもしれないが、喝采を望んでのことではなかった。

古代メソポタミアでは、たとえ紀元前1500年頃であっても、当時の都市文明の中に生きる人々はすでに1500年ほどの都市文明史を経たあとの世界に生きていたことになる。すでに自然や野生は遠く、支配者にとっての死の克服は英雄として名を残すことであった。しかし古代文学としては珍しく、『ギルガメシュ叙事詩』(標準版）は極めて覚めたまなざしをもっている。古代人であっても当然ながら、乗り気ではないが上司の命令であるのでしぶしぶ従う言動をしたり、自信がないからこそ強がって見せたりしていたはずである。人間の心理に鋭く切り込む編者が、「英雄的快挙」遂行中の「虚勢」の描写に行数を費やした意図が何であったかに、現代の読者は思いを馳せるべきではないか。

ギルガメシュとエンキドゥに殺害されるフンババ。石板レリーフ（前10-9世紀)、テル・ハラフ（現在はシリア）出土。バビロニアの『ギルガメシュ叙事詩』が当時の古代西アジアに広まっていたことを示す。62.2 x 42 x 16 cm。ボルティモア、ウォルターズ美術館蔵。

第5書板は最初からフンババの森の豊かなあり方をほめたたえている。そのため、その「森を荒地としてしまった」(N 303; Al-Rawi/George 2014, 82-83) とされる二人は悪事をなしたことになり、間接的には自然破壊批判が含まれているといえる。しかしそれ以上に、自らのなかの自然と分裂した存在としての都市文明人への警告を読み取ることができる。

注

1) ここで「新文書」(Suleimaniyah Museum T.1447) とされるものは、イラクのスレイマニア博物館（クルディスタンに位置する）に所蔵されていた粘土板であり、その内容が『ギルガメシュ叙事詩』第5書板であることが、2011年にアル・ラーウィによって確認された（Al-Rawi/George 2014, 69)。筆者はこの新文書を、本学生涯学習センター2015年度後期の『ギルガメシュ叙事詩』の講座で読むことにした。それぞれの解釈を示して刺激を与えてくれた受講生に感謝したい。

2) 新文書の発見に伴って、これまで第4書板の最後の部分（第5-6欄）を記すとされていたテクストAA（K 8591）が、正しくは第5書板の第1-2欄を記していることが判明した。これについては長い論争があったが、決着がついたということである（Al-Rawi/George 2014, 69-72)。そして第5書板の第1-2欄の上部を残しているテクスト（H）と同じ粘土板の下の部分とされた。両者は直接接合しないが、MS H_1 (+) H_2（これまでのHとAA）として新たに同じページに正しい欄数と行数を付記して掲載されている（Al-Rawi/George 2014, 73)。

3) "The most interesting addition to knowledge provided by the new source is the continuation of the description of the Cedar Forest, one of the very few episodes in Babylonian narrative poetry when attention is paid to landscape. The cedars drip their aromatic sap in cascades (ll. 12–16), a trope that gains power from cedar incense's position in Babylonia as a rare luxury imported from afar. The abundance of exotic and costly materials in fabulous lands is a common literary motif. Perhaps more surprising is the revelation that the Cedar Forest was, in the Babylonian literary imagination, a dense jungle inhabited by exotic and noisy fauna (17–26). The chatter of monkeys, chorus of cicada, and squawking of many kinds of birds formed a symphony (or cacophony) that daily entertained the forest's guardian, Ḫumbaba. The passage gives a context for the simile "like musicians" that occurs in very broken context in the Hittite version's description of Gilgameš and Enkidu's arrival at the Cedar Forest. Ḫumbaba's jungle orchestra evokes those images found in ancient Near Eastern art, of animals playing musical instruments. Ḫumbaba emerges not as a barbarian ogre and but as a foreign ruler entertained with music at court in the manner of Babylonian kings, but music of a more exotic kind, played by a band of equally exotic musicians." Al-Rawi/George 2014, 74から引用。

4) 「テーム」(*ṭēmu*) には「正気、理性」の他にも「知識、情報」などの意味もある。

また動詞の「変わる／変える」と結びつく場合もあるが、辞書では「狂気の状態にある、なる」と解釈されている。*CAD* Š1, 1989, p.406; *CAD* Ṭ, 2006, pp.95-96参照。「アーピル」(*āpilu*) については、*CAD* A2, 1968, p.170参照。しかし、これらの事柄をシャーマンのトランス状態についての研究と結びつけることは今後の課題である。

5) H_2 のテクストは上述したように第4書板に属するテクストAAとされていたために、この4行の翻字と英訳もIV 245–248（George 2003, 600–601）にある。

6) アリエスは『死を前にした人間』の第1章「飼いならされた死」の最後に次のように記している。「私がこの親密な死を、飼いならされた死と呼ぶ時、私はそれによって死がかつては野性的であったが、その後飼いならされたと言おうとしているのではない。逆に、死は以前は野性的ではなかったのに、今日に至って野生化したと言いたいのだ。飼いならされていたのは、昔の死に方だったのである」。アリエス1990、23頁。

参考文献

アリエス、フィリップ　1990:『死を前にした人間』(成瀬駒男訳) みすず書房（原著：Philippe Ariès, *L'homme devant la mort*, 1977)。

渡辺和子　2011:「ギルガメシュの異界への旅と帰還―「英雄」と「死」」東洋英和女学院大学死生学研究所編『死生学年報2011　作品にみる生と死』リトン、135-164頁。

――　2014:「『ギルガメシュ叙事詩』における夢とその周辺―予知・夢解き・冥界幻視・無意識」河東仁編『夢と幻視の宗教史』下巻（宗教史学論叢18)、リトン、59-106頁。

Al-Rawi, Farouk N. H./George, Andrew R. 2014: "Back to the Cedar Forest: The Beginning and End of Tablet V of the Standard Babylonian Epic of Gilgameš," *Journal of Cuneiform Studies* 66, 69-90.

CAD: *The Assyrian Dictionary of the Oriental Institute of the University of Chicago.*

Fleming, Daniel E./Milstein, Sara J. 2010: *The Buried Foundation of the Gilgamesh Epic: The Akkadian Huwawa Narrative*, Leiden.

George, Andrew R. 2003: *The Babylonian Gilgamesh Epic*, I–II, Oxford.

Lambert, W. G. 1975: *Babylonian Wisdom Literature*, Oxford (orig. 1960).

〈シンポジウム「現場が育む」報告〉

「共創」の原点に立ち戻る

西　洋子

東日本大震災から5年の歳月が過ぎようとしている。

筆者は、早稲田大学の三輪敬之教授らとともに、震災の半年後に宮城県を訪ねた。以降、身体での共創表現による包摂的な居場所づくりを目指して、月に1度の「てあわせ」表現のワークショップを継続している。最初の1年は、どこで何を行えばよいのか見当もつかないまま、現地の知人を頼りに、震災した地域や仮設住宅を訪問した。まずは現場に身をおき、出会った方々からお話を伺いながら、数名での小さなワークショップの試みを続けた。そして2012年の12月から東松島市で、2013年の4月から石巻市で、筆者らが身体での共創表現のミニマムモデルと位置づけている「てあわせ」を主活動とする包摂的なワークショップを現地の方々と協働で開催する運びとなった。

この間、本研究所のシンポジウムや『死生学年報』等で、現地とワークショップの様子を報告する貴重な機会を頂いた。特に昨年度のシンポジウム『いのちを守る』では、三輪氏や筆者の発題に加えて、ワークショップの現地運営メンバーである今野祐子氏（(株) 北上の郷 児童福祉サービス「みらい」管理者・石巻市）と戸田祥子氏（小学校教諭・石巻市）が本学に来校し、「被災地の子どもたちといのち」と題して、障害のある子どもたちの被災時とその後の生活の様子やワークショップ立ち上げと継続の意味を語ってくださった。そして本年度（2015年7月25日）は、『現場が育む－被災地での共創と若い力』をテーマに、ワークショップに関東から継続参加している若手研究者や大学生等に発題をお願いした。以下では、本シンポジウムを企画した意図を述べたい。

そもそも「共創」とは、「背景や価値観の異なる多様な人々が思いや夢を共有して、一緒になってそれらを実現していく創造的活動」(三輪2012)とされる。いうまでもなく、異なる他者との出会いは自己に多くの気づきをもたらし、自分だけでは生まれなかったアイディアや活動が創出する契機となる。一方で、これまで築き上げた価値観が大きく揺さぶられ、自己の変容が迫られることから、そのプロセスでは、他者との小さなズレはもとより、受け入れ難い感覚や巻きこまれるかのような不安が生じる場合もある。

筆者らの被災地でのワークショップは、身体での「共創表現」を目指す実践の現場である。また、月に１度ではあっても、最初の区切りを３年と定めた継続的活動である。被災地以外の地域からこの活動に参加し、かつ継続を実現するためには、ワークショップの場は勿論、ワークショップ以外の場においても、その時々に生じる問題と向き合い、それを超えてなお「共創」の現場へと自身を誘う姿勢を保ち続けることが必要となる。勿論、被災地とそこに暮らす人々への思いは何よりも大切であり、それこそが関東からの参加者がワークショップにかかわる原動力となっている。しかしながら、「支援」という一方向性では、「共創」の場のエネルギーは循環せず、やがては行き詰まりが生じる。共創においては、他者への思いと同時に、自分自身もまたかけがえのない独自の存在であることを自覚し、自己の変容の意味を自らに問い続けなければならない。さらに、変容を自己の充実へと方向づけ、共創の現場から離れた時にこそ、それぞれの立場で、新しい自己に相応しい振る舞いを創りだしていくことが求められるのである。そのためには、誰の中にもある「生命的な力」の覚醒こそが重要になることであろう。

３年をかけて継続してきた身体表現ワークショップ「てあわせ」を通して、最も大きな変容を遂げたのは現地の方々である。例えば、震災後の混乱した状況の中、自己を覆う壁が固く厚くなっているかのようであった自閉症スペクトラム障害の児童・生徒たちは、現在では人と会うことを楽しみに待ち、ワークショップでは自ら進んで他者と手を合わせ、笑顔で表現を創り合うようになった。また初回時は、子どもの付き添い程度の軽い気持ちで「何となく参加した」と語る現地の保護者の方々は、現在のワークショップの場では、自らの身体で共創の世界を創出する一人の主体的な表現者であり、同時に、現地の豊かな自然と表現を結びつける個性的なファシリテータとなった。さらに、現場を離れてなお、「地域社会の中に共創表現の場を根づかせたい」という願いを共有し、それぞれが新たな振る舞いを、身近な他者や社会に向けて発信しはじめている。ワークショップの開始時には、全く想定されなかった状況が、石巻・東松島市の両現場ではまさに「創出」している。こうした人々の姿を目の当たりにするとき、あらためて、現地の方々にとっての被災経験と震災以降の5年という歳月の重さを感じる。これに呼応するかのように、関東からの参加者もまた、多様性を包摂する表現の現場に育まれながら、目を見張るほどに大きく変わった。その事実は尊く、重ねてきたそれぞれの努力に対して敬意を払いたい。

一方で「共創」は、心地よい響きの甘い概念ではない。私たちは既に、被災地に「背景や価値観の異なる」関係性を持ち込んだ。この3年間、そのことの意味を自己に問いかけ、関東に戻った際にこそ、学生は学生として、研究者は研究者として、それぞれに新たな自己に相応しい振る舞いを創りだそうと試みてきたであろうか。私たちが、未来に向かって「共創」を語り実践を深化させるためには、そして何よりも、それぞれが新しい自己に出会うためには、今一度「共創」の原点に立ち戻ることが重要なのではないだろうか。企画者として、本シンポジウムがその契機となることをこころより願う次第である。

引用文献

・三輪敬之「今、必要なこと、それは「共創」」『計測と制御 11：特集 共創システム』、VOL.51, 2012, p.1011.

〈シンポジウム「現場が育む」発題〉

わたしがそこに通う理由

弓削田 綾乃

1．はじめに

2012年12月、初めて東松島市を訪れたときのことを鮮明に覚えている。外の寒さとは裏腹に、床暖房が効いた赤井市民センターのホールで、身体表現ワークショップの開始を待っていた私は、緊張していたのだろう。石巻在住の姉弟が入口に姿を見せると、思わず駆け寄って「こんにちは！お名前は？何年生？私の名前はね……」と笑顔（のつもり）で話しかけていた。なんとなく互いによそよそしさがとれずにいると、東洋英和女学院大学の西洋子教授が寝そべる弟の両腕を引いてフロア中央に２人を連れ出し、３人で身体の引っ張り合い、転がし合いを始めたのだ。それからの２人の表情は、終始和らいでいた。「ああ、身体での出会いに言葉はいらないんだ」と、あらためて思い知る出来事だった。こうした「身体での出会い」は、「てあわせ」ワークショップにおいて、今や、あたりまえの光景となっている。

私は舞踊人類学を専門としており、民衆に伝承される舞踊を調査するために、複数の地域を訪れてきた。そこでの私は、あくまでも「外から来た者」であり、「怪しいものではないですよ」とアピールしなければならなかった。しかし「てあわせ」ワークショップでは、「内」も「外」もない、よい意味で混沌状態のまま表現が始まる。それが何を意味するのだろうか。このことを考えるにあたって、私は特に、関東圏から通う参加者に注目している。東京から新幹線で仙台駅に着くと、１時間ほどバスに揺られて宮城県石巻市に向かう。土曜日と日曜日のワークショップに参加し、空いた時間に被災した現場を歩く。たいがい１泊２日の行程である。そこでは誰かに強いられたり、義務づけられたりといった雰囲気は皆無で、自主性が尊重されている。自らの意思で通い、経験してきたことは何だろう。幸いにも、東京近辺の大学生の参加者を中心に、感想文を収集することができた。初参加のときに提出してくれた人もいれば、毎回提出してくれた人もいる。これら貴重な記録の一部を手がかりに、「外から来た者」が「内」も「外」もない場に足を踏み入れたときに何が待っていたのか、参加状況の報告も兼ねて考えてみたい。

2．関東圏からのワークショップへの参加状況

2012年12月9日宮城県東松島市赤井市民センターで第1回ワークショップが開かれてから、2015年7月12日まで、東松島ワークショップは計26回におよぶ。また、石巻市児童福祉サービス「みらい」でのワークショップは、計22回になった。関東圏から各回の参加人数は、少ないときで5名、多いときで60名強、通常はおおむね10~20人程度だった。

関東圏からのこれまでの参加人数は、約100名にのぼり、そのうちの半数の人が2回以上足を運んでいる。すべてに参加したのは、西教授と早稲田大学の三輪敬之教授の2名であり、それ以外に10回以上通った人は9名にのぼる。一人一人の属性をみてみると、研究・教育関係者、ダンス団体所属者など様々だが、全体の約半数にあたる51名は、学生であった。そのうち23名は2回以上参加しており、中には10回以上参加した学生が4名いる。毎月定期的に実施されているとはいえ、学生が自主的に何度も通うには、難しい面もあるのではと想像する。しかしながら参加した学生は、「実際に来てみないとわからないことが、あまりにも多い」「大学の外にこのような学びの場があることに感謝している」という。彼らがこのワークショップに大きな意義を見出していることは、約半数の参加者が2度3度と訪れている状況からもうかがい知れるだろう。

3．被災した地に身をおくということ

ワークショップが近づくと、「表現みらいの会」（代表：西教授・三輪教授）の担当者が希望者を募り、石巻駅近くの宿泊施設を予約する。仙台駅経由で石巻に着くと、ほとんどの場合、土曜日の午後に石巻「みらい」ワークショップがあり、翌日曜日の午前に東松島ワークショップが行なわれる。土曜は、児童デイサービスに通う児童・生徒が中心で、日曜は、年齢や性別、障がいの有無等に関わらず、幅広い人たちが参加している。

土曜日のワークショップのあとは、夕方にかけて自由に過ごす。このとき、初めての参加者は、被災した現場へ足を運ぶことが多い。宿泊施設の近くに、日和山（ひよりやま）という小高い山がある。現在は公園に整備されているが、山頂には平安時代に遡る鹿島御児神社があり、鎌倉時代の葛西氏による石巻城の跡が確認されるなど、古い歴史を有する土地である。日和山からは、旧北上川の河口を見下ろすことができ、河口にかかる日和大橋の向こうには、雄大な太平洋が広がる。海岸と日和山の間の平地には、ひとつの街並みが広がっていたそうだ。しかし今、そこには、茫漠とした地面が広がるばかりである。東日本大震災の津波で多くの建物が流され、残った家々もこの数年の間に取り壊された。この景色を目に焼きつけ、山を下り、津波の被害を受けた建物の跡を歩く。ふもとには、津波と火事の爪痕を残す門脇小学校がたたずんでおり、夏に訪れた際は校庭の横に植えられたヒマワリが色鮮やかに揺れていた。また、日和山近辺では、居合わせた方やタクシーの運転手さんなどから、震災の体験談を聴くこともあった。さらに、石巻・東松島の方々のお話を伺う勉強会も、これまでに２回実施されている。それから、ワークショップでのふとした会話の中で、大切な人との別れを経験されていたこと、不便な生活を強いられていることなどをうかがい知る機会も、ままあった。

日和山（石巻市）から震災の跡を臨む（2013年８月）筆者撮影

こうした体験を振り返る声としては、「言葉が出ない」「ショック」「感覚が麻痺するよう」「あまりの光景に実感がわかない」「災害をリアルに感じた」「想像力が働き、恐怖を感じた」等、それまで情報として知っているつもりだったものが、生々しく身体に迫ってくることへの衝撃やとまどいが記されていた。その一方で、体験談に触れて「困難な状況でも、様々な活動を始めた方々がいる」「被災地を見た後で聞いた話は、他人ごとではなかった」「被災された方、特に障がいがある人たちの困難が、実感をもって伝わってきた」と真摯に受けとめる声や、「道端で咲く花を見て、“ここで生きている”ことを実感した」「私たちは、自然そして他者と共に生きている」という生への思い、「自分自身の感じ方も、ずいぶん変わってきた」「自分にできることは何か、ここから考えることが大切だ」という未来志向の声も出てきていた。

また、すでに訪れたことのある学生が、初訪問の学生を案内するという役割が、自然に生まれたことも記しておきたい。甚大な被災を自らの言葉で伝えるという行為は、自分にとって何が大切なのかをあらためて見つめなおす機会を彼・彼女らに与えてくれているのではないだろうか。

4．安心と信頼に包まれた共創表現の場

身体表現ワークショップ「てあわせ」については、心に残るエピソードを一つだけ紹介したい。

それは、2015 年 7 月 12 日石巻市遊楽館で行われた東松島ワークショップでの出来事である。私は個人的事情で約 1 年ぶりの参加だったのだが、そこに現れた“表現の野原”[1)]に、釘づけになってしまった。皆で大きな輪になって座り、その真ん中で 1 ～ 3 組くらいが、てあわせ表現を行うという場面だった。ある組が進み出て、てあわせを始めると、座って見ているはずの何人かも、すっと立ち上がり、誰かを誘って、てあわせを始めたのだ。そうして、そこかしこでてあわせが始まり、終わって、また始まるという、不思議な連鎖が生まれた。いろいろなてあわせが生まれて消えて……まるでキラキラ光るシャボン玉がいくつも浮遊するのを眺めているような、美しい音楽に身を委ねているような感動を覚えた。誰もが「表現したい！！」とい

表現の野原が出現（2015 年 7 月）三輪研究室撮影

う思いを身体からあふれさせ、誰もが受け入れられているという安心と信頼に包まれたひと時だったと思う。

5．被災地での身体表現ワークショップに参加するとは

関東圏から参加した学生の感想を通して、「てあわせ」ワークショップに参加する意味を考えたい。ひとつの事例として、2014年3月と8月に初めて参加した大学生9名が、共創表現をどのように感じとっていたのかをみてみたい。その感想文の一部を紹介する。

「動き始めると、子どもたちとの間にできていた高い壁が少しずつ低くなっていくような感覚に陥った」「コミュニケーションは言葉だけではないということを感じた」「初めて会って手合せや身体表現をすることは、ゆっくり自己紹介をしていることのように感じた」「人とつながることの楽しさや、人との関わりの温かさを感じた」「手が離れていても、その間も表現の一部であると感じることができたため、安心して表現することができた」「表現活動をする中で、いろんな人とつながっているという気持ちを持つことができた」

こうした記述をKJ法（川喜田1967, 1986）に基づき分析したところ、83の文脈に分けられた[2)]。それらをグルーピングし、KJ法B型に従い叙述化したのが、以下のものである。

> 「被災地で何ができるか」を自問しながら緊張して参加した。しかしワークショップでは、てあわせが自然と始まり、全体が柔らかな雰囲気に包まれていると感じた。人とつながるということは、自身の心を開くことであり、心を開けばその場にいるみんなともつながることができる。その一方で、てあわせがうまくいかないことがあり、とまどいも感じた。他の人たちのてあわせをみていると、表現の豊かさに心を打たれ、ひとりひとりがあるがままの存在であることに気づかされる。と同時に、石巻・東松島の人たちの強さとあたたかさを感じる。このように人や地域とつながり、共に生きていることを実感することが、自分自身の未来を信じる力になっていくのだろう。

当初の緊張が、身体での共創表現によって解きほぐされていったことがわかる。そして、自らを開放することが肝要だと自覚するとともに、多様な表現にふれ、石巻・東松島への思い、共に創造する未来への思いを深めて、人としてあるべき姿を感じとっていると考えられるだろう。

では、参加を重ねていくことは、「わたし」にどのような変化をもたらすのだろうか。2014年8月から2015年7月までの計6回に参加し、感想を書きとめてくれた女子大学生Aさんの“つながり”への意識変容を事例として、表にした。

表　参加者Aさんの“つながり”についての意識変容

参加回数	つながりへの意識	記述例
1回目	相手の表現を感じられた	「自分が表現することの楽しさを感じつつ、相手の表現を感じることができた。」
2回目	うまくつながる時とつながらない時とがあることに気づいた	「子どもたちとつながりたいと思ってもなかなかうまくいかないことが何度もあった。反対に、手合わせしているうちに、頭で考えなくても自然に一緒に表現している瞬間が何度かあった。」
3回目	必ずしもつながらなくてもいいのだと思えるようになった	「つながらなかったり、拒否されたりしたとしても大丈夫なのだと少し思えるようになり、表現のワークショップを楽しいと思うことが増えた。」
4回目	どのようなときにつながるのかに気づいた	「不安になっているときは、自分が表現の場に存在しているのに少し離れたところにいるような感覚がしてしまい、相手とつながることが難しかった。」「自分自身が“○○しなくては”と頭で思ってしまった時は、なかなかつながらないことがわかった。逆に、相手の動きを受けて無意識に動けた時、相手の動きを真似してみた時、自分も楽しいと感じられた時につながっていると感じた。」
5回目	つながりは場全体に及ぶものであると気づいた	「目の前のことしか見えておらず、目の前の人とつながれたかどうか感じるのに精いっぱいになっているという自分の状況に気づいた。」「全体で動くときに、遠くにいる人のことをあまり意識できていないことに気づいた。」
6回目	場全体とつながることの難しさを感じた	「頭で考えながら手合わせをしてしまうことがワークショップ中に何度かあり、周りの空気を感じることが出来ていないように感じた。」

自らの身体に問いかけ、悩みつつ、“つながり”の細い糸をたどるようにして、少しずつ気づきを深めていっていることがうかがえる。つながる（と気づく）対象が拡がっていくにつれて、自己への意識が深まっていくのが興味深い。このように考えると、「あなた」や「みんな」とのつながりを意識

するということは、つまるところ「わたし」を掘り下げていくことなのではないかと思われる。

6．おわりに

被災地に縁もゆかりもない者がそこに足を踏み入れることは、勇気がいる。それでも、強い意思をもって被災した場所に身をおくことで、もしかしたら必要以上に「外から来たわたし」を意識してワークショップに臨むことになるかもしれない。しかし手から手へ思いを伝え合うワークショップでは、もはや「内」か「外」かという概念は存在せず、「わたし」はただの「わたし」であり、「あなた」はただの「あなた」だと思い知らされる。誰も特別ではなく、誰もが大切な存在。そんなシンプルかつ純粋な、しかし現代社会ではきわめて稀な場に身をおくからこそ、心とからだが、ふっと緩むのではないだろうか。こうした経験の積み重ねが、ワークショップから離れても、身体の奥に息づいていることを私自身強く感じている。だとすれば、「わたし」は「わたし」のために、そこに通っているといえるのだろう。

最後になりましたが、このような機会をちょうだいしましたことに感謝いたします。また、西教授と三輪教授をはじめ、ワークショップにかかわる方々、貴重な感想文を提供してくださった方々に深く感謝申し上げます。

註

1）西教授は、「表現の野原」「表現の森」といった言い方をしばしばされる。あまりにもピッタリの言い回しなので使用させていただいた。このエピソードについてお話しされているインタビュー記事を引用したい。
「……このとき、てあわせの野原が出現したかのような場面がありました。その場にいる人たちが、自然にてあわせをはじめて、会場のそこかしこで表現が生まれました。みんながそれぞれに動き、それでいて全体としてひとつの生命のようにまとまっている、不思議な感覚でした。……とても創造的な光景で、外の石巻の自然の風景とも重なり合って、風の流れる野原のようでした。その場が眩しくて、なんて素晴らしい人たちなのだろうと、心からそう思いました。……他者や自然といった周囲の環境と関わることで、個の意図を超えて、ある瞬間に表現となって自ずと現れるものだと思います。そういう表現に出会えたときは、私自身が本当に幸せです。被災地に、表現の野原が出現したことは、素晴らしいことだと思います。」(「あの人にこの質問を　被災地での共創表現　西洋子さん」『舞踊学会ニューズレター』第9号、2015年11月)

2) 分析にあたっては、吉田明子助教（日本大学）にご協力いただいた。

文献

川喜田二郎（1967)『発想法——創造性開発のために』中公新書
川喜田二郎（1986)『続発想法——KJ法の展開と応用』中公新書

〈シンポジウム「現場が育む」発題〉

被災地での研究から見えてきたもの

板井志郎

1. はじめに──自身のこれまでの研究を振り返って──

人間は、武術のような、相手がどのような動きをするのか完全に予測することができない無限定な状況においても、その場の状況に合わせて、即興的に相手と間合いを創り出すことができる。筆者は、このような間合いの生成を人間がいかにして実現しているのかという問題を明らかにしたいと考えている。この際、間合いの生成を運動として捉えるだけでは不十分であり、人間の心身の働きについても研究する必要がある。しかし、心身の働きは、潜在化されているため、外部から観察することが一般に困難である。

この問題に対して、映像空間上のアバタを介してインタラクションを行うシステムにおいて、アバタのコントローラ操作（とアバタ運動の関係）に人間の心身の働きを表現させることができれば、心身の働きを含めて間合いの創出について調べることができるのではないかと考えた（図1)。具体的には、リズミックなコントローラ操作により映像のアバタを前後1自由度に運動させるリズムコントローラを用いて研究を進めてきた。本コントローラは、アバタをあたかも自身の身体の一部であるかのように扱うことができるようにするため、リズミックな構え、予備動作を経て、行為が創出されるという人間の一連の行為創出プロセスを、アバタ運動を創り出すコントローラ操作に取り入れている。こうすることで、映像空間上で身体を介して相手と間合いを取ることを実現できる見通しが得られた。そして、リズムコントローラを用いて操作するアバタを介した剣道対戦システム（図1左）を構築し、修士学生の時代から今に至るまで、研究を続けてきた。

筆者が、修士学生の時分に思い描いていた研究の最終目標は、このシステムでの剣道対戦において人間に勝つことができるエージェントの開発であった。それは、その当時、この実現に向けて研究を進めていけば、人間の間合い生成ダイナミクスが明らかになってくるだろうと考えていたからであ

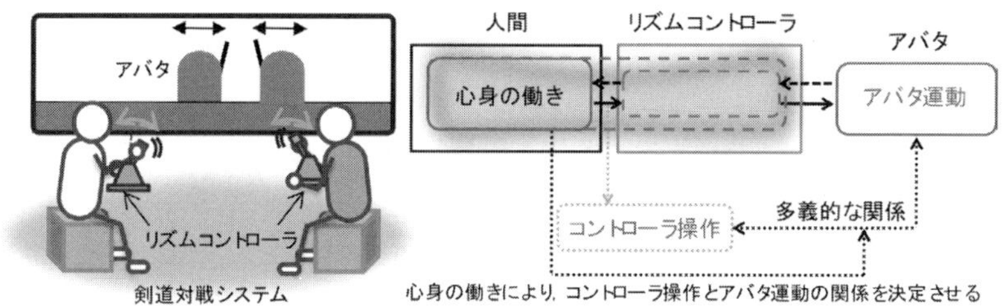

図１　リズムコントローラを用いた実験システム

る。当初は、間合いの生成には、相手とリズムを合わせることが重要であると考え、互いの身体行為の無意識的な引き込み（リズムの同期現象）であるエントレインメントに着目して、研究を進めていた。そして、このシステムを用いた実験を通して、人間には多様な周期でエントレインメント（相互引き込み現象）を創出する能力があることを発見するとともに、この多様性によって状況に応じた間合いの生成が起こることを実験的に明らかにした。さらにこの研究を踏まえて、エントレインメントを遠隔地間で創出するための設計要件を実験的に明らかにし、これを具体的に実現するインタフェースの開発に成功した。しかし、これらの研究を通して、エントレインメントに着目するだけでは、間合いの生成ダイナミクスに迫ることはできないのではないかと思い始め、この後、どのように研究を進めていけばよいのか悩みが深まっていった。特に、心身の問題を含めて、間合いの生成について研究ができているかどうかについて不安を抱えていた。そのような中で、リズムコントローラには、その入出力関係（コントローラ操作とアバタ運動の関係。以下、この関係をアバタ運動生成パターンと呼ぶ）に、多義性があることに気づき、このことに着目して、さらに研究を進めていった。それは、このような多義性があるため、人間は、自身の心身の働きを介して、アバタ運動生成パターンを自由に決めながら、アバタを運動させることになると考えたからである（図 1）。つまり、リズムコントローラのアバタ運動生成パターンに人間の心身の働き、つまり、人間の内部状態（感情や意図）が反映されるのではないかと考えた。そして、人間が間合いを維持しようとしている場合とそれを壊そうとしている場合において、アバタ運動生成パターンが異なることを示し、アバタ運動生成パターンから間合いの生成に関する人間の意図を先読みできる可能性があることが明らかにした。さらには、この知見を活用

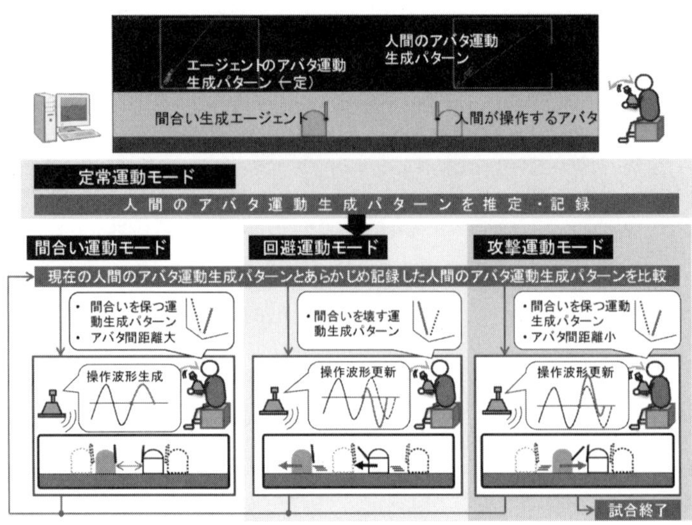

図２　間合い生成エージェント

して、人間の意図を先読みしながら人間と剣道対戦をすることができる間合い生成エージェント（図2）の開発を行った。その結果、修士学生の時代に思い描いていた研究目標である人間に勝つことができるエージェントの開発を実現することができた。

しかし、目標を達成した喜びもつかの間、虚無感に襲われるようになった。それは、人間に勝つことができるエージェントの開発には成功したが、この開発によって得られた知見から、人間の間合いの生成ダイナミクスを説明することができず、結局のところ、人間の間合いの生成ダイナミクスについては何も分かっていないような気がしたからである。

そのような中で、間合いの研究についてもう一度見つめ直すことができるのではないかという思いもあり、西洋子教授（東洋英和女学院大学）や三輪敬之教授（早稲田大学）を中心に展開されている被災地での身体表現ワークショップ「てあわせ」に参加し始めた。以下、本稿では、このワークショップを中心とした研究活動への参加を通して、筆者が得られたことについて述べる。

2. 被災地での研究から得られたこと
──ソフトインタフェースによる間合いの生成──

被災地での研究を通して得られたことは、一口に言えば、相手と「間合いを取る」ことと、相手と「間合いを創りあう」ことの違いをはっきりと自覚できたことである。間合いについて10年以上研究してきた者として、大変恥ずかしいことではあるが、これまで、両者を区別して、間合いの生成について考えるという視点が、著しく欠落していた。

筆者が、被災地での身体表現ワークショップ「てあわせ」に参加し始めてから2年が経っているが、最初の1年は、ワークショップの参加者として、てあわせをすることができないでいた。いつも、記録係として、参加者がてあわせを行っている様子をビデオカメラや一眼レフカメラで撮影をしていた。この当時のことを振り返ると、ワークショップの開始前には、いつも、「今回は、みんなの輪の中に入って、てあわせをしたい、いや、しなければならない」と思っていた。頭では、てあわせをしたい、しなければと思っていたが、身体は、全くそのようには動かず、結果として、参加者とてあわせをすることができなかった。その理由について、最初は、みんなの前で踊ることが恥ずかしいからと単純に考えていたが、次第に、そのことが、みんなの輪の中に入ることができない本質的な原因ではないのではないかと思い始めた。

その本質的な原因は、自身が変容することを拒否していることにあると気づいたのである。相手とてあわせをする、つまり、相手の身体と直接接触しながら相手と一緒に動くということは、自身の行為を自身だけでは決定できなくなることを意味している。言い換えれば、相手に自分の身をゆだね、相手とのこのような身体的なインタラクションを通して自身が変容することを受け入れなければ、てあわせは成立しない。

つまり、自身が変容することを恐れて、相手と「間合いを取る」ことをしたために、ワークショップの参加者とてあわせをすることができなかったのである。相手と「間合いを取る」ということは、自身の身に危険が及ぶリスクを低減させるために、相手から距離を取るという側面があると考えられる。相手とどの程度の対人距離を取るかについては、当然、自身がおかれている状況によって変化する。このことについて議論したのが、Hallのプロクセミックスである。Hallは、対人距離が、社会的、個人的な関係や、その場の状況を反映するような形で、密接距離（0~45[cm]）、個体距離（45~120[cm]）、社会距離（120~360[cm]）、公衆距離（360~[cm]）の四種類に分類でき、それぞれ近接相と遠方相に分けられることを示している。このことは、対人距離が、自身の内面の状態により変化することを示しているように思われる。ただし、Hallの提唱したプロクセミックスにおいては、自分自身そのものが変容するということは考慮されていないだろう。それは、間合いの生成を、相手と自分が最初にあって、そのあいだに、間合い（対人距離）が生成されるというプロセスとして捉えているように思われるからである。この意味において、Hallが取り扱っている対人距離、つまり、相手と「間合いを取る」ことによってできる間合いは、自他分離的な間合いである。したがって、相手と「間合いを取る」ということは、相手との身体的インタラクションを通して、自身が変わってしまうことから身を守るための、一種の自己防衛反応という側面があるように思われる。

一方で、ワークショップの参加者は、てあわせを介して、自身が変容することを受け入れ、相手と「間合いを創りあう」ことを行っている。てあわせは、互いの手のひらと手のひらを直接触れ合わせながら、即興的に表現を創りあっていくことが基本である。そして、このてあわせを続けていくと、はじめは分かれていた自身と相手の境界が消えていくことや、二人の関係が深化していくことが見出されている。したがって、てあわせにおいては、自分と他人が区別されない自他非分離的な状態から、間合いが生成されることになると考えられる。このことは、自身が変容するということを前提にした状態で間合いが生成されることを意味している。そこで、てあわせにおける間合いの生成を、相手と「間合いを取る」ことと区別するため、本稿では、相手と「間合いを創りあう」と表記している。

これまでの議論を整理すると、ハードインタフェースによる間合いの生成が、相手と「間合いを取る」ことであり、ソフトインタフェースによる間合いの生成が、てあわせを介して相手と「間合いを創りあう」ことであるという見方もできるだろう。身体をインタフェースとして捉えた場合、前者は、自己が変容しない、つまり、境界があらかじめ決められていて、それを変化させようとしない自分と相手の閉じた身体のあいだにおいて生成される間合いである。この意味において、相手と「間合いを取る」ことは、ハードインタフェースによる間合いの生成と考えることができるだろう。一方、相手と「間合いを創りあう」ことは、自己が変容する、つまり、境界があらかじめ決められていない自分と相手の開かれた身体のあいだにおいて生成される間合いであり、自身と相手の関係としての間合いが創られることによって、自分と相手の境界が決定されることになるのではないかと考えられる。そして、てあわせにおいては、互いの関係が深化していくため、自身と相手を繋ぐインタフェースとしての間合いも変容していくことになる。このような意味で、てあわせを介して「間合いを創りあう」ことによって生成される間合いをソフトインタフェースによる間合いの生成と考えることができよう。

身体表現ワークショップ「てあわせ」に継続的に参加することを通して、間合いの生成の本質が自身の変容を受けいれることにあることや、このような間合いの生成（「間合いを取る」のではなく、「間合いを創りあう」こと）を人間はどのようにして実現しているのかについて明らかにすることが、自分が成し遂げたい研究であると自覚できたことが、筆者が被災地での研究から得られた成果である。剣道対戦システムにおいて、人間に勝つことができるエージェントを実現できたにもかかわらず、虚無感に襲われたのは、このエージェントが相手と「間合いを取る」エージェントではあるが、相手と「間合いを創りあう」エージェントではないことが、ワークショップへの参加を通してはっきりと自覚されたからではないかと考えられる。このエージェントは、図２に示すように、①人間のアバタ運動生成パターンを記録する「定常運動モード」、②人間と一定の距離で間合いを取り合う「間合い運動モード」、③人間が間合いを壊す時のアバタ運動生成パターンを使って接近した場合に後退する「回避運動モード」、④人間が間合いを保つ時のアバタ運動生成パターンを使って接近した場合に前進して剣を振る「攻撃運動モード」から構成されているが、エージェントのアバタ運動生成パターンは一定であり変化しない。つまり、エージェントは、自身が変容することなく、人間と「間合いを取る」ことになる。人間と「間合いを取る」ことができるエージェントの開発で満足してはいけないと思えたことが、筆者にとっては、被災地での研究から得られた大きな成果であった。

3．まとめ

本稿では、身体表現ワークショップ「てあわせ」に継続的に参加することを通して、相手と「間合いを取る」ことと、相手と「間合いを創りあう」ことが異なる現象であることを自覚できたことについて述べてきた。前者は、自身が変容しないことを前提する自他分離的な間合いの生成である。一方、後者は、自身が変容することを前提とする自他非分離的な間合いの生成である。今後は、てあわせにおいて見られるような間合いの生成を扱うことができるような新たな実験システムの開発に取り組むなど、相手と「間合いを取る」ことではなく、相手と「間合いを創りあう」ことについて、研究を進めていきたいと考えている。

最後にこのような機会を頂いたことに関して、西洋子教授、三輪敬之教授をはじめ、身体表現ワークショップ「てあわせ」に関わられたすべての方々に感謝申し上げます。

参考文献

Shiroh Itai, Yoshiyuki Miwa, "Soft Entrainment: Co-emergence of 'Maai' and Entrainment by Rhythm Controller," Shuichi Fukuda ed., *Emotional Engineering* Vol. 3, Springer, Berlin, 2015, pp.73-92.

Shiroh Itai, Yoshiyuki Miwa, "Study about Creation of 'Maai' Involving Intention Using Rhythm Controller: Development of 'Maai' Creating Agent and Interaction Experiments between Human and Agent," *Human Interface and the Management of Information* (= *HIMI*) 2015, Part II, *Lecture Notes in Computer Science* (= *LNCS*) 9173, 2015, pp.599-609.

Shiroh Itai, Taketo Yasui, Yoshiyuki Miwa, "Soft Interface with the Ambiguity: Creation of the Action by Avatar Controller Inducing the Embodiment," *HIMI* 2014, Part II, *LNCS* 8522, 2014, pp. 413-422.

エドワード・T・ホール『かくれた次元』(日高敏隆、佐藤信行訳) みすず書房、1970年。

西洋子「出会いと共振」東洋英和女学院大学死生学研究所編『死生学年報 2012』リトン 2012 年、87-107 頁。

〈シンポジウム「現場が育む」発題〉

「ふるさとのめぐみ」
――石巻への想いと共に――

村中亜弥／木津石生

1．石巻・東松島と「みんなのダンスフィールド」

私達「みんなのダンスフィールド」が身体表現ワークショップ「てあわせ」を通して石巻・東松島の方々と出会ってから約３年が経つ。車いすのユーザーを含む幅広い世代のメンバーが集う「みんなのダンスフィールド」は、グループの特性である「多様性」を活かしながら、障害の有無や年齢、性別、経験の差に関わらず誰もが身体での表現を共に楽しめるワークショップやパフォーマンスを長年に渡って開催している。その中で経験してきた沢山の人々との関わりから、私達は、互いの表現を受け入れ、尊重し合う場で育まれる人と人の繋がりが、どれほど深くてあたたかいものであるかを実感し続けてきた。そんな私達だからこそ、身体表現ワークショップ「てあわせ」を通して被災地で何か出来ることがあるかもしれない……、そのような思いからワークショップに参加させて頂くようになった。最初は、筆者（木津）などの大学生のメンバー数名が参加し、その後 2013 年からは毎年８月に約 20 名のメンバーで石巻・東松島を訪れている。年に数回であるが、手を合わせ、一緒に表現するうちに、私達にとって石巻・東松島は「被災地だから訪れる場所」ではなくなり、現在では、現地の方々から「多様な人々が身体から出会い、心の奥深くでつながりあっていくフィールド」として多くの事を学ばせて頂いている。

2．ふるさとのめぐみ

2014 年８月にイオンモール石巻で身体表現ワークショップ「てあわせ」の初めての公開交流ワークショップ「てあわせでしあわせ」が開催され、約 100 名の方が参加された。その中で「みんなのダンスフィールド」は石巻の森雅彦先生と共に、石巻の自然や歴史をテーマとした作品「ふるさとのめ

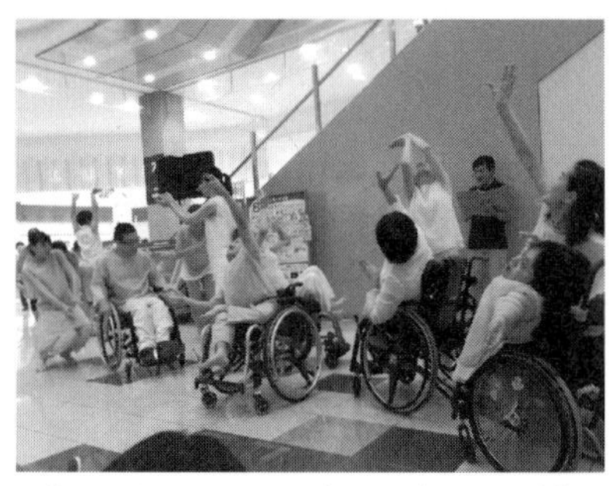
「ふるさとのめぐみ」(2014年8月石巻)

ぐみ」を上演した。この作品は、私達にとって石巻・東松島の人々との繋がりをあらためて深めるきっかけとなったと共に、私達に大切なことを教えてくれた。「ふるさとのめぐみ」では森先生が自身の故郷である石巻の自然や歴史を素朴な言葉で物語のように語り、東松島で音楽を教えられている先生の演奏に合わせながら、私達がその情景をダンスで表現した。物語の作者、および語り手である森先生は身体表現ワークショップ「てあわせ」に初期の頃から参加され、現在は現地の運営スタッフ、ワークショップのファシリテータとして活躍されている。物語に登場するのは、北上川や石巻地方の海など古くから人々に親しまれ、暮らしを支えてきた石巻の自然である。これら遠く離れた地にあり、その地に根付く自然を表現することは、私達にとって初めての試みである。資料や写真でその大きさや特徴は知り得たものの、表現の源となるイメージが自身の中で深まっていかず戸惑いを感じるメンバーも多くいたが、その後、森先生と一緒に行った「石巻の自然巡り」が私達の表現を大きく変えるきっかけとなった。

「石巻の自然巡り」は森先生の案内の元、上演の前日に行われた。訪れたのは、旧北上川沿いにある北上川運河交流館と石巻湾が臨める日和山公園であった。雄大な旧北上川の流れや、静かで、それでいて力強く漂う石巻の海を目の前に、東京では見ることの出来ない自然の美しさに魅了される者もいれば、津波が残した傷跡の深さに心を寄せる者もいたが、何よりも私達の心に響いたのは、森先生の話から伝わってくる石巻への想いであった。現地の人にしかわからない街並みの変化や、森先生が幼い頃から地元の魚を食べてきたこと、「ふるさとのめぐみ」の最初の一節は今私達が見ている川の水の流れを謳ってい

石巻の自然巡り(写真中央が森先生)

ること……、それらの話から、写真では感じられない石巻の温度が伝わってくると同時に、森先生の言葉の一つ一つから、故郷である石巻へ抱く深い愛情と震災を経てさらに深まるその想いが、私達の肌に強く伝わってきた。そこには小学生のメンバーもいたが、子どもも大人も森先生の想いを感じていた。そして翌日、イオンモール石巻では沢山の人々が足を止めて「ふるさとのめぐみ」を観て下さり、私達はあたたかい拍手を頂いた。石巻の自然を巡っていなければ、私達は森先生が「ふるさとのめぐみ」に込めた願いや、石巻の人々が石巻の川や海へ抱く気持ちを知ることなく「ふるさとのめぐみ」を演じ続け、その表現は石巻の人々の心に何かを届けることは出来なかったであろう。想いを丁寧に共有してこそ、そこに生まれる表現は、演じる人、観る人を包み込んでいく。「ふるさとのめぐみ」は、私達が忘れかけていたかもしれない大切なことを、あらためて教えてくれた。

「ふるさとのめぐみ」はその後、翌年の5月に東京で行われた「みんなのダンスフィールド」のパフォーマンスで再演された。一層厚みを増した森先生の語りと私達の身体表現は、互いの表現を深め合うように一体となって東京の会場に石巻の情景を再現した。そして、同年の8月に仙台で行われた「てあわせでしあわせ　Part 2」では、石巻、東松島、関東から参加した約100名の人々によって、壮大な「ふるさとのめぐみ」が舞台に繰り広げられた。

現在、石巻・東松島の方々は様々なかたちで身体表現ワークショップ「てあわせ」の発展を試みられている。私達とは、お互いに学び合いながら目指す道を共有していくであろう。今後も、共に成長し合えるグループとして一緒に未来へ歩んでいきたい。

最後に、「ふるさとのめぐみ」によせて森先生が書かれたメッセージを紹介させて頂く。

当たり前に食べていた……、食べられると思っていた海のもの。震災後、そうではないことに気付かされました。石巻地方の豊か

「ふるさとのめぐみ」の再演（2015年5月東京）

な自然である海や川や山そして島々と空。あらためてこのふるさとの豊かな自然にふれてみて、その尊さ・めぐみに感謝する気持ちが強く湧いてきました。また、変わりゆく街並みを見て、かつての賑わいや先人の偉業、先人からの贈り物に思いを馳せると、ふるさとの再生を願わずにはいられません。そんな思いを東京のダンスフィールドのみなさんに共有していただき即興表現していただくことは、東京のみなさんとのつながりを感じることができ大変光栄なことです。心から感謝申し上げます。

〈シンポジウム「現場が育む」発題〉

身体表現ワークショップ「てあわせ」の魅力

吉田明子

1．はじめに

東日本大震災後、私は、すぐ先の未来に起こるかもしれない自然災害、それによって大切なものを失うかもしれない恐怖に怯えながら、被災地のために直接的な支援ができない無力感を抱いていた。震災から２年後、大学で教員として働き始める頃に、東洋英和女学院大学の西洋子教授より、被災地での身体表現ワークショップについてのお話を伺った。被災地での身体表現活動に身を置けることに期待を抱き、2013 年７月よりこの活動に参加させて頂くこととなった。それから２年半、活動をとおして多くのことを学び、経験させて頂いた。

そこで、教員を目指す大学生のダンス・身体表現の指導者・研究者としての立場から、身体表現ワークショップ「てあわせ」の特徴や魅力について「自然との調和」「ありのままの表現」「みんなでファシリテータ」という３つの観点で考えていきたい。

2．自然との調和

震災後、「海、津波」は、影をもつ言葉となった。多様な人々と手を合わせていっしょに新しい表現を創りだす「てあわせ」ワークショップにおいて、代表を務める西教授は、窓の外に広がる空、雲、身体にあたる風、土や草など、周辺にある自然の豊かさを感じるような声かけをする。これは、ワークショップの重要な要素の１つである。現地の参加者は、西教授のこうした声かけに対し、「今まで目もくれなかった自然にもう一度気づかされた」「自然の大切さを知った」という。あたたかい太陽の光が身体に降り注ぎ、心地よい風に気持ち良さを覚えるというような自然と人間との関係は、誰にとっても平等であり共有できるため、生き生きとした表現が自ずと生まれていく。しかし、ここに「被災地で活動する」という現実があった。西教授は「まだ今もあるが、普通の（被災地以外での）ワークショップの時に使う『海のように、波のように』などの言葉がこのワークショップでは言えなかった」「どのように同期していこうかとすごく考えた」という。

西教授のこうした配慮のもとで、私を含む参加者たちは、頭ではなく身体表現をとおして、改めて自然の恵みに気づき、自然との調和を意識するようになっていった。ここに被災地で活動する意義があり、被災者もそうでない者も、徐々に震災を受け入れ、自然の恵みを改めて大切に思うことができるようになっていったのではないか。西教授は、石巻・東松島の方々が、「いかに自然と一体化した感覚で生活されているか」を活動の中で実感しているという。こうした被災地の方々の感覚と石巻・東松島の豊かな自然があいまって、自然を受け入れ調和しようとする意識が育まれているのである。

3．ありのままの表現

てあわせには、決まった振付や表現がない。常に「今、ここ」の出会いのなかで、多様な人々と手を合わせて新しい表現を創っていく。手を合わせることは、不思議なくらい人を笑顔にさせ、受け入れられている感覚を与える。

「一人で自由に表現してください」と言われれば、たいていの人が身構えてしまうだろう。しかし、このワークショップでは、相手と手を合わせて動くこと、先導しているような先導されているような力のやりとりで予想できない表現が展開されていくこと、これらのことに夢中になることにより、一人一人がありのままの姿で輝きを放つ。何かの役柄を演じたり、上手に踊ろうとするのではなく、「今、ここ」で目の前にいる人と、ありのままに夢中で身体を使って思いを伝えあうようにコミュニケーションをとっているのである。その姿はあまりに美しく、2014年3月のワークショップに参加した際、私は「正直、このワークショップであらわれる表現ほど心が動くものはないかもしれない。舞台で伝えようとして表現しているよりも強い何かを感じる。伝えようとしなくても共創している姿そのものが“表現”としてあらわれてくるような感じ」とメモを残している。みんなで決まった振付を踊って一体感を味わうことは、よくあることだが、ここでは誰一人同じ表現はしていない。てあわせに夢中になったありのままの「わたしたち」の表現の花があちこちに咲いていく。これがなんとも心に響き、感動するのである。

大学在学時から卒業後の現在も継続的に参加をしている参加者は、ワークショップについてのインタビューで、「自分が受け入れられている」と感じるとともに、「人が受け入れられているのを見るのもいい」という。またワークショップを終えて、関東での保育士としての生活に戻ると、「自分が受け入れてもらえたことで、(保育士として) 子どもたちを受け入れられるようになる」という。このことは、親子で参加されている現地の方々が、初めはお子さんが「受け入れられている」のを見ていたが、それを見て、お母様自身も表現に参加されるようになり「自分自身も受け入れられる」ことによって子どもとの日常の関係性に変化をもたらすことと通じることが示唆できる。表現をとおして他者のありのままを受け入れ、自分のありのままを受け入れられた経験が、日常生活にも良い影響を与えているのである。

4．みんなでファシリテータ

「てあわせ」ワークショップの特徴は、西教授という絶対的なファシリテータが存在するが、「教える―教わる」の関係ではないところである。私も4回のファシリテータを経験させて頂いたが、目の前の表現ではなく自分の計画通りに実行しようとしてしまった。その根底には「教える―教わる」の関係があったのである。波紋のように広がる表現を途切れさせないように「準備はするけれど、無心になってその場の空気に従っていくこと」が大切であることを学んだ。

発足から3年目を迎えた今では、現地の方々がファシリテータをされている。現地の方々は、表現を専門としない方々ばかりだが、実に温かみのあるファシリテータである。トップファシリテーターを置くのではなく、みんなでファシリテータをしている。このことは、ダンス・身体表現を指導する私にとって斬新なことであった。西教授の言うように「自然と一体化した感覚で生活されている」現地の方々は、関東の参加者が知らない石巻・東松島の素晴らしい自然を身体表現につなげてくれる。たった3年で、表現を専門としない参加者の方々がファシリテータを務めるワークショップは他にあるのだろうか。

5．最後に

学校や家庭を離れて何かに夢中になる活動は、非日常の活動というのかもしれないが、「てあわせ」ワークショップは、限りなく日常に近い活動である。言葉がなくても、手を合わせるだけで思いや意志が伝わることを確信させてくれる。また、表現を専門としない方々が表現のファシリテータをすることで、てあわせがより多くの方の身近な活動になる可能性に満ちている。

「てあわせ」ワークショップは、言葉をもたない人々だけではなく、身体的な遊びが乏しくなりつつある子どもたち、そして子どもを受け入れる立場にある大人たちにこそ必要な活動であると感じる。障がいの有無、性別、年齢の差異など、多様な人が集まるインクルーシブな場はなかなかないが、この多様性こそが、新しい表現を生み、人がそれぞれの存在価値を見いだせる場なのである。身体表現ワークショップ「てあわせ」は、そのことを心と身体で実感させてくれるところに大きな魅力があるのではないだろうか。

〈書評〉

宇都宮輝夫『生と死を考える——宗教学から見た死生学』

北海道大学出版会、2015年

北沢　裕

本書は著者のおよそ30年におよぶ死生学研究の総括にあたるものであるが、同時に、長年北海道大学において宗教学を講義し、バルト、デュルケムの研究者としても知られる著者の宗教学・宗教社会学の思索の一つの総括と見ることもできる。本書で著者が試みているのは、「人はどのように生を構成しているのかに関する」(4、228頁) 基礎的問題の解明を通じて、死生学の意味と可能性を問い直すことである。そこで語られるのは、死に方、看取り方についての直接的な示唆というよりは、人間はいかに生・社会・世界に意味づけを行い、どのようにしてさまざまな矛盾の中で選択を重ね、その上で死んでいくのか、その全体を論じる枠組みの見直しであり、そしてその作業の上で著者自身が行き着いた、ほとんどラディカルと言ってもよいと思われる、一つの結論である。その結論は、本書を通読してはじめて諒解しうるものであるが、読者の驚きを予測しつつ、あえて最初に示しておこう。それは、論理的推論や誰かが真理と呼ぶような何かの求めによってではなく、ただ、他者への愛、共同体への愛に基づき、「人を助ける」という選択を意志することこそが、人間の生と死の意味づけとなるというものである。以下に、その議論の一端を紹介したい。

全体を通じて強く見られるのは、死に関して有効な何らかの論理や観念があるという前提そのものの否定である。第一に批判が向けられるのは、「人間を理性的存在と見て、人間が理性によって生活を構成すると考える、一種の理性主義」(5頁) である。人間が論理的、理性的に構成されるには、その前提としてまず社会化の過程が存在し、そこには他者に対する無条件的信頼という、一定の非理性的・非言語的基盤が先行しているためであり、またミラーニューロンのような脳科学的・生物的要因も存在するためである。そして第二に、理性主義と相即するものとして否定反証されるのが、「人間が思想によって自らの生活を導き構成しているという見解」であり、「思想・観念・信念といった要素の動きを現実以上に高く見積もり、それらが生を導き構成しているという見解」(6頁) である。こうした姿勢は時にスピリチュアル・ケアを唱道する人々や、宗教的信仰を語る言説の中に見られるが、著者は人間の生を支えるのは言語化された言説ではないとし、こういった姿勢をも否定している。

本書が一貫して重視するテーマは、人が生ききる根拠となるアイデンティティの成り立ち、生の物語と意味づけ、共感しそれが適わない時には向かい合うことの意義、そしてこれらの根源となる共同体・社会性であり、それらと宗教の関わりである。

第一章「人生の受容と死の受容」、第二章「わずかばかりの勇気もて、死を迎えるを得ば」、第三章「生まれて愛して死んでゆく、なんの不服があろうか」は、人が自らの生と死について「これで（まあ、よくはないのだけれどそれでも）よし」と思えるとはどういうことかを、特にキューブラー＝ロス以来の死生学の言説、エリクソンのアイデンティティ論、そしてアリストテレスのエウダイモニアの観念に即してさまざまに論じている。そこで特に問われているのは膠着した「死の受容」の観念である。著者が訳したジェフリー・ゴーラーの『死と悲しみの社会学』(1986［原著1965］) をはじめとする死生学創始期の業績の多くは、現代の死の疎外状況を指摘するにあたり、人々がより自然に死を受け容れていた前近代の像を描き出す傾向にあり、それによって、あるべき「死の受容」の像を示そうとした。その傾向はその後の死生学にも引き継がれてきたが、しかし実際のところ、「死の受容」論の過剰な再生産は人々の死に方を自由で楽にするものとは限らず、逆に不自由にしかねないという矛盾をはらんでいる。そしてキューブラー＝ロスやエリクソン自身、そのような固定的な人間観を持っていたわけでは決して無く、より可変的なものとして死のあり方と人間のあり方、「アイデンティティ」をとらえていたことが指摘される。生と死に関して目指しうる定型があるわけではないという冷静な現実と共に、二章の終わりに示されるのが、「ささやかではあるが、しかし決定的に大事なこと」は「自分を認めてくれる人、自分を受け入れてくれる人がそばにいること。そしてもし可能なら、自分はこのために生まれ、生きてきて、これのために死ぬのだ、と思えるような人生の見定めができること」である、という指摘である（71 頁）。一般的な人生訓とも見えるかもしれないこの結論は、実は、人間がいかに社会と共同体を構成しそこでアイデンティティを形成・展開し、自己と世界を生きることができるかという、社会学の根源的な問いから導き出されたものに他ならない。本書の後半はまさにこの論点に向けられることになる。

終わりの二章がまさにその、〈生と死の（宗教）社会学〉を論じるものであるとするなら、それに先立つ第四章「死生観を学ぶこと、生死への勇気を得ること」と第五章「死を前にした人への心のケア」は、「死生学」と呼ばれる営みが何を意味するのか、そしてそこからどのような看取りやケアが考えうるのかを問うものである。いうなれば、死生学の認識上の誤謬を問う冒頭の三章を引き継ぎつつ、人間の生と死の前提を論じる枠組みを考える終わりの二章の間に先立って、死生学の実際のあり方と可能性を問うものとなっている。

ここでは特に、何らかの有効な死生観とか思想といったものを取り出し選択できるように考えてしまう傾向が厳しく批判された後、では「何が本当に人を支え救うのか」（121 頁）が問われ、そこから看取りとケア、そして宗教のあり方と機能が見直されることとなる。ここにはデュルケム研究者である著者の宗教社会学のエッセンスともいうべきものが見いだせる。例えば、宗教儀礼が人間を支える要件がこのように説明されている。

> 宗教儀礼に含まれている多くの要素のうち、真に有効なものとして残るのは、儀礼の社会性、ないし儀礼を通して作用する社会的連帯でしょう。これがデュルケムの結論であったと思われますが、彼は、人間を生につなぎとめ、生きる喜びを与えるのは、社会の連帯という社会的な条件だと主張しました。これを個人のレベルに移し替えるなら、社会的連帯とは「他者を気遣い配慮する生の態度のうちに生きること」だと言い換えることができます。（123-124 頁）

そして、共感の交流こそが人のアイデンティティの物語を支える真の「ケア」たりうるとした上で、しかしこのような共感を成り立たせる共同体が、社会の均質性・一元性の低下とともに揺らいでいる中、果たしてどのようなケアが成り立ちうるのかが問われることになる。そこで著者は、清水哲郎の議論を引きながら、共感をもって「共に同じものに与かる」ことが無理でも、「向かい合う」態度を持ち続けること、「同質性なしでも、共感の可能性がなくとも、それでも他者を受け容れるという困難な試練を身に引き受ける勇気」(148頁)の意義を指摘するのである。

そして第六章「死別によって生に意味を見失う」では、宗教が果たしてきた世界の「意味づけ」、「カオスのコスモス化」の機能が論じられる。人間が(ただ生き物として長らえるのでなく)生きるためには、自らの生と世界に何らかの意味、物語を見いだすことが求められる。それは特に、理不尽な苦難に直面し、生きることと世界とに対する根本的な疑いが生じた時に強く求められることとなる。「苦難の神義論」の問題である。ヴェーバー、エリアーデ、デュルケム、バーガーらはまさにこの、宗教と社会と人間の「意味づけ」機能をさまざまに論じてきた。これらの議論から著者が導き出すのは、何らかの宗教思想が直接に作用してカオスをコスモス化し世界に意味を与えるわけではなく、「潜在的あるいは論理的な可能性としては無定型であり得た世界と人間性が、実際には一定の意味と価値に基づくコスモスとして構成されているという現実を表現」(168頁)することによってこそ、宗教はコスモスをあらしめているという理解である。こういった価値が思想や理論から導き出されるという考え方は誤りであり、儀礼、言説、制度、慣習など、あらゆる社会的装置が支える意味世界の編み目の中で人間が社会化されることでできあがる「社会」と人間の愛着関係こそがコスモス化の力であると説明するのである。そして、理不尽な悲嘆に直面した人間の「なぜ？」という悲痛な声は、真理や論理による説明で答えうる「問い」ではなく、激しい否認、拒絶の声であり、それが静まるのは、知的納得ではなく、「苦悩する当人が社会とのつながりを再度確立し、それによって生きることへと再度しっかりとつなぎとめられることによって」生じるのだと指摘される。

最終章である第七章「生と死を考える」は、ヴィクトール・フランクルの『夜と霧』に導かれて展開される。そこで問われるのは、「人は何のために生きるのか、何によって生きるのか」(185頁)である。アウシュビッツ強制収容所で、囚人と、ナチスの看守と、囚人でありながら看守の手先となることを選んだカポーと呼ばれる人々の三つの立場それぞれにおいて極限の選択が重ねられていった様をめぐるフランクルの考察を受けて、著者は、自己保存欲求に捕らえられた生命体であるとともに個を超えた社会的存在でもある「二重存在」である人間が、矛盾する条件の中で「悔いなき生と死」を送るとはどういうことかを考察しようとする。

著者は、人間性や倫理というものの追求の中にも潜む自己満足や「証明欲求」が、時に他者の受容という倫理に反して、自他を切り分け同朋性と連帯性を否定しかねない危険を持つことを明らかにする。「良い」ことの追求は「悪い」ものの同定と表裏を成しているし、そうして選び取った「良い」ことすら、誰からも「良い」と認められるなどということはありえない。そこには常に矛盾がはらまれることとなる。ではどうすれば「悔いなき生と死」を目指し選択していけるのか。そこで著者がいたるのが、「人間よ、人を助けなさい」(216 頁) という単純な命題である。論理的推論の結果ではなく、意志の決断として導き出される「愛」である。自己保存欲求にもなんらかの客観的真理や論理的妥当性にも根拠づけられることのない、ただ自由な意志決定で「人を助ける」ことが、矛盾の中で「悔いなき生と死」を成り立たせるというのである。ただし、この根拠づけを排した自由意志には、「人を助ける」という選択と共に、ラスコーリニコフが選んだような恐るべき自由の行使の可能性も伴う。このまったく異なる選択の対峙関係に対して著者は、「その決着は、決断の前に立つ者が他者への愛、さらには共同体への愛を持つか否かでつくのであって、そこには根拠はありません……愛する者は愛し、愛さない者は愛さない。どちらの態度も、それ以上はさかのぼれない生の根源です」(221 頁) と論じきるのである。

ただ他者への愛、共同体への愛に基づき、「人を助ける」という選択を意志することこそが、人間の生と死の意味づけとなるという結論は、こうして導き出されたものであった。シンプルであるが、それだけにラディカルでもあり、誰にでもたやすく諒解できる議論ではないだろう。例えば、「愛する者は愛し、愛さない者は愛さない」という重い結論が、その直前で展開された、環境故に「良くない」とされる道をやすやすと選んでしまう人々をめぐる「人間は環境の所産である」という考察とどう交わるのかは気になる点である。社会化とはイコール「愛する者」たることであるとして、では、人に愛を与え教えることはいかにして可能となるのか、不幸にも愛を得て学ぶ機会に恵まれなかった人はいかにして「愛する者」となりうるのか (あるいはなり得ないのか)、また、他者・共同体とのきずなが人を支えるとして、そのほとんどから切り離され孤独死していくような人を支えるものは何か、そこに「宗教」が果たしうる役割はあるのか、あるとして、それは社会学的に論じうるものか、何らかの本質論の介入の余地はないのか。およそ四半世紀前に著者の生徒であった評者としては、今一度その教えを請いたいところであるが、これらの論点を含むさらなる議論は、本書で予告されている次著で展開されることであろう。

〈講演録〉

人間のいのちの尊厳はどこにあるか？

森岡正博

人間のいのちの尊厳はどこにあるのか――まだ考えている途中で、自信を持ってお話しできる部分とよくわかっていない部分と両方あります。ですから、今日は是非みなさんからご質問やコメントをいただいて、一緒に考えていきたいと思っております。

母親の死からの問い

昨年、母が亡くなりました。私は人間の死についてさまざまな側面から考える研究の中で、いろいろな方々のお話しを聞いたり、いろいろな現場に行ったりしてきましたが、とうとう母が亡くなりまして、いろんなことを実感し、考えさせられています。

母は複数の臓器に問題を抱えていたので、最期は大変なことになるだろうなと思っていたのですが、亡くなるときは非常に静かに、眠るように息を引き取りました。医師が来て、死亡を確認したわけですが、そのとき私は、非常に不思議な感じを持ちました。母の死が確認されたとき、いったい誰が死んだのか、私にはわからなかったのです。これはすごく不思議な感じでした。このような気持ちは予想していませんでした。ある意味、非常に哲学的な深い問題を突きつけられたような気がしています。

最期に近づいていくにつれてだんだん意識がなくなり、そして息が止まり……医師が来て、死亡が確認された。けれども額に手を当てるとまだ温かい。顔を見ても、今にも目を開けてまばたきしそうな感じがするし、口はしゃべりだしそうな気がする。見ていると、顎とか少し開いてきたりするわけです。死亡したといっても、パッと目を開いて今にもしゃべり出すかもしれない――そういうドキドキした感じを私はすごく受けたのです。

つまり医師による死亡確認がされたのですが、その前後で何が変わったかというと、私の実感としては何も変わっていないのです。死が起きたと言われたわけですが、実は何も起きていないのではないか——私はそういう実感すら持ちました。

母は死んだということなのですが、この時、いったい誰が死んだのかよくわからない——その感覚は今もまだ多少なりと持っています。私は哲学者として、この問題はもっと時間をかけて考えてみようと思っています。誰かが死んだときに、誰が死んだのかという問いが、実はあるのではないかと思っているわけです。これはかなり哲学的な深い問題ではないでしょうか。

「お迎え体験」を共有するということ

母は数年前にかなり重い状態になって入院し、長い間寝たきりでした。この間、母は２回——入院していて病状が悪化したとき、死の十数日前——「お迎え体験」を語りました。私は最初、母親が何を言っているか、全然理解できませんでした。母親が母親に会って来たというので、「何をいってんの、母親はあなただろ」と答えていまして、意味が解っていませんでした。その後、あれは「お迎え体験」のことだと気づきました。死の十何日か前にまた同じ話をしたとき、「お迎え体験」だなと思いました。私はそれを否定も肯定もせずに、ああそうなんだねというような受け答えをしたわけです。

実は、母は無神論者でした。母が生まれて育ったのは、朝鮮半島です。そこで母の両親とともに、母は子ども時代、青春時代を過ごしています。そして戦後の引揚げを体験しています。その引揚げ体験が大変苛酷であったようです。引揚げ体験ゆえに、母親は無神論者になったと言っていました。つまり、ああいうことがこの世界にあるということは、この世界には神も仏もないに決まっているというのが母の世界観だったと思われます。

というわけで母の葬儀は家族だけで、無宗教の形でやりました。となるとあの「お迎え体験」というのは何なのだろうと思います。母は父親と母親に会って来たと、確信を込めて言っておりました。そのことと母の言う神も仏もないという、それとの関係は一体どうなっているのかということを私は思ったわけです。

先ほど言いましたとおり、母の「お迎え」の話を私は否定も肯定もせず、そうなんだねというふうに会話をしました。私自身は私の死後、私が母と父とあの世で再会できるとは思っていません。なので、私の今の考え方、感じ方としては、母の「お迎え体験」というのは、死が近づいてきた脳が見せる、ある種の非常に強いイメージだったのではないのか、というのが一番しっくりきます。

では、そう思っている私だったのなら、「お母さん、いやそれは違うよ。それはあなたの脳が見せた幻覚だよ」と言った方がよかったのだろうか——ここが問題です。それをずっと考えているのですが、今思うことがあります。それは母親が「お迎え体験」のことを確信を込めて語ったとき、私は「そうだね、死んだらあの世でおばあちゃん、おじいちゃん——私から見ればですね——おばあちゃん、おじいちゃんに会えるんだね」と言ってあげてよかったんじゃないのかと思うようになりました。

実際にはそうは言わなかった。別に何も言わなかった。私は現在も、あの世でそういうことが起きるだろうとは思っていません。別に否定もしていませんけども、全く思っていません。けれども死んだらあの世で両親や家族、先に逝った友人たちと会えるというイメージそのものは、実は非常に優しくて素敵なイメージではないだろうか、というふうに私は思うようになっています。

このあたりは非常に微妙なことなのですが、死んだらあの世であの人が待っている。会いたい人に会えるのではないかと思っている人と——それはその人の思い・想像、あるいは確信かもしれませんけども——そういう思い・想像をその人と共有するということは、実は無神論者にも可能なのではないのかというのが、私が今思うことです。

私は無宗教者ですが、「あの世で親と会えるね」と言っている人に、「そうだね、会えるわね」「会えるといいね」というふうに無宗教の人が言うということは、自己欺瞞ではないのではないのか。自己欺瞞どころか、実はそれは無宗教の人ができる祈りのようなものではないのかということを私は今、感じています。

祈るとは何であるのか

では、祈るとは何であるのかということを今考えているわけですが、信仰のある方、あるいは宗教をお持ちの方が祈るというのは非常によくわかる。何をしているかよくわかることですが、私のように無宗教の者は、祈るというときに何をしているのか、自分でもよくわかりません。けれども無宗教の者が無宗教のまま祈るということは、実は可能なのではないかという気が今はしていて、その1つの形というのは、たとえば先ほど言いましたように、無宗教の親が「お迎え体験」をしてきたと言ったときに「そうだね。あの世で会えるといいね。きっと会えるよ」と言い、その想像を心から共有すること、それが1つの無宗教の祈りの形なのではないかというのが、私が今思っているところなのです。

私はオウム真理教の事件のあった翌年の1996年、『宗教なき時代を生きるために』という本を一気に書き上げました。これはオウム真理教事件に触発されて、宗教と科学について、宗教を持たない者からの立場でいろいろ考えた本でした。

そこで考えたのは、宗教を持たない者にとっての宗教性とはいったい何だろうということでした。宗教を持たないということは、宗教性を否定するのかというと実はそうではない、というのが私の直感でありまして、宗教を持たない者も宗教性ということは、実は感じているし、考えることができるし、生きることができると思います。でも、それはおそらく宗教を持っている人、あるいは信仰のある人とは、やはりどこか違うものであろうという問題意識があり、それについて書いたわけです。

無宗教といわれているものの中に根付いている宗教性というものが何かあるのではないのか――そういう見方で考えてみることは、現代において大事なことではないでしょうか。つまり、無宗教というものを、宗教を否定するもの、あるいは宗教に入らないものという欠如態として、つまりマイナスの形として捉えるのではなくて、無宗教という1つの生き方として、宗教性に向かう向かい方として考えていくということも、実はできるのではないだろうかと思います。

祈りという形は、宗教を持つ者も持たない者も共にできる、その間をつなぐものとして考えることができるのではないかということも、考えているところです。

いのちには限りがあるのか、ないのか

私自身は、信仰というものは持っておりません。無宗教者というのが一番近いと思うのでが、神や仏とか超越的な存在を否定するわけではありません。超越的なものについては知ることができないので肯定も否定もできない、というのが私の一貫した立場です。ですから、無神論ではないのです。無神論というのは、神はないということですが、「ない」と言えないというのが私の立場です。

無宗教者にとっても、世界には不思議なことがたくさんある。その最大の不思議は、なぜ私が今ここにいるのか――その理由がわからない。これは非常に不思議なことです。この問題は、哲学というものが発生した根本的な問題であると同時に、実は宗教性というものが発する場所でもあると私は思っています。

なぜここにいるのか――理屈で考えると根拠がない。この問題をさらに考えていくと、私がここにいなくなるというのはいったい、起きるのか。起きるとしたら、それはいったい何なのか、という問題があります。これも哲学の問いであると同時に宗教性の問題であると私は思っているわけです。その意味で、「死生学」に結びついているわけです。

無宗教の私が母親を看取るということをして、いろいろなことを思いますけれども1つはやはり、生には限りがあると思う。と同時に、死が起きた時に何が起こったのかわからない。そういうリアリティも、私は持っているわけです。このあたりのことを考えなければならない。ここで今日の本題に入りますが、それは、いのちには限りがあるのかないのかという問題です。

たとえば、この世では生は終わるけれども、この世とは違う次元でいのちは永遠である、という考え方がありますね。あるいは、いのちという形が変わるのである、という見方もあると思います。そういう見方では、限りがあるのはこの世のいのちであって、この世でないところにおいては限りがないのである、という見方になるのだと思います。

私のような無宗教の人間が、自分の存在をかけてのることができないのは後者ではないかと思います。この世の生に限りがあるというのは、その通りだと思う。しかしこの世とは別次元で、いのちは永遠なのであるというところに、私は自分の全存在をかけて立つことはできません。私はそれについて

否定もしませんが、自らそこへ行くことができない。これは、実は私が『宗教なき時代を生きるために』でオウム真理教の影響についていろいろ考えたときにぶつかった一番大きな問題でした。

私が自分の人生をかけてのることができないのは、いのちは永遠であるという考え方です。これは本当に巨大なテーマですから、是非あとでディスカッションしたいのですが、その話の前に、ちょっと別のルートをとっていきたいと思います。

「生延長」の賛否

この世の生には限りがある。このことについては、おそらくどんな宗教を信じている方でも信じてない方でも、同意されると思います。この世の生の限り＝死を回避したいという感情が人間の中に生まれるのも、普遍的なことであると思います。

ところで、現代は科学技術万能の時代ですね。すると、科学技術の力によってこの世での生をできるだけ永遠に近づけたいという人間の欲望というものが出てくる。それは一昔前までは夢物語だったわけですが、最近のバイオテクノロジー等々の発達によって、実は可能なのではないかと予想する科学者が、最近続々と出てきているのです。

英語でライフ・エクステンション（life extension）、私は「生延長」と訳しています。この世での生の延長が可能なテクノロジーの入り口に立っているのだから、アメリカや日本のような巨大科学技術国は、できるだけ多くの予算を割いて、そちらの研究を進めるべきではないのか、という論調であります。

世界の中では、「生延長」が一番進んでいるアメリカ合衆国で、特にその声が強いわけですが、彼らはこれこそが人類の古来の夢であり、科学や医学がめざす究極の夢であるという。不老不死を実現していくということに、いったい何の問題があるのだ、というわけです。

ところがおもしろいことに、同じアメリカでそうした考え方に否定的な意見を持つ生命倫理学者たちがいます。アメリカの生命倫理評議会という大統領直轄の諮問委員会で、アメリカの生命倫理の世界ではいわゆる保守派の人物であるレオン・キャスが委員長になって、2003年に「治療を越えて」というレポートを発表しました。これは大変おもしろいレポートで、いろいろなことが議論されています。その１つに不老不死、「生延長」についての議論があります。このレポートは、不老不死に向けて技術を進めることは可能かもしれないけれど、あまりがんばってそっちに行かない方がよい、という結論を出しました。これはアメリカの生命倫理にとっては、衝撃的なことでした。

このレポートが、「生延長」に否定的な見解を出したさまざまな理由のうち、３つほど紹介したいと思います。

１つは、この世の生には限界があるからこそ、人はこの世で生きる意味というものを追求することができる。もし将来、この世での生に限界がなくなれば、人はこの世で生きる意味を失うだろうということ。

２つ目は、「生延長」が可能になったとしても、ちゃんと薬を飲むとか、いろいろなアンチエイジングの技術をどんどん取り入れていかなければ、不老不死はできない。となると、そういう生を生きている人は、頭の中は常にアンチエイジングのことでいっぱいになるだろう。言い換えれば、死について頭がいっぱいになる。つまり、人生の期間が延びるかもしれないけど、延びた期間のほとんどをいかに死を避けるか、老いを避けるかということでいっぱいになる生になるということ。

３つ目は、不老不死になることによって、人間が年を重ねる意味が失われていき、人生はどんどん退屈なものになっていくということ。すべては長いくり返しになり、人生で新しいことが起きなくなっていく。そういう生を何万年も生きることになる。

アメリカではこれが発表された後に、いわゆるリベラルな生命倫理学から嵐のような反対意見がありました。リベラルな生命倫理というのは、人間は自由なのだから自分の責任でもって使える技術はどんどん開発していけばいいというような考え方に基づいたもので、かなり大きな力を持っています。

反対意見で大きかったのは、今言ったような意見はおかしい、というもの。たとえば、寿命が無限に延びることによって退屈になるとか、生きる意味を失うとか、そんなのはヘンな決めつけなのであって、人間は永遠に生きることができたら永遠の可能性というものを獲得することができるのである。もし人生が退屈になったら、退屈を吹き飛ばすような、また新しい娯楽とか冒険とか、そういうものを開発して、どんどん人間の可能性を拡げていけばいい。あるいは、失敗したとしても、人生無限にあるのだから、また成功をめざせばいいのである、といった反対意見が出されました。あるいは、退屈になるような人は生を延ばさなければいいのであって、人生が延びてもぜんぜん退屈しないような人たちだけが、どんどんいのちを延ばしていけばいい。そういう人たちは永遠に無限に新しいことに挑戦し、楽しんでフロンティアを拡げていけるのだから、何も問題はない。あるいは、私は技術をどんどん使って永遠に生きたいと思うのだから、そういう人はそうしたい人を妨害するな、という意見も出てきています。

ハンス・ヨナスの生命哲学

実は、「生延長」がよいのか悪いのかという議論が起きるよりもだいぶ前、アメリカには非常にユニークな見解を発表していた哲学者ハンス・ヨナスがいました。

ハンス・ヨナスはハイデガーの弟子にあたる人で、彼の盟友がハンナ・アーレントです。アメリカに渡って、アメリカの生命倫理学に寄与した人ですが、おもしろいことに、彼の思想そのものはアメリカの生命倫理学からは駆逐されています。アメリカ的ではないのですね。ユダヤ人の哲学者で、生命哲学や環境倫理学で大きな業績を残していますので、たぶん、これからもっと重要になる哲学者だと思います。

ハンス・ヨナスはアメリカで生命倫理学をつくった人の一人ですが、彼は脳死臓器移植に関しては反対しています。アメリカの哲学者で、脳死移植に対して反対している人はほとんどいません。彼は、例外中の例外なのです。これもおもしろいところです。

彼は 1992 年に「死すべき運命の重荷と恩恵」という論文を書いています。書いたのは、死の 1 年前です。1993 年に 89 歳で亡くなりました。彼はこの論文で、「生延長」について議論して、生の延長について否定的な結論を出しています。その理由として、先ほどのレポート同様、退屈に耐えられないだろうとか、人間の脳の容量が一定なので過去の記憶をどんどん消していかないと生きていけないとか、時代の変化に追いつかない云々、などというようなことを挙げて、結論として、個人が生を無限に延長することによってパラダイスが来るように一見思うかもしれないけれど、本当に来るのは地獄である、と論じます。

もう１つ、彼が言っているであろうことがあります。この論文はすごく難しい論文なので、細かいことはよくわからないのですが、私がこの論文から読み取ったこととして、もう１つ大きなことをヨナスは論じています。それは、できるだけ長生きしたいという、歯止めのきかない欲望というものにわれわれはがんじがらめに縛られているのではないのか、ということ。われわれはその欲望を自分の力で断ち切ることは、もうできない。ここにあと10年、より長く生きられるという薬があったら、われわれは手を伸ばしますよね。すると、ここでまた次に新しい薬ができたら手を伸ばす。その手をわれわれは自分で止められるのでしょうか。私には少なくとも自信はないです。

ヨナスがおそらく言いたいのは、そうやっていつまでも生き延びていたいという歯止めのきかない欲望にとどめをさしてくれるものこそ死である、ということです。つまり、どんなものを手にしても長生きしたいという欲望があって、その欲望をわれわれが制御できないときに、その欲望を断ち切ってくれるものこそ私の死であるということをヨナスは考えているのではないかと思います。われわれの欲望にとどめをさす――これこそが死がもたらす恩恵であると彼は考えていた、と私には思われます。

死ねるという希望

さらにヨナスを超えて言おうとすると、「生の延長」が実現する時代においては、死ねるということが希望になるということです。実は、このテーマ自体は、いろいろなところで語られてはいるのです。たとえば、アメリカのＳＦ映画で『未来惑星ザルドス』がこのテーマを扱っています。この作品の未来世界では、人々は死ねない、永遠に生きている。ゆえに人びとは、生きることに退屈して、生きること自体を呪っている。その世界の外部から破壊者が入ってきて、永遠に生きている人たちを片っ端から殺し始める。殺されていく人々は幸せの表情、満面の笑みを浮かべながら、次々と死んでいく――テーマは同じですね。いつまでも生きられる世界においては、死ねるということが希望になるということです。

ところで、「生延長」の支持者たちが語らないことがあります。それは当たり前のことなのですが、「生延長」をやっていこうとする人は、いずれ人は死ぬということを語りません。千年後か、2千年後かわかりませんが、やがて何かの理由で死ぬときに、自分の死をどう受け容れるのかということについても語りません。

つまり、ここに目隠しをしたまま、不老不死こそが人類の古来よりの永遠の夢だから、そっちに向けてどんどん進もうよ、それを悪いといっているのはけしからんというような話を続けているように見えるわけです。

「生延長」や不老不死ということを命題においてしまいますと、死は敗北になります。死という敗北をいかに受け容れるのか、というのはかなり本末転倒の問いになるのではないでしょうか。このように考えますと、最初の問いに戻りますが、この世の生には限りがあるということ、それ自体が、実は尊いことではないでしょうか。そのような見方、方向転換が必要ではないかと思います。

いのちをコントロールしたいという欲望からの解放

この世のいのちは限りがあるからこそ尊い――そう変えない限り、何か根本的なところで、罠から抜けられないというか、うまくいかないのではないかという思いを私は持っているわけです。

ただ、それはどういう意味でそれは可能なのでしょうか。さきほどのハンス・ヨナスのことを考えてみますと、1つ思うのは、できる限り長く生きつづけたいという、多かれ少なかれわれわれが持っている欲望によって、この世のいのちを科学技術によってコントロールしようとするのが「生延長」ですが、その自分で自分のいのちをコントロールしたいという欲望から解き放たれて自由になることに尊さがある、と考えていくのがよいのではないかと思うのです。

ただし、私がこのように言いますと、別な方向から誤解されやすい考え方になります。私が「限りある命こそ尊い」というと、「わかりました。それは尊厳死ということですね」と言われるかもしれません。しかし私が今言いたいことは、いわゆる世間でいわれている尊厳死とはまったく別のことなのです。

現在、尊厳死法をつくって尊厳死ができる世の中にしていきたいという意見があるのは、みなさんご存知の通りですが、それはよく考えてみると、自分の死にざまをコントロールしたいということです。見苦しくないようにとか、他人に迷惑をかけないようにとか、いろいろ理由はあると思いますが、自分の思うような形で死をコントロールしたいという考えが尊厳死というものの、その根本にあるのではないかと、私は思っています。

つまり、いのちをコントロールしたいという欲望は、２つの方面に向かって発せられます。永遠に生きたいというのもコントロール欲望でありますし、こういう形で死にたいというのもコントロール欲望だと思います。この世の生命のあり方をコントロールしたいという欲望そのものに、問題の所在があるのではないか、というふうに考えてみることが大事なのではないかと思います。

人間の尊厳とは

先ほど「尊さ」と言いましたが、ヨーロッパ的な言い方だと「尊厳」になります。それはいったい何か――ちょっと端折った形になりますが、最後に述べておきたいと思います。

尊厳という言い方をすれば、英語で dignity。ラテン語では dignitas。これは歴史的には、紀元前の古代地中海世界から出て、ヨーロッパ世界でいろいろ考えられ、そしてヨーロッパ近代において世界的な人権思想になったものです。

古代の地中海世界――地中海と中東の辺りを含む――で、人間の尊厳という考え方の基本にあったのは、人間は動物よりも優れているという発想です。人間が動物よりも優れているのは、人間には尊厳があるからである――こういう発想のもとで出て来たものです。

ユダヤ・キリスト教においては、人は神の姿、あるいは似姿として創造されたという点が優れているわけであります。動物はそうではありません。その点が人間のすぐれている点であり、またその点において人は神に従属しなければいけないということにもなります。

ギリシャ・ローマ世界ではどうかといいますと、ストア派という哲学者たちがおりまして、たとえばキケロなんかはこんなことを言っています。すべての人間は理性を持っている。その点で人々は平等な尊厳を持っている。なぜなら、すべての人が理性を共有しているからだ、というようなことを言うわけです。これが、後の現代世界の人間の平等という考え方を基礎づける発想にまで結びついていきます。

ストア派に影響を与えたものとしては、アリストテレスがあるわけですけれど、そのへんの話は、今日は端折ります。ヨーロッパの場合は、古代から中世にかけていろんな形で尊厳ということが語られますけど、たとえばピコ・デラ・ミランドラという思想家は、人間は自由な意志を持っているから平等である、尊厳であるというふうに考えました。

そして、以上のような考え方をヨーロッパの近代においてまとめあげたのが、カントという哲学者です。カントは非常に成熟した考え方をしておりまして、このようなことを言っています。人間がなぜ尊厳なのかというと、人間は理性を持っていて、自分でルール、普遍法則というものを自分で決めて、自分でルールに従うことができる。そんなことができるのは人間だけである。これをカントはアウトノミー（Autonomie）、日本語では自律、ここに人間の尊厳があるとカントは言っています。

実はカントはもう1つ、これと似たようなことを別の言い方で言っています。それは、私流に言い直しますが、つまり、どんな人間であってもその人が、その人の人生を生きられるということが一番大事である。だから、人は決して他人の単なる道具にされてはならないということです。

すべての人は自分の人生を生きているのだから、他人の道具になってはいけない。まさにこれこそが尊厳ということだとカントは言っています。私はこの2番目の語り方というのは、今日21世紀の世界にすごく大事なことではないかと思うわけです。

すべての人はどんな人であれ、その人の中に人間を超えたダイヤモンドが埋め込まれて生まれてきている。だからすべての人の中にある、このダイヤモンドをみんなで尊敬しないといけない。これこそが人間の尊厳ということの一番深い意味なのだと私は解釈しています。

ある力を持った人間が、権力や欲望によって、力を持たない人間を踏みつぶそうとしたとき、踏みつぶすのはダメだと言うための、抵抗の原理として、尊厳ということを言っていると読むことができます。これは現代において、とくに虐待や暴力を考えるとき、なぜそれが悪いのかということを考えるときのすごく大きな根拠になると思います。カントのすごいなと思う点は、何世紀も越えてこういうような、われわれがものを考える時の考え方の基本というようなものを出してくれているところだと思います。

カント哲学の問題点

以上のことは、21世紀のこの世界においても、われわれが失ってはいけない大事な考え方であるし、社会の中に根付かせていかないといけないことだと思います。その上で私がカントのいう尊厳に対して不満を持つ点について、少し述べたいと思います。

1つは、カントが尊厳を持っているとした人間は理性を持った人間です。では、植物状態の人、脳死の人に尊厳があるのか、ということに対して、カント哲学はうまく答えてくれません。普通に読むとないと言っているように読めます。この問題は、カント研究の中でもいろいろ議論が紛糾するところなのでここでは立ち入りませんが、少なくとも脳死の人に尊厳があるとカントが言っているようには読めません。カントの時代には人はすぐ死にました。あるいは、障害を持った人たちが長く生きるということは、当時はあまりなかったでしょう。カントの発想はマージナルな、つまり人間には正常と異常があると考えたときにボーダーの上にあるような人の尊厳を守ることができないかもしれない。ここが大きな問題です。

2つ目は、カントは人間の魂は不死であると考えなければならないと言う――カントは「要請」しないといけないと言うわけですけど――ここに私の不満があります。死後も不死であるとどうして措定できるのか。信じられる人もいるけど、信じられない人もいる。信じられない人は、カントの言っているステキな哲学全体を信じられなくなる。

3つ目は、カントは人間のいのちと人間以外のいのち、動物、植物、生態系のつながりについてあまり考えていません。考えてないこともないのですが、ほとんど考えてない。その意味でこの現代的な状況にうまく合わない面もカントは持っているわけです。ですから私は、カントの人間は尊厳を持っているという考え方を捨ててはいけないと思うと同時に、カントが時代的な制約からうまく考えきれなかったことについては、もう一度、今から考えていくべきだと思っていますし、私はそういう作業を今やっているつもりです。

身体の尊厳

では、尊厳ということをどう考えればよいのか——私が今考えていることの概要を述べたいと思います。私は人間の身体、からだ、それ自体に尊厳があると考えた方がよいと思っています。私はそれを「身体の尊厳」という言葉で、最近は語っています。カント的に考えると、人間の身体に尊さがあるのは、われわれの理性が宿っているからということになりますが、私が考えようとしているのは、人間の理性が宿っていなくても、人間の身体にはそれ自体、尊厳があると考えるべきではないのかということです。

そのように考え始めたきっかけは、長期脳死の問題でした。長期脳死の子どもというのは世界中、日本中にたくさんおりまして、私は彼らのことを知りました。彼らは厳密な脳死判定をされているにもかかわらず成長します。背が伸びて、体重が増える。そして身体を動かす。第二次性徴を迎える方もいます。介護施設や自宅で「生き」続け、成長することができて、実際そうされている方がおられます。あるいは、大人の女性が脳死になった場合、妊娠・出産ができます。少し前までは語られなかったようなことが、今ははっきりと医学的に確認されています。脳死の子どもの身体に尊さがないのかというと、あると思うのです。そのことをどう言えばいいのかというところに私の問題意識が生じました。たとえ自己意識がなくても、脳死状態であっても、そこに成長している身体があるというだけで、その身体は尊厳を持っているのではないか、そのように見ていくべきではないのかと思ったのです。

われわれの身体はそれ自体、尊厳というものがある——それが「身体の尊厳」。それはまるごと成長し、まるごと死んでいく、自然の権利というものがあるというように考えたらどうかと思っています。成長している身体は、それ自体で権利を持っている——どんな権利かというと、それはそのまま成長し、そのまま亡くなっていく、そういう権利です。ですから、これを私は現代の自然権として考えたいと思っています。また「身体の尊厳」は、他人の奴隷として使用されない、あるいは将来、醜くなったり汚くなったり、動けなくなったりしても、単なる物体以上のものとして扱われるというような意味での尊厳であり、権利でもあるのです。

人生の尊厳

このように考えてみると、カントの考え方に基づいて出て来ている人間の尊厳というものを、また違ったふうに捉え直すことができると、私は今思い始めています。

私は「人間の尊厳」という言葉の代わりに、「人生の尊厳」と考えたらどうかと思います。「身体の尊厳」と「人生の尊厳」は別個だけれど、どちらも尊い「尊厳」として２つあるのではないか。

人生の真理として、論理的に言えることがあります。１つは、人生は一度きりしかないということ。もう１つは、人生には限りがあるということ。そして、人生の主人公は私でしかありえないということ。あなたが私の人生の主人公とは、論理的にないことなのです。人生の主人公は私でしかない。人生には、実は成功も失敗もない。これも言えます。最後の瞬間まで、絶望から脱出できる可能性がある。

以上のことは、人生の真理なのですが、その実感を持てない状態の人間はたくさんいるのです。私も持てなくなった時期がありますから、よくわかります。人生の真理を実感を持って生きることができるときの尊さを、私は「人生の尊厳」と呼びたいと思っています。

その実感を持てずに生きている人は、「人生の尊厳」が奪われている。われわれは、「人生の尊厳」が奪われている、あるいは失われている人に対して、その人々がもう一度実感を取り戻せるようにはたらきかけていく必要があるのではないでしょうか。

たとえば、虐待を受けたり、迫害を受けたり、暴力がくり返された場合に、私の人生は私であるという実感が失われることがあります。私の人生の主人公はあの人みたいな、そういう状態で生きている方がいます。これは、私の人生はどんな状態であっても主人公は私だという真理を、真理として実感できない状態に追い込まれているということです。その意味で「人生の尊厳」というものが、人から奪われるときが存在する。そして、これは社会の中で解決すべき問題になるということです。

もう１つの尊厳

尊厳については、カントの考え方を失ってはならないけれども、現代において改めて考えるならば、「身体の尊厳」「人生の尊厳」の２つの大事な尊厳を考えてみると、もっと幅広く考えていけるのではないか、と私は考えているとお話ししました。

今日はお話しできませんでしたが、「身体の尊厳」「人生の尊厳」ということともう１つ、実は３つ目のことも考えています。それは、人はつながりのなかではじめて生きていけるということ。人と人のつながりがあると同時に、人と自然とのつながりというのもあるわけです、たぶんね。そういう宇宙の中のさまざまなつながりの中で人は生きていけるということ自体、実は尊いのではないか、という３番目の尊厳も、私は今考えています。ですが、これについて今日お話ししないのは、まだ自分自身よくわかってないからなのです。

最終的には、上の３つの尊厳というものを、われわれが守っていくことによって、人々はそれぞれの人生をまっとうできる準備が整うのではないのかというように、私は今思っています。われわれは身体があるということ、そして有限な人生をこの世では生きているということ、そしてわれわれはつながりの中でいるということ――これらの中に、実は尊厳というものがあるのではないか、そのように見ていくことが大事なのではないか、ということを今思っています。

今後、考えを進めながら、21 世紀の中で人間やいのちというものの尊さをどのように考え直していくのがよいのか、もっと深めて拡げていく必要があると思います。このことは、生きているわれわれが、やがてこの世では死んでいくことをどう見ればいいのか、根本的なところでつながっているのではないかと思います。

（記録　菅　直子）

〈エッセイ〉

死に向き合うことで生まれるもの

片岡朝子

はじめに―私自身の体験

私は幼少時に、死は「口にしてはいけないこと」と言われて育った。死に関する話をすると、両親や祖母から「縁起でもない！」と強く叱責された思い出がある。その為、死は怖いという恐怖感を持って子ども時代を過ごした。これは私の両親が共に幼少期に父親を亡くし、戦後の混乱期にそれぞれ母子家庭で育つ苦労をした過程で、親との死別体験を消化できずにいたことが原因であったと思われる。この恐怖心は心の底に残り、死について自然な生の終焉とし、誰にでも起こりうることとして受け入れる、という視点を持たずに育つことになった。20歳で保育者となり、生き物の死と向き合う場面でも、避けたいことと思いつつ、子ども達と飼っていたウサギ等を埋めた思い出がある。子どもの喪失感や悲しみに寄り添うどころか、自分自身が怖れているという本心を悟られないようにすることで精一杯であった。

41歳の時に、夫の余命宣告や死という、まさに死と向き合わなければならない場面においても、私自身は死ではなく、生の方向だけを向き、病が治るよう夫を励まし続けた。事態が進んでホスピスに病棟が変わっても、表面上は死と向き合っているように取り繕いながら、心の奥底では死の方向をみることができなかった。寄り添う者が死に対しての恐怖やタブー感を本心から乗り越えていたならば、家族の最後の時間の過ごし方が変わっていたのではと考えると、今でも大きな後悔と慚愧の念に襲われる。更にその後に夫の死が訪れても、現実を受け入れるのに長い時間を要した。死と向き合うことを避けるという幼児期からの習慣が強く残っていたからであろう。

後に入学した大学院での学びのテーマは「保育者が自らの死生観を確立させていく過程の意義について」であった。そのきっかけは当時中学2年生だった息子が、正面から父親の死と向き合い、絶望しつつ死を悲しみと共に受け入れ、感謝や希望へとつなげていった時間を共に過ごしたことによるところが大きい。息子のRは現在大学4年生だが、小6から中2までの3年間に、父親と祖父母の家族3人を病気で亡くしている。そのことを振り返り、死と向き合うということについて、あらためて考えてみる。

父親へのがん告知

Rは思春期となっても進んで父親と毎朝一緒に風呂に入るなど、親子関係は良好であった。高校の数学の教諭をしていた夫は、後腹膜ユーイング肉腫（小児に多い骨肉腫の一種）を40歳で発症し、41歳で亡くなっている。初期の段階で「余命は週単位と考えて欲しい」という宣告があったにもかかわらず、闘病生活は1年に及んだ。発症した年度の健康診断は、すべてA判定で体育会の部活顧問をしていたこともあり頑健だったため、本人及び家族にとって青天の霹靂ともいうべき出来事であった。

当初、かかりつけ医より逆流性食道炎との診断があり治療していたが治らず、検査を繰り返すうちに倒れ、総合病院にて緊急手術となった。しかしその手術後の病理検査が正常に為されず、セカンドオピニオンとして、手術の3か月後に自ら静岡県立がんセンターを受診した。そこで確定診断を受け、主治医より、治療手段はないが抗がん剤治療を行うことが告げられた。その告知の席に、私はRを同席させた。今思えば同席させるのは乱暴なことであったが、いきなり何の心構えもなく父親が亡くなってしまったらどうなるのかという私の恐怖心が大きく、ショックの前の準備になればと主治医との面談にRを同席させてしまったのだ。しかし、親でさえ事態を受け止めるのに精一杯な状況で、フォローできる体制もないまま告知の席にRを同席させるべきではなかった。もっと丁寧に話すべきであったと、今でも反省している。

この告知を聞いたRは、何日間かぼんやりして無反応のようにみえていた。当時Rは主治医の指示で学校を休み、がんセンターに泊まりこんで危篤状態の父親に付き添っていた。ところが、ある日突然、誰もいない家族室で暴れだした。「パパが死んだらどうしようと思うと、怖くていられない！」「せめて大学に入るまでパパにいて欲しかった……」「お母さんまで、がんになったらどうするんだ！　おれはひとりぼっちになるじゃないか！」「おれは親無しになって、親無し親無しっていじめられるんだ！」「お母さんは今でも親が生きているんだから、俺の気持ちなんてわからない！」などと叫び、泣き、暴れた。そして病棟を飛び出すと、がんセンターの中をやみくもに走り回りはじめた。全速力で走りまわったあと、夜中の病院の地下駐車場のトラックの下にもぐり込み、出てこなくなってしまった。動物が身を守るように暗い狭い場所に身を縮めているRから辛い思いが伝わり、私は一人トラックのそばに座っているしかなかった。

このような状態でも、Rは父親の病室の中だけは普段どおりの明るい様子を崩すことはなく、いつも父親を励ます態度をとっていた。

小児科のＩ医師の息子への助言

翌朝、私はがんセンターの中にある“よろず相談”に助けを求めた。そこには臨床心理士やカウンセラーがいて、私の話を涙ぐみながら聞いてくれた。そしてRが思春期で精神的に危険な状態にあること、自分で自分のコントロールが効かず、衝動的な行動が起こりやすいこと、一人にせず常に見守って、衝動的な行動に備えるようにすることなどの、アドバイスを頂いた。看護師でもこんな経験は今までにないと泣き出して部屋を出ていくような苦しい治療を父親が受けていたことや、私が疲れきっていたこともあり、思春期のRへの対応はカウンセラーでは難しいということになった。そして小児がんの治療にあたっているがんセンター小児科のＩ医師が、Rと面談していくこととなった。

面談のため部屋に入ってきた小児科医は、第一声に「きみのせいじゃないんだよ」と強くおっしゃった。「誰のせいでもない、何かのせいでもない。誰かのせいにすると君自身が辛くなるよ。きみのせいでは絶対にない」と堂々と確信を持って告げた。そして辛かったら無理に病院にいることはないこと、病院にいるか、家で過ごすか、学校に行くかを自分で決めていいこと、聞きたいことは何でも聞いていいことを丁寧にRに伝えた。Ｉ医師はRを退室させた後「お父さんが突然とても悪くなり、何が何だかわからないままがんセンターに連れてこられ、そのまま家族室に泊り込みの生活になり、その上お父さんが死んでしまうことを知り、自分の想定をはるかに越えた事態にパニックになって、自分の行動を制御できなくなっている」そして「起こった事態がすべて受身であり、彼にはどうすることもできないことばかりなので、彼が自分で選択できることを小さなことでも選択できるようにしていきましょう」とのアドバイスをくれた。具体的には何をどこで食べるか、病院に泊まるか、家に帰るか、学校に行くか、といったことを彼自身に決めさせる。生活の中に、自分が自己コントロール感を持てる瞬間を作るようにしていくということであった。

その後は、それまで意識したことがなかった「本人が自己コントロール感を持てるように」ということを意識しながら病院で暮らした。するとＲの衝動的な行動は落ち着いてきた。Ｒが落ち着いてくると同時に、私自身も少しずつ落ち着いてきた。Ｉ先生がＲに言った「君のせいじゃない、誰のせいでもない」という言葉が救いになっていたのだ。夫ががんになったとき、周囲は「食事のせいじゃないの？」「家庭にストレスがあったんじゃないの？」と何気なく聞いてきた。その度に傷つき「こんなことになったのはすべて私のせいだ」と思い込み、苦しんでいたのである。その為Ｒに対する私の対応は、謝るか叱るかという極端なことになっていた。しかし小児科医の確信に満ちた「君のせいじゃない。誰のせいでもない」という言葉を聞いたとき、その言葉が横で聞いている私を救ってくれた。そして私自身の激しい動揺が少しずつ収まり、がんセンターでのＲの態度も落ち着いていったのだった。

父親の死後

その後、がんセンターでの８ヶ月の闘病生活を終え、家の近くの静岡県立総合病院の緩和ケア科（ホスピス）に転院し、その２ヶ月後に夫は亡くなった。その瞬間、部屋には医師も看護師もおらず、私とＲの２人だけであった。緩和ケアの医療用麻薬をどんなに使っても効き目は少なく、激しい苦しみが長期間にわたって続き、治療の時と同様に看護師がみていられないと泣き出していた。亡くなる瞬間も衝撃的だったため、Ｒはその後何ヶ月間も「あんなもの見たくなかった。なぜ自分をあそこに居させたのか。家に居たかった。なぜ全部終わってから自分を呼んでくれなかったのか」と訴えた。親の死に目には立ち会うという世間の常識から立ち合わせただけであり、深く考えて立ち会わせたわけではなかったので、Ｒから責められるたびに「そうだよね、ごめんね……」としか返答できなかった。これについてはその後のＲの不登校の相談で、再びがんセンターの小児科医の診療を受けた際「長い目でみていつか立ち会ってよかったと思う日がきますよ」と言われた。それでも、深く考えずに、世間の常識だからと長時間苦しみ抜いて死んでいく姿を間近でみせたことは、今でも後悔している。死んだあとの姿をみるだけでも充分だったのではという疑問も残っている。しかし、矛盾しているが、父親の死にざまをみた、ということは意味のあることだったのでは、という思いもある。

Ｒの不登校

直後の私とＲは、葬式等をしっかりこなしていたが、１ヶ月間ほどは実際に起こった出来事だという現実感がなく、夢の中で暮らしているような状態であった。感情が麻痺していても人前では普通に振る舞えていた。しかしその後、父親を必死に励まし続けていた疲れもあってか、Ｒは学校に行かなくなってしまった。私は亡くなった夫の代わりに父親役をしなければ、甘やかしてはいけないと思いこみ、厳しくしていた。受験生であったため、何とか勉強してほしいと思っていたのである。学校に行きたがらないＲを無理やり起こして、引きずるように車に乗せて学校に連れて行き、叱り、甘やかさないようにと必死であった。しかしそうすればするほどＲは私を避けるようになり、生気を失ない、やがて食事が取れなくなり、眠れなくなり、少し寝てもうなされて起きてしまうようになっていった。私も一緒に食べられなくなり、夜中にうなされて大きな声がしたら飼い犬と一緒にＲの部屋に飛んでいくという夜が続いた。追いつめられながらも、受験生なのだから学校や塾に行ってほしいという気持ちも変えられず、親子関係はどんどん行き詰まっていった。中学校の担任に電話で本人と話してほしいと一度お願いしたが「こういった場合の登校指導はいたしません」との返答があり、あきらめた。

ホスピスのＳ医師の母親への助言

どうしようもなくなった私は、ちょうど事務手続きが必要だったこともあり、ホスピスでの夫の主治医であったＳ医師を訪ねた。治ると信じて父親を必死に励まし続けているＲのことが、一番心配だと言ってくださっていたのを思い出したからである。Ｓ医師は話を聞いた後「なんで受験、受験とおっしゃるんですか。今、息子さんの心は疲れ切って壊れかかっているんですよ。受験どころじゃない。息子さんはお父さんを亡くして、家族はあなただけになったんです。そのあなたから厳しくされたら、彼はどうしたらいいんですか。人生は長い。今学校にいけなくたっていいじゃないですか。これから１年間、彼のすべてを受け入れてあげてください。１年間ずっと、お母さんが味方だから安心して、お母さんがついているよ、と何度も言葉で、態度で、伝えてください。１年たったら厳しくしてもいいです。でも今は、何もできなくても、勉強しなくても、学校に行けなくても、お母さんは味方だということを、どんなに反発されても伝えてください」と言ってくださった。しかし私の返答は「早く乗り越えなければ！　うちの子受験生なんです！」であった。この頃の私は、強くあらねば変化した状況に対応していけないと思い込んでいた。

しかし、Ｓ医師の言葉を頭の中で繰り返すうちに、そのアドバイスを受け入れることができた。Ｒを無条件に受け入れること。どんな状況でも味方だと伝えること。私のすべきことはそれだとわかった。父親代わりに厳しくしなければということにとらわれていた私に、大きな転換が起きた瞬間であった。私は、Ｒに対し厳しくすることは止めた。学校は休もうと提案し、家で過ごした。Ｒのほっとしたような、安心したような顔が印象的であった。家にこもって過ごす時間は、疲れ切っていた私にとっても必要な休息の時間となった。

母親による「あしなが育英会」への電話相談

その後、Ｒは元気になったかと思うと、また落ち込んでしまうということを何度か繰り返した。あるときは父親の腫瘍ができた場所と同じ場所の激痛に襲われ、夜中に救急病院でＣＴをとったこともあった。亡くなった瞬間の苦しんだ父親の表情や様子を真似して、繰り返しみせた時期もあった。この時期に「あしなが育英会」に親を亡くした子どもへの精神的サポートの活動があるのを知り、電話で相談をした。「親を亡くした子どもといっても状況は様々ですよ。１歳で亡くすのか、５歳で亡くすのか、10歳なのか、17歳なのか、本人は男の子なのか、女の子なのか、兄弟はいるのか、いるなら何人いるのか、兄弟は同性なのか、異性なのか、父親を亡くしたのか、母親を亡くしたのか、両方を亡くしたのかによって、難しさも、それぞれ違うのです。ですからそれによって対応も様々なのです」と教えていただいた。我が家の状況を聞かれたので「14歳、一人っ子の男の子で父親を亡くしました。」と伝えたところ「……それはいろいろなパターンのなかでも難しいケースの一つです。一人っ子で兄弟が無く、思春期の男の子が父親を亡くして、母親と二人きりで逃げ場なく向き合ってしまうのは……」との返答であった。私はその言葉を聞いて、以外にも安心した。思春期の対応は難しく、こんなにも激しいものかと日々思ってはいた。しかし、親を亡くした子ども達を専門にケアしている方々にとって難しいケースだということを聞けたことが、私の救いとなった。それならば大変で時間も必要である、ということが納得できて安心し、覚悟を決めることができたのであった。

しかしこのような過ごし方は、周囲からの批判も多かった。「親を亡くす子はたくさんいるのに、そんなことで学校に行かなくていいなんて、甘やかしだ」「お父さんがいなくなった分まで、勉強がんばらせなきゃ」「故人の意思を継いで、いい大学にいかせなければ」「子供のことを本当に考えている親なら、受験準備してちゃんと勉強させるべきだ」「ホスピスの医者の言葉を鵜呑みにして……その医者が、子供の人生の責任をとってくれるわけではない」などの言葉に傷つくことも度々であった。同居の父の介護がはじまり疲れていた私は揺れつつも、周囲になんと言われようとこれだけは貫こうと決めていた。それほどS医師のアドバイスは、大きな転換点であり救いとなっていた。私が落ち着いて生活できるようになってくると、Rの重い疲れが回復してきているように感じた。表情に生気が戻り、食べるようになり、寝られるようになっていった。そして父親が亡くなって6カ月後に、学校生活に戻っていったのであった。

祖父の死

Rの中学卒業直前に、今度は長年同居していた私の父が介護の末に亡くなった。Rの大好きな祖父が亡くなる最後の時、Rに「病院に居る？　家に居たい？　どうする？」と聞くことができた。「人が死ぬところはもうみたくないから、家にいる。一人にしちゃってごめん」と心配そうな顔をしたので「いいよ。これから親戚いっぱい来るから、家を片付けてくれてたらすごく助かるよ」というと、ほっとした顔で帰っていった。その後も祖父の死を落ち着いて受け止めていた為、死ぬ瞬間の立ち会いに際してどうしたいかを聞くことができたことは良かったと感じている。Rは祖母と父親と祖父を短い期間で亡くした後「5人家族で当たり前と思っていたのが、あっという間に2人だけの家族になって、自分も明日死なない保証はないとわかった。死がいつも身近に、いつも自分の隣にあるようになった。だから今できることをできるかぎりする、と考えるようになった」と語った。父親の余命を知らされた頃は、とにかくその状況から逃げたかったこと、父親がホスピスに転院したことは、治すことをあきらめたことになると思い内心は激怒していたことも話し出した。病室で常に明るく笑顔で夫を励まし続けていた息子がそんなことを考えていたことに、私はまったく気がついていなかった。

「卒業文集」掲載の息子の文章

Rは祖父を亡くした1カ月後に、中学を卒業した。卒業文集に寄せた文が以下である。

「大切にしたいこと」

僕がこの3年間に見つけた「自分の生き方として大切にしたいこと」は、人と人とのコミュニケーションを、大切にしていくということです。この生き方を見つけたのは、中学2年生の出来事がきっかけでした。それは自分の父が死んでしまったことです。今でも思い返せば、とても悲しいです。でもそれ以上に感謝の気持ちを伝えたかった、という後悔がとても大きいです。「ありがとう」たったそれだけの一言を、普通に考えるといつもちゃんと伝えていると感じるかもしれない。けれどこの時思ったのは、何かくれたから「ありがとう」というような「ありがとう」ではなく、自分と父に関すること、すべてに「ありがとう」ということです。生と死は光と影に似ていて表裏一体です。だから、このことを全部ふまえて、一人一人とのコミュニケーションを大切にすることは、「今」しかできないことだと思います。これからは一回一回の人とのコミュニケーションや出会いを大切にして、生きたいと思います。

ふたたび学校に通うようになったRは、無言でいることが減り、表情や生活態度が落ち着き、自然に手伝いをしたり、私を思いやるような態度や言葉が出るようになった。思春期が一気に終わって大人になってしまったような印象を受けていたが、この文には驚いた。拙い文だが、父の死をこのように彼なりに心の中に受け止めたことが伝わってきた。“感謝”が、彼の中から自発的に表現されたことによって、現実の生活では存在しなくなってしまった父親が、形を変えて彼の中で働いていることを実感した。幼い頃から死をタブーとして避けていた私にとって、死がこのように受け止められ、感謝の気持ちへ繋がっていくことは、思いもよらない展開であった。

その後、夫の「この経験を生かせ」という言葉と、介護に疲れきっていた私に対して、父の「身体と心の休息のために大学で学んでほしい」との遺志もあって静岡から転居し、大学に編入して保育について学ぶことを許された。大学院では、命を大切にすることを伝える保育の実践にあたり、保育者の死生観の確立が一つの方法となるのではとの仮説に基づき、保育者自身の死に対するタブー感や、保育の中における死に対する実践調査等の学びを深めた。

おわりに

今思うのは、私自身が死と向き合うことを避けていたことが、余命を生きるという家族全体のQOLを著しく下げていたのではないかということだ。死について考えたり、死は誰にでも訪れる人生の終着点であるといった心の構えが全くなかったことが、家族の動揺を大きくして無理をさせてしまった。

そんな混乱の中、がんセンター小児科医とホスピスの医師に息子に対してアドバイスをいただけたことはとても助けになった。専門家への相談がどれほど有効であるかを実感した。中でも大きな転換点となったのが「何もできなくても、学校に行けなくても、お母さんは味方だということを何度でも伝えてください」という医師の言葉であった。そのアドバイスを受け入れるまでは、受験生だからとの思いに囚われ、学校に行けない息子を無条件で受け入れることができなかった。

乳幼児期の心の土台となるのは、主に母親から受け入れられ愛されているという安心感であろう。私は保育者として、子ども達が条件付の愛ではなくありのままの自身が大切にされ、受け入れられていることが人生を生きる上での大切な基盤となると考えてきた。今回の経験を通して、精神的危機状態に陥った場合は、幼児期でなくとも、ありのままを受けいれられているという安心感に再び立ち帰ることが、壊れかかった心の土台を作り直すことにつながるのではないかと感じた。そしてその土台が再びしっかりと築かれた後、その安心基地からまた再び自立へと向かうことができるのではないであろうか。

当時の私はRの感情の表出がある度に動揺し混乱し一緒に泣くことしかできなかったが、時間をおいて落ち着いて事態を見直してみると、Rが感情表出できたことはよかったのではないかとも思われてきた。感情を表せないまま内向していった場合、悲嘆の感情は押し込められ何年後かにどのような形で表出されるのか見当もつかない。親を亡くした子供たちは、感覚鈍磨に陥ったり、具体的な痛みの症状を示したり、怒りで反応する。悲しさを抑圧することは、その後の精神衛生や幸福にとって有害で危険なものになることもある。成人してから、子供時代の死別体験が原因で精神障害を引き起こす事例もある。Rの場合は学校や小児科医などには自分の感情を出さなかったが、いつも母親に自分の感情をぶつけていた。不安定な精神状態であった私は、その感情を受け止められた記憶はない。しかし限界を越えたような精神状態の中にあっても、自分の中でこれだけはと意識していたことがあった。それは、「共感」ということであった。適切な言葉がけができる余裕はなく、その時の自分にできることは「共感して共に居る」ということだけで、これが極限のような状況でも意識できた、唯一の対応であった。

また、アドバイスの中ですぐに実行できたのは“自己コントロール感を持てるようにする”ということである。これはがんセンターの小児科医のアドバイスであった。週単位という余命を告げられ、がんセンターに家族で長期間泊まり込むことは、家族にとって危機的状況である。そんな状況の時に子どもに選択肢を与えることは思いもよらなかった。しかしアドバイスを受けて意識すると、実行はたやすかった。すべてが受身の環境におかれる中で「自分で選んだ」という小さな経験が、自分自身を取り戻すきっかけになっていた。小さなことでいい。本人に選択肢を与えた中から選ばせることは、意識すると材料はいろいろみつかる。しかし、親自身に余裕のない時は、すべてを大人が決めて従わせることになりがちである。私もアドバイスを受ける前はそうであった。しかし生活のなかでいくつかの選択肢を用意して選ばせるようにしてみると、それが子どもの自己コントロール感を高め、自分が尊重されているとう気持ちに繋がることを実感した。

すべてを受け入れ学校を休んでいた期間も、時間がたつと不安になってくる。そんな時はＩ医師とＲとの面談をもうけていただくことができた。不登校の専門家を紹介するつもりだった医師は、二人きりでＲと話し「この子は大丈夫です。冬のあとに春がきて、雨の日があって晴れの日があってまた雨が降ってもまた、晴れの日が必ずくることを知っている子です」と告げ、時間はかかるが今のままの対応で大丈夫と伝えてくださった。学校を休ませていると、この対応でいいのかと時折不安になる。そんな時に医師に相談できたことは救いであった。不安な気持ちや悩みを話せる場所があるということの大切さも、痛感した。

『青年期における親の「死」にかかわる危機の捉え方とその過程に関する研究』によると親の死に関わる危機を体験した場合、外傷後成長尺度が有意に高いことが示されている。自分も例外なく死ぬのだという事実を自覚し、死の側から生を眺めるようになり「新しい可能性」「他者との関係性」「個人的な成長」「精神的な変化」「人生への感謝」といったことが、死を経験したほうがポジティブな変化をみせるというのである。これは極限的な状況を経験しないと「希望がなんであるか」を理解することは難しく、試練はもっとも強い肯定の機会となりうるということであろうか。つまり、死に向き合うという精神的危機から生まれるものがあるのである。死は単に不幸な出来事ではなく、それによってもたらされる精神的成長は計り知れない面もあると実感した。それはＲにおける、父親と一緒に彼自身の心も一度死んでしまったような状態からの再生を、共に生きてきて感じることのできた実感である。

事態を乗り越える根底の支えとなったのは、苦しみの中にあっても「これがＲじゃなくてよかった」とばかり繰り返していた夫のＲに対する思いであり、家族で信仰を持っていたことであった。闘病中は神を恨み、なぜ？　と問いかける日々も長かったが、夫は亡くなる２カ月前に息子の受洗を望んだ。その大きな意味に、時間がたってからそれぞれ気がつくことになる。また入院中に夫の提案で犬を飼ったことは、今でも支えとなっている。

現在 22 歳の R は、当時の細かい記憶があまり残っていないと語る。母一人子一人の生活は、距離を保つことを意識しながら、必要な時は助け合う穏やかな日々となっている。その生活の中に、亡くなっていても父親としての働きが存在していることを感じている。それは、死は終わりではなく、形をかえた継続であることの実感でもある。

〈エッセイ〉

「小さな死」によせて

大林雅之

1）はじめに

わが国において、生命倫理学や死生学は多くの大学で授業科目としても取り上げられるようになり、また、そこでのテーマである「終末期医療」や「ホスピス」への関心は、社会の高齢化が進む中で国民的関心として一般化している。しかしながら、高度に技術化された延命治療への対応や、終末期医療における患者の「死の受容」については十分な議論がなされているとは言いがたい。そうであるからこそ、上記の「国民的関心」がますます増大していると言ってもよいであろう。そのような「死」への関心の高まりの中で、注目したい言葉がある。それが「小さな死」である。

ここでの「小さな死」とは、岡山にあるノートルダム清心女子学園の理事長である渡辺和子氏によったものである。それは、幾通りかの語られ方がなされているが、最も特徴的には次のように述べられている。

> 何事もリハーサルしておくと、本番で落ちついていられるように、大きな死のリハーサルとして、“小さな死”を、生きている間にしておくことができます[1)]。

すなわち、「小さな死」とは「大きな死」のリハーサルであるとされる。「大きな死」とは「本番」の死、つまり通常医師から「ご臨終です」と言われ、葬式へと進行することになる「死」のことである。つまり、「大きな死」は、われわれが普通に「死」と考えている、避けたい、恐怖の対象とされる「死」のことである。その「大きな死」のリハーサルになるのが「小さな死」なのである。小論の目的は、そのような「小さな死」が、「大きな死」に向かうわれわれにとって、どのようなものとして理解できるかを明らかにしたいということである。

上記の目的のために、小論ではまず、「小さな死」が注目される背景を述べてから、そもそも「小さな死」という言葉が、これまでどのように述べられてきたかをみておく。そして、渡辺和子氏が言う「小さな死」がどのような意味で述べられているかを整理する。それらの考察を踏まえ、「小さな死」がわれわれの死生観にとってどのような示唆を与えてくれるのかを明らかにしていきたい。

2) どうして「小さな死」が注目されるのか？

例えば、生命倫理学の議論において「死」をめぐり議論には次のようなものがある[2)]。

まず、「真実告知」の問題が取り上げられ、そこでは「インフォームド・コンセント」や、その前提とされる「患者の権利」である「知る権利」や「自己決定権」が議論される。

次に終末期にある患者における「死の受容」の問題が、E. キューブラー＝ロスの有名な「死の受容」に至る「5段階説」に言及し論じられる。

そして、終末期の具体的な医療のあり方として、最近では「ターミナル・ケア」ではなく、「エンド・オブ・ライフ・ケア（End of Life Care）」である「緩和ケア」や「ホスピス」が取り上げられる。

このような議論の中で、E. キューブラー＝ロスの「5段階説」は患者における「死の受容」の可能性を示したものとして議論されてもきたが、必ずしもキューブラー＝ロス自身の真意は、その死への過程で「デカセクシス」[3)]が得られるというようなものではないという見方もある[4)]。また、その「死の受容」とは、患者本人の「死の受容」というよりは、家族、医療従事者にとっての、「患者の死の受容」への「過程」の「共有」が強調され、そこでの「死の受容」とは実は「残される者」から見たイメージであり、死に行く本人の「死の受容」のイメージとは異なるものではないのかとも考えられる。このように「死の受容」ということをめぐってもさまざまな議論が交錯しており、依然として「死の受容」のアポリアは存在しているように考えられる[5)]。

以上のような状況の中で、ベストセラーとなった渡辺和子氏のいくつかの著作の読者にとっては、「小さな死」が、「死」の「リハーサル」であるという表現によって、「死」が日常体験に結びつけられたということができたともいえよう。決して経験することができない自分自身の「一人称の死」である「大きな死」を、抽象的、形而上学的に語られてきた「死」を、経験できることとしての「小さな死」によって日常体験に結びつけて考えることができたということである。言い換えれば、死に行く患者となるわれわれに「死の受容」の具体的なイメージを与えてくれたものが「小さな死」なのではないかというのが、「小さな死」への注目の理由として考えられよう。

次には、渡辺和子氏の「小さな死」の意味を探る前に、そもそも「小さな死」という言葉は、従来、どのように使われていたのかをみておこう。

3)「小さな死」という言葉について

「小さな死」という言葉の使われ方をインターネットで検索してみると、大きく分けて、以下のように分類できる。

①「喪失感」を「死」に結びつけるもので、「小さな死」という表現が使われている[6)]。一般的に、死生学に関連してはこのように使われているようである。大事な人やもの、かけがえのない人・ものを失うことに伴う苦しさが、死のイメージを喚起しているのであろう。

②フランスの思想史家であるジョルジュ・バタイユは、訳せば「小さな死」にあたる “la petite mort” という言葉を使っているが、その意味するところは、性の快楽の「絶頂期」を意味している[7)]。このように、死を性に結びつけるイメージに関しては、一般的に英語圏では、“little death” や “small death” などの言葉は女性のオルガスムを連想させるものとして受け止められるようである。

③キリスト教の教会のホームページには、その教会で行われた説教での「小さな死」への言及が多く見られる。このような言及では、後に触れるが、渡辺和子氏の「小さな死」を聖書にある「一粒の麦」のたとえに結びつけて言及しているものがほとんどである[8)]。

④「小さな死」という言葉が海外小説などにおいてはいろいろな意味で使われていることも指摘できる。例えば、「大人の死」を「大きな死」とする

ことに対して「こどもの死」を「小さな死」としているなどもあり、上記①、②の意味などを含めてさまざまに使われている[9)]。

以上のように、多様な場面でさまざまな意味で使われていることを見ると、「小さな死」という言葉は誰にでも思いつく言葉であると言ってもよいかもしれない。

また、前述したように、「小さな死」を「死のリハーサル」とすることにおいても、例えば、古代ギリシャの哲学者ソクラテスに類似の表現が見られており[10)]、「死のリハーサル」ということも、特に渡辺和子氏のオリジナルな考えであるとは言いがたい。

上記のように「小さな死」は、欧米においては、日常的にさまざまに使われている言葉であると考えてよいであろう。

ただし、一見すると、多様な意味で使われている「小さな死」という言葉もそれぞれの意味に共通する、たとえば、「死」を大小で表現することにおける「死」のとらえ方に通底する「死」の意味があるようにも思われる。このことにおいては、バタイユの「小さな死」と渡辺和子氏の「小さな死」には共通する死の意味が存在しているように思われるが、それについては稿を改めて論じてみたい。

それでは、渡辺和子氏の「小さな死」の意味を改めてその著作から整理してみることにしよう。

4)「小さな死」の意味

渡辺和子氏の著作の中で、ここでは、「小さな死」に言及している、代表的な著作である『置かれた場所で咲きなさい』と『面倒だから、しよう』の二著を主に取り上げて、「小さな死」の意味を整理してみたい。そこでは、３通りに整理できるように思われる。それを「小さな死①」、「小さな死②」、「小さな死③」として以下に示してみる。

(1) 小さな死①

「小さな死①」は次のように述べられるものである。

何事もリハーサルしておくと、本番で落ちついていられるように、大きな死のリハーサルとして、“小さな死”を、生きている間にしておくことができます[11)]。

人は皆、いつか死にます。公演を行う時など、リハーサルをしておくと、本番であがったり、慌てないですむように、死そのものを取り乱すことなく迎えるためにも、リハーサルをしておくことは、よいことなのです[12)]。

まずは、冒頭で言及したように、「小さな死」を「大きな死」の「リハーサル」とするものである。つまり、「小さな死」は「大きな死」にいたるリハーサルであり、生きながら経験できる「小さな死」を通して「大きな死」を経験できる対象として理解させようとする。

(2) 小さな死②

「小さな死②」は次のように述べられている。

“小さな死”とは、自分のわがままを抑えて、他人の喜びとなる生き方をすること、面倒なことを面倒くさがらず笑顔で行うこと、仕返しや口答えを我慢することなど、自己中心的な自分との絶え間ない戦いにおいて実現できるものなのです[13)]。

そしてそれは、日々の生活の中で、自分のわがままと闘い、自分の欲望や感情などを制御することなのです[14)]。

ここでの「小さな死②」は、「自分のわがまま」や「自分の欲望や感情」を、「がまん」したり、「抑制」したりすることを意味している。いわば「自分」を押し殺すことであり、自分を制限することであり、全くの自分を失うことが「大きな死」とすれば、「自分の一部」を失うという経験において「死」に経験的意味を持たせようとすると考えられる。それと同時に、「わがまま」や「欲望や感情」という「悪しきもの」を「禁欲する」という倫理的意味を「小さな死」に結びつけている。「死」を「悪しき自己」に対する「制裁」としての意味づけも考えられる。

(3) 小さな死③

「小さな死③」は次のように述べられている。

「一粒の麦が地に落ちて死ねば多くの実を結ぶ」ように、私たちの“小さな死”は、いのちを生むのです[15)]。

聖書の中にある「一粒の麦」のたとえにあるように、地に落ちて死ねば、多くの実りをもたらすけれども、死を拒否する時は一粒の麦のままに枯れてしまいます。実りを生む死となるためには、それに先立つ「小さな死」が求められるのです[16)]。

ここでの「小さな死③」においては「いのちを生む」、「多くの実りをもたらす」死という新たな意味が示されている。「小さな死①」、「小さな死②」におけるような「死」に結びつけるのではなく、新たな「いのち」を生み出すものとしての意味を持たせるものであり、聖書の「一粒の麦」のたとえに言及されていることからも、日常的な経験での理解を超える宗教的な意味を持たせたものであり、「小さな死①」と「小さな死②」の意味とは次元を異にしているものと考えられよう。

以上のことから、「小さな死①」、「小さな死②」、「小さな死③」は、それぞれにおいて、次のような、意味の関係が見て取れるように思われる。

「小さな死①」はリハーサルという経験的意味を、「小さな死②」は「小さな死①」の意味に加えて「がまん」や「抑制」という倫理的意味を、「小さな死③」は「小さな死①」と「小さな死②」の意味に加えて、「新たないのちを生む」という、「死」から「生」へという創造的な宗教的意味を持たせていると言えよう。こうしてみると、「小さな死」は、経験的意味から宗教的な意味への連続的理解を導くことが意図しているように思われる。

それでは、これらの「小さな死」の意味をわれわれはどのように考えることができるかを試みてみよう。前述したように、「小さな死①」と「小さな死②」の意味は、日常的な経験の中で考えることができるように思われる。なぜなら、「リハーサル」や「がまん」は日常的に経験していることであるからである。しかしながら、「小さな死③」は聖書の言葉への言及もあり、キリスト教の信仰を持たないものには日常的には理解しにくいものであろう。それ故に、次では、まず、「小さな死①」と「小さな死②」について考えて、その後に「小さな死③」について考察してみたい。

5)「小さな死」と「私」

「小さな死①」と「小さな死②」を考えるには、まず「小さな死①」における、「大きな死」のリハーサルができる「私」と、「小さな死②」における「わがまま」を抑える「私」、言い換えると、抑える「わがまま」や失うものを持っている「私」が存在することが前提になるだろう。そのような「私」はどのように考えることができるのか。そのような「私」とは何か。

ここで、ヒントとなる「私」は以下のような「私」である。

ウィトゲンシュタインの研究者として有名な黒崎宏氏が、ライプニッツを論じている論文の中で、次のように「私」を示している。

> 私が存在している、という事は、私が
> the man who …
> として記述されている、という事である[17]。

ここで、ライプニッツとの関係において、このような「私」がどのように論じられているのかについては、小生には述べることはできないが、このような「私」のとらえ方は、「小さな死①」と「小さな死②」を考える上に大きなヒントを与えてくれるように思われる。つまり、「私」は「こういうことができる」、そして「こういうことを考えている」、また「こういうことを願っている」、それらによって記述される「私」が、存在している「私」ということであろうか。ここで、「私」を記述しているのは、この場合、「私」自身が記述していることになろう。「私」自身が「私」をこういうものであると記述していると考えておこう。「私」をそのように考えるならば、「私」について記述されていることを一つ一つ「失う」、「がまん」することが「小さな死②」であり、それらが、リハーサルである「小さな死①」として繰り返され、やがて「大きな死」を迎えることができるのではないだろうかということである。

「小さな死」が「大きな死」のリハーサルであるということは、「小さな死」の積み重ねてやがてくる「大きな死」を受容することができるようになるということであろう。その過程は、「小さな死①」と「小さな死②」を可能とさせる、「失うもの」や「がまんするもの」から成り立つ「私」において、「私」を構成している、さまざまなものが「小さな死」によって、一つずつが失われ、減少していき、ついには「私」を記述することが無くなって、「私」は消滅してしまい、それが「大きな死」ということになるのである。

このことを分かりやすく示すと次のようになるかもしれない。

「私」＝ the man who …＝ f (x) ＝ f (a, b, c, d, e, f, …………)

「私」を比喩的に「関数」のように表示してみると、ここにおける、a, b, c, …は「変数」で、それぞれは「私」を記述する具体的事柄を指すものとする。例えば、a は「100 メートルを歩くことができる」とする、すなわち、a=100 で、10 メートルしか歩くことができなくなれば、a=10 となる。しかし、ある時、「私」は歩くことができなくなれば、a=0 になる。つまり、「歩くことはできない」ということである。また、例えば、b は「親が元気に生活している」ということであるとすると、両親が元気でいる時は、b=2 であるが、父親が亡くなれば、b=1 ということになり、そして、母親も亡くなればb=0 とされる。つまり、a=0 となり、「小さな死」を経験し、b=0 となり、また「小さな死」を経験していくのである。ここでは、誤解を受けることを恐れるが、a や b を 100 とか 2 とかとすることは、「私」を数量化して表そうとしているのではないということである

「私」をこのように示すことができるとすれば、「私」を存在させる、個々の a なり b なりを失ったり、がまんすることが「小さな死」を経験した「私」である。すなわち、「私」は次のように「小さな死」を重ねていくのである。

「私」＝ f (a, b, c, d, e, f, …………)

↓「小さな死」
「私」＝f (0, b, c, d, e, f, …………)
↓「小さな死」
「私」＝f (0, 0, c, d, e, f, …………)
↓
?

すると最終的に「私」はどうのようになるのであろうか。つまり、「私」は次のようになる。

「私」＝f (0, 0, 0, 0, 0, 0, …………)＝0：「大きな死」

すなわち、「私」は無になり、これが「大きな死」としての「私の死」である。

このように考えると経験的に、もちろん、最終の「大きな死」にいたる最後の「小さな死」はこのように連続に捉えられるものであるのかはにわかに分かりがたいが、このようであるとすれば、「小さな死」から「大きな死」への過程は連続的に理解できるようでもある。最終的には、無になることはイメージしやすいように思われる。

しかし、渡辺和子氏の「小さな死③」の意味はこのような理解では受け止められない。つまり、「新しいいのち」を生むとする「小さな死③」をここでは理解できない。では、どのように考えていけばよいのであろうか。次にそのことを考えてみよう。

6)「小さな死」と〈新しい「私」〉

先ほどの「私」が「小さな死」を経て、「新しいいのち」である「新しい私」が生まれると考えてみてはどうであろうか。a, b, c を失うのではなく、それらが他のものに変わっていくと考えるのである。すなわち、次のように示してみよう。

「私」＝f (x)＝f (a, b, c, d, e, f, …………)

↓「小さな死」

新しい「私」＝f (A, b, c, d, e, f, …………)

↓「小さな死」

新しい「私」＝f (A, B, c, d, e, f, …………)

↓

↓

全く新しい「私」＝f (A, B, C, D, E, F, ………)：「大きな死」

最終的に「大きな死」によって「全く新しい「私」」が生まれるということである。しかし、このような「全く新しい「私」」になること自体を、「小さな死」を経験していく「私」には経験できるのであろうか。このようにして「大きな死」によって生まれた「全く新しい「私」」は「いのちを生む」ことの前提となる「小さな死③」によるものとすれば、「小さな死①」と「小さな死②」を経験できる「私」が経験することではもはやなく、それ故に、経験を越えた信じることにおいてのみ意味を持つものであろう。その意味では、宗教的な意味において理解することではないであろうか。ここに、キリスト者ではない者にとっては、渡辺和子氏の「小さな死」を捉えることにおいて限界があるかもしれない。その意味において「小さな死①」と「小さな死②」に対して、「小さな死③」は異なる次元のものであると言えよう。

7）最後に―「小さな死」の可能性―

小論では、渡辺和子氏による「小さな死」から、どのような示唆を得ることができるかを考えた。そこで得られた「小さな死①」と「小さな死②」の意味は、キリスト教の信仰を持たない者にも十分に「大きな死」という死に向かう「私」をイメージでき、受け止められた。しかし、「小さな死③」の意味にある、新しい「いのち」を生む「小さな死③」には限界があるように思われた。つまり、渡辺和子氏の最も核心にある「小さな死③」は「私」にとっては、「大きな死」に他ならないとも考えられる。そうであるとすれば、「無となる私」へ向かう「小さな死①」および「小さな死②」と、「いのち」を生む「小さな死③」はどのように連続するのかが問題となろう。この問題を、ここでは、「小さな死」を経る度に実は起こる「私」の変容が、やがて来る「大きな死」を受容する「私」に連なっていると考えることによって解消できるのではないかとも考えられるが、最終的な「大きな死」による「新しいいのちを生む」ことについては非キリスト者にとっては難問であろう。

しかしながら、ここに、この問題への一つのヒントを示せば次のようなことになろうか。

清貧の乞食僧であった良寛の辞世の歌といわれているものがある。すなわち、

形見とて何か残すらむ春は花夏ほととぎす秋はもみぢ葉[18)]

この良寛の歌に見る死の有り様からは次のように学ぶことができるのではないだろうか。「大きな死」における「全く新しい私」への「変容」というものは、自己が自然の中に立ち返り、自然の中に同化する「私の変容」であると考えるのである。そう考えれば、自己の「無」化と、「全く新しい私」への変容は、「大きな死」によって両立するのかもしれない。

謝辞

本稿は、小生の２つの講演（2015 年 11 月 14 日に行われた第 21 回日本臨床死生学会大会シンポジウム「病む人の『生の終焉』に寄り添うために」における講演「「死の受容」と「小さな死」」と、2016 年 1 月 16 日に行われた東洋英和女学院大学死生学研究所 2015 年度連続講座「生と死に寄り添う」第 7 回連続講座「「小さな死」によせて」）を基にまとめたものである。両講演時の質疑時間においていただいた貴重な質問やコメントは、本稿をまとめるにあたり参考にさせていただいた。ここにそれらの質問やコメントを寄せてくださった方への感謝の意を記させていただく。

注

1）渡辺和子『置かれた場所で咲きなさい』幻冬舎、2012 年、154 頁。
2）大林雅之『生命の淵―バイオエシックスの歴史・哲学・課題―』東信堂、2005 年。
3）キューブラー＝ロス『死ぬ瞬間―死にゆく人々との対話―』読売新聞社 1971 年。
4）大宮司信「「死の備えの時期」の心の援助への一視点―"well dying" をめざして―」『人間福祉研究』No.17、2014 年、67-73 頁。
5）同上。
6）佐々木恵雲「命は誰のもの」『藍野学院紀要』第 52 巻、2011 年、74 頁。
7）ジョルジュ・バタイユ『エロティシズム』筑摩書房、2000 年、288 頁。
8）例えば、日本キリスト教団室町教会のホームページ（https://www.facebook.com/MuromachiChurch/posts/983316071681130、閲覧日 2016 年 2 月 9 日）。
9）例えば、リルケ『マルテの手記』新潮社、1953 年。
10）竹田純郎／森秀樹 (編)『死生学入門』ナカニシヤ出版、1997 年、20 頁。
11）渡辺和子『置かれた場所で咲きなさい』、154 頁。
12）渡辺和子『面倒だから、しよう』幻冬舎、2013 年、27 頁。
13）渡辺和子『置かれた場所で咲きなさい』、154 頁。
14）渡辺和子『面倒だから、しよう』、27 頁。
15）渡辺和子『置かれた場所で咲きなさい』、155 頁。
16）渡辺和子『面倒だから、しよう』、27 頁。
17）黒崎宏「ライプニッツ試論―原子論（アトミズム）から単子論（モナドロジー）へ―」『ヨーロッパ文化研究』第 34 集、成城大学大学院文学研究科、2015 年、33 頁。
18）中野東禅『100 分 de 名著　良寛詩歌集』(NHK 出版、2015 年)、99 頁。この歌には、似たかたちの 2 首が伝えられているが、ここではその内の一首を引用している。

〈エッセイ〉

『イナンナの冥界下り』を シュメール語で上演することについて

――シュメール語講座（本学生涯学習センター）の可能性――

髙井啓介

1．はじめに

2015年11月、渋谷のセルリアンタワー能楽堂において、『イナンナの冥界下り』が上演された。この演劇は、能楽を軸とし、様々な日本の古典芸能を極める芸能者たちの芸と、西洋の伝統にたつ身体表現および音楽表現の専門家たちの技術がぶつかり合い、一種独特な雰囲気を創り出していた。

古来より神話は演じられてきた。古代ギリシアの神々や英雄たちの物語は舞台で上演するために悲劇化された。ローマの円形劇場、半円形劇場において上演された演目の中にも神話を題材とするものがあった。メソポタミアの神話のなかにも、神事で朗誦されたものがあると考えられている。能という芸能にもまた神事能というジャンルがある。神話を演ずるための軸になる芸能として能楽はふさわしい。

『イナンナの冥界下り』は、改めていうまでもなく、シュメール語で書かれた神話として最も良く知られている物語の一つである。世界最古の冥界下りの物語である。物語は死と再生をテーマにしている。天上の女神イナンナは冥界に下り、そこで一度死ぬが、再び命を得、身代わりを立てることと引き換えに地上へと生還する。イナンナが象徴するという金星も宵の輝きを天空に残したあと、一旦姿を消すが、その翌朝再びひときわ明るい輝きを空に放つ。この天体の運行に、シュメールのひとびとは、イナンナの死と再生の物語を重ね合わせたのであった。

2．あらすじ

もう少し具体的に物語の筋を見ておこう。物語は、イナンナの冥界に対する欲望から全てが始まる。[1] イナンナは冥界に下りたいとただ望み、地位、名誉その他すべてのものを捨て去る。冥界に向かう準備として、イナンナは自らの身に神威を帯びるために七つのメ[2)]を身につける。冥界へと足を向ける前に、イナンナは自らが冥界から戻らない場合の振る舞いと対策を従神ニンシュブルに申し伝える。そうして、冥界の入り口であるガンゼル宮殿に到着したイナンナは、その入り口に手をかけ、開門を要求する。ネティは冥界の女神エレシュキガルにイナンナの来訪を告げ、指示を仰ぐ。エレシュキガルは、冥界の七つの門を閉じるようにネティに命じる。七つの門を一つずつ開けて通るとき、イナンナは身に纏っているメを一つずつ奪い去られることになった。裸にされたイナンナは、冥界の七人の神々アヌンナクの裁きを受けなければならない。死に至らしめる眼差しとことばがイナンナに向けられ、彼女は弱い肉と成り果てて死に、その死体は冥界に吊されることになった。

イナンナが冥界から帰還しないことを知った女神ニンシュブルは、天上においてイナンナからの指示を実行に移すことになる。ニンシュブルは、イナンナのためにひとしきり嘆く。そしてニップルにエンリル神を訪ね、また、ウルにナンナ神を訪ねて、イナンナを救い出してくれるように嘆願する。エンリルもナンナも、イナンナが分を超えて、冥界を欲したと非難し、助けの手を差し述べることはなかった。ニンシュブルは次にエリドゥにエンキ神を訪ね、その助力を嘆願する。エンキは、自らの爪の泥からガラトゥルとクルガラという二体の精霊を造り、彼らに生命の水と草を与えたうえで、冥界に向かわせる。ガラトゥルとクルガラは、エレシュキガルに対して、ただイナンナの死体を受け取ることだけを望み、その願いは叶えられる。生命の水と草をふりかけられて、イナンナは再生する。

一度冥界に下った者が冥界を出ることは許されない。それが冥界の掟であった。イナンナは、身代わりを立てて冥界に連れてくるという条件によって、この掟の例外として冥界を去ることを許された。ガルラ霊たちに伴われてイナンナは冥界から帰還する。イナンナは自らの身代わりとなる者を探さなければならない。クラバの野にさしかかったとき、ガルラ霊たちとイナンナは、壮麗な衣装を身に纏い玉座に着くドゥムジを見る。悲しみの中にないドゥムジを見たイナンナは、死に至らしめる眼差しとことばをドゥムジに向けた。こうしてドゥムジがイナンナの身代わりとして冥界に赴くこととなるのであった。

3．生涯学習センターとシュメール語講座

私は2010年度以来、本学の生涯学習センターでシュメール語入門の講座を担当している。講座は、シュメール語の初学者と既修者を等しく対象とし、シュメール語文法を習得（かつ復習）しつつ、楔形文字で書かれたシュメール語の粘土板から種々の文書を読解することを目的としている。現在大学の授業でシュメール語が開講されることがきわめて稀であることを考えると、本センターにおいてこの講座が継続的に提供されているということは非常に貴重である。この講座において、2013年春、秋、2014年春の三学期間にわたって読解したテキストが『イナンナの冥界下り』であった。

シュメール語の文学作品に関しては、オックスフォード大学東洋学研究所（Oriental Institute, The University of Oxford）による電子データベース化のプロジェクト（The Electronic Text Corpus of Sumerian Literature（略して etcsl））が進行しており、わたしが担当する講座においても、そのデータベース内のテキスト[3]を主に使用することにしている。『イナンナの冥界下り』の底本としても、そのデータベース内にある412行のテキストを使用した。[4] 英訳としては、etcslのオンライン版をもとにした翻訳（Black *et al.* 2006)、あるいはヤコブセンのアンソロジーの中に収録されている翻訳（Jacobsen 1997）がある。日本語訳は、『シュメール神話集成』（杉／尾崎 2015）のなかに、物語が訳出されているが、これは1978年に出版され様々な古代中近東の神話・叙事詩を集めたアンソロジーである『古代オリエント集』のなかの「シュメール」の章を文庫化したものである。これまでの翻訳を参考にしながらも、etcslのテキストを底本として、講座では全412行を訳出した。その結果は、『イナンナの冥界下り』（安田 2015）のなかの邦訳に反映されている。

4.『イナンナの冥界下り』の演劇化

『イナンナの冥界下り』がはじめて演じられたのは昨年（2015年）6月に遡る。那須の二期倶楽部で毎年開催される『山のシューレ』の開き舞台における上演がその初演であった。[5] それは、etcslを底本とするテキスト原文が

ほぼそのままに保たれつつ、必要な限りにおいて日本語の翻訳を付加して補うという、おそらく現代初のシュメール語による神話上演の試みであった。

この演劇を企画したのが能楽師（下掛宝生流ワキ方）の安田登である。上述の最新の日本語訳の掲載がある『イナンナの冥界下り』（安田 2015）を上梓したばかりの、この演劇のプロデューサーであり代表的な演者でもある。安田は生涯学習のシュメール語講座でイナンナの講読をともにしたメンバーの一人であった。安田によって、この冥界行きの物語が能を軸にした演劇の台本に見事に仕立て上げられた。その台本においては、シュメール語と日本語が違和感なく調和している。シュメール語本文が能の謡としてアレンジされ、またイナンナ賛歌からとられたフレーズがイナンナの蘇りを促す音楽として添えられている。

配役もまた妙である。安田の呼びかけにこたえてこの演劇に参集したのは、能楽師笛方（槻宅聡）・狂言方（奥津健太郎）、浪曲師（玉川奈々福）、人形師（百鬼ゆめひな）という伝統的な古典芸能の芸能者たちに加えて、ダンサー（蜜月稀葵とそのカンパニー）、オペラ歌手（辻康介）、指揮者（香西克章）、ライアー奏者（三野友子）など西洋的な身体技法・音楽技法を習得した専門家たちであった。それに加えて中近東の打楽器（ダルブッカ、ダフ）の奏者（森山雅之）も参集した。

能楽師（進行、エレシュキガルの声）と狂言師（進行、ネティ）がシュメール語本文を謡の形式で表現し、笛方が能管で囃子を入れる。能舞台での上演では、舞台上には、地謡の場所に笛方、オペラ歌手、ライアー奏者が座した。三味線を手にした浪曲師とコロス（コーラス）は舞台奥に座り、舞台中央にはイナンナとエレシュキガルを囲うための舞台美術が置いてある。そこにギリシアのデルフォイのアポロン神殿の巫女のような白い衣装を着たダンサーたちと和装の能楽師たちが出現する。

三人の女神（イナンナ、エレシュキガル、ニンシュブル）の演じ手の演技とその声は分離されている。これがこの演劇の最も大きい特徴といっていいかもしれない。古典芸能の芸能者と西洋音楽の歌手が語りと謡、歌に専念し、身体表現の専門家は自らの身体を最大限に用いた表現に専心する。イナンナをダンサーが演じるのに対して、エレシュキガルは人形師によって操られる人形が演じる。イナンナの台詞はオペラ歌手が歌う。人形師が使う人形エレシュキガルの台詞は能楽師が謡で表現する。イナンナの指示を仰ぎ天上に大神たちを訪ねるときニンシュブルの声は浪曲師の唸りと三味線によって表現される。

5．みずからコロスを演じる

能の地謡に相当する集団として、この芝居にはコロスがある。コロスとは、古代ギリシア演劇に不可欠であった合唱隊である。観客に対して、観賞の助けとなる劇の背景や要約を伝え、劇のテーマについて注釈する役割を持っていた。この芝居でのコロスは能の地謡に変わるものであるから、情景の描写、あるいは登場人物の内面などを謡い添える。

わたしはコロスの一員として能舞台による上演から『イナンナの冥界下り』に参加した。山のシューレの初演をシュメール語監修という立場で見て、いてもたってもいられなくなったのである。この舞台に自ら出演者として参画したいという衝動に突き動かされるように参加を決めた。いわばシュメール能といったこれまで経験したことのない芸能のスタイルに没入してみたくなったのである。

コロスは冥界の神々アヌンナクとして、イナンナの死の判決を下す場面に関与し、劇中でイナンナを持ち上げ運ぶというように、舞台進行の上でかなり積極的な役割を果たす。アヌンナクになるということは、冥界の側から死を見つめることでもあるが、それがどのような感情を生むかということを知ってみたかったということもある。

しかしなによりも、日本語を母語とするわたしが、シュメール語を発声することでどういう感覚が得られるのかを味わってみたいということがあった。芝居の台詞をシュメール語で謡うとき、当然のことながら、日本語を母語とする者として、その向こうにある日本語の意味を意識する。その日本語とシュメール語が自分のなかで違和感なく結び付くのか、それともどこか居心地の悪さを感じるのか、その感覚を味わってみたかった。

6．日本語を母語とする者がシュメール語を体験すること

シュメール能というスタイルはおそらく多くの聴衆に違和感のないものとして受け止められるとわたしは考えていた。シュメール語で語られる謡い

（台詞）の意味を知ることが容易ならざるものであるにしても、日本語を母語とする聴衆にとって、少なくともそれは耳に心地よいものとして受け止められ得るとも思っていた。

そう考えたのは、生涯学習センターのシュメール講座において、わたしは、日本語を母語とするひとびとにシュメール語を日本語で教えるという経験を通して、日本語を母語とする者がシュメール語を体得するということが比較的に容易であるということに気づいていたからかもしれない。[6] 日本語を母語とするひとびとがシュメール語を理解する過程は、西欧語を母語とするひとびとがシュメール語を理解する過程とは、おそらく質的に異なるものである。私自身は、英語の文法書と辞書を利用し、英語を母語とする教員から学習し、テキストを英語に翻訳するという過程を通ってシュメール語を習得した。しかし、以下に述べることは、そのときには意識されずに，むしろ，日本語を媒介としてシュメール語を教えるという過程のなかで初めて明確に意識されたことでもある。

なぜ日本語を母語とする者が、シュメール語を体得するということが比較的に容易であるのか。また、なぜ、日本語を母語とする者にシュメール語の響きが心地よいのか。

第一に、シュメール語の楔形文字は表意文字である。シュメール語の文章は楔形文字が織りなす意味の羅列である。これは同じ楔形文字を表音文字として用いるアッカド語が、音である文字の結合によって意味を成す一つの単語を作っていくのとは大きな違いがある。アッカド語は音を組み合わせなければ意味を把握することができないが、シュメール語は文字即意味であるからより直感的に文意を把握することができる。日本語において使われる漢字も表意文字であるから、文章には意味を持つ文字が多く並んでいる。状況はシュメール語と非常によく似ている。

第二に、シュメール語は主語－目的語－動詞のならびで文章を構成するが、これは日本語とほぼ同じといってよい。

第三に、シュメール語は膠着語であって、表意文字で表現する名詞や動詞の周囲に接頭辞や接尾辞のような形態素を付着させることで、その単語の文の中での文法関係を示す特徴を持つ。例えば『イナンナ』の冒頭の１行は次のようである。

an-gal-ta	ki-gal-še$_3$	ĝeštug$_2$-ga-ni	na-an-gub
天 大 から	地 大 へ	耳 彼女の	たしかに 立てた

an-gal-ta は、an（天）＋ gal（大きい）、すなわち「大いなる天」に、「～から」を意味する文字 ta が後置されて付着し、それによって「大いなる天から」という意味が成る。同様にして、ki-gal-še$_3$ は、「大いなる地へ」という意味を成す。「立てる」という動詞 gub の前には、na- という強意を示す要素と、主語を示す -an- という要素が付着し、「彼女はたしかに立てた」というように意味を補足する。ĝeštug$_2$ は一つの文字で「耳」を意味する。シュメール語の形容詞ないしは人称接辞に当たる文字＝単語（-ni）は後置されて名詞を後ろから修飾するが、形態素を付着させて文法関係を示すことに変わりはない。漢字という表意文字に漢字を崩すことによって作ったカナ（かな、仮名）を利用することで膠着語の表現形式を形成している日本語を母語とするひとびとにとって、非常に理解の容易な言語であることがわかってくる。一番下の行に置いた漢字と平仮名による意味の補足を一見するだけでも、感覚的にその容易さが理解されよう。

第四に、シュメール語の楔形文字は音節文字である。音節文字は必ずそのなかに一つ以上の母音を持つ。そして母音で終わる文字が名詞のあとに付着することによって、主語を作り出し、目的語を作り出し、格の要素を付加していく。日本語の文字（ひらがな）がすべて母音で終わり、その文字が助詞・助動詞として名詞その他の品詞に後置されることにより、文法関係を示していくことと非常に良く類似している。このように、音の側面から言うと、シュメール語は日本語同様、文章中に母音が多く聞かれ、またその母音が文章内の意味の区切りを形成しているということができる。アッカド語を始めとする多くのセム系言語、あるいはより現代日本人が親しみのある西洋的言語と比較すると、シュメール語の単語は、そしてそれが連なる文章は、区切りが母音であることが圧倒的に多い。日本語を母語とする者には当たり前すぎて気づきにくいことだが、実は全ての文字が母音で終わる日本語も、文章が母音で終わる音の連なりであり、区切りも母音で区切られるのである。この類似は、シュメール語を文字としてよりも音として向かい合う、劇の台詞を浴びるときに、最大限に感じられることであろう。

7．演劇『イナンナ』のこれからの展開

『イナンナの冥界下り』のシュメール語での上演はこの後も、日本デザインセンター（2016年2月16日）[7] で行われたし、西徳寺（2016年4月）[8] でも続けられることになっている。この芝居はその都度公演スペースを変え、その器に合わせるように、変化を遂げつつ完成形に向けて発展していくと思われる。この演劇化のプロジェクトは、アーツカウンシル東京による助成を受けており、最終的には2017年度に3回の海外公演（イギリス、オランダ、リトアニア）を行うことを目標としている。[9] その端緒を切るロンドン公演（2017年6月予定）においては、ロンドン大学のRichard Dumbrill氏[10] の協力のもと、氏の創作になる銀製のウルの竪琴のレプリカを舞台小道具として使用することが許可されている。

『イナンナ』プロジェクトの特徴として、この神話を演劇化するときに関わる全ての要素を一般の方々に公開する目的として、身体的表現に関するワークショップ（能、浪曲、声楽、ダンス）および言語的表象に関するワークショップ（シュメール語）を月一回のペースで提供しているということがあげられる。

わたしはそのうちシュメール語のワークショップを担当している。生涯学習の講座で使用した原文テキストを底本とした演劇『イナンナ』の冥界下りの台本を教材として使用し、舞台に登場するキャラクターを一回1名ずつ取り上げて、その人物像を紹介することが基本である。同時に、そのキャラクターの台詞を選んで、そのフレーズを粘土板に刻む作業も行う。また、『イナンナ』の原文のテキストを楔形文字から読んでいくということにも挑戦している。これらの過程を、シュメール語にこれまで全く触れたことがなかった出席者が実に楽しく味わっているのである。

出席者たちの多くは能という芸能や身体技法にそもそも関心のあるひとたちである。能を軸として演じられた『イナンナの冥界下り』を鑑賞して、そこで謡われたシュメール語に興味をもち、その言葉と文化をもっと知りたいという興味を持ったのである。能楽という日本の伝統芸能と結びついたときにシュメール語は多くの可能性をもった。

上述の安田登は、『イナンナの冥界下り』を演劇化する以前に、『オルフェウスの冥界下り』についても、能を軸とする演劇化を試みていた。モンテベルディのオペラ『オルフェオ』を下敷きにして、オペラ歌手が歌うイタリア語のオルフェオに、安田自ら日本語をぶつけて演じている。イタリア能とでもいうその試みは高い評価を得ている。しかし，それ以上に，組合せとしてより発展性を持つのは，シュメール語と日本語の交わりあいではなかっただろうか。

おそらく、能の謡の旋律とリズムにシュメール語はいちばん乗るのである。とても乗りやすいのである。『イナンナの冥界下り』をシュメール語で日本語の国で上演するのは、ただ単に世界最古の冥界下りの物語であるというだけではない、能が死者の世界と生者の世界を行き来する物語を多く演じるというだけではない、おそらく体感のレベル、聴覚のレベルで、どこか、ふさわしいものがあるに違いない。コロスの一員として、舞台の一隅に座し、能楽師や狂言師、浪曲師の発するシュメール語の音に身を委ね、日本語でその意味を自ら把握しようとしたからこそ、そして自分自身、冥界のエレシュキガル女神に仕えるアヌンナクの一人を演じてシュメール語を謡として発声したことがあるからこそ、シュメール語と日本語が演劇という場で交わる心地よさがわかるのである。

8．生涯学習センターシュメール語講座の可能性

2010年度から6年に渡り担当してきた生涯学習センターの講座において、シュメール語受講者が着実に増加したという経験から、シュメール語への関心興味が一定のレベルで存在していることは感じていた。シュメール語の受講生が、シュメール語の基礎的な文法体系を半年以内に習得し、テキストの講読に移行することができるということは、上述の日本語とシュメール語が言語の体系として案外似通っているところに理由が求められるかもしれない。

生涯学習センターでのシュメール語のテキスト講読が出発点となる舞台『イナンナの冥界下り』プロジェクトによって、シュメール語への接近のしやすさがさらに多くの一般の人々によって享受されている。舞台『イナンナの冥界下り』の台詞が全編にわたってほぼシュメール語をそのまま使ってい

るということは、舞台が理解不能として観客を遠ざけるのではなく、むしろシュメール語に対する関心を呼び起こしていると思う。

それは生涯学習センターという場が持った可能性である。この場がなければありえなかったシュメール語の可能性、古典語を教えるということに対する新たな可能性の発見でもあった。本学の生涯学習センターのシュメール語講座という場は、シュメール語の最新の研究成果を取り入れつつも、それをただ古典語として味わう、歴史的な興味関心のみから考えるだけではなく、より実践的な味わい方を提供することを可能にする場として働いた。そしてそれは、日本語を母語とする者がシュメール語を学ぶことの新たな魅力に気づかされることになった場でもあると思うのである。

註

1) イナンナが冥界に下ろうという意志を前提として神話は書き出されている。しかしながら、イナンナがなぜ冥界に下ろうとしたかについての理由は神話のなかに明確には示されていない。イナンナが冥界のガンゼル宮殿の門に到着したときに、その門番であるネティ神がイナンナの冥界への到来の理由を問うているが、イナンナは次のように答えている。
[85]kug dinana-ke$_4$ mu-na-ni-ib$_2$-gi$_4$-gi$_4$ [86]nin$_9$ gal-ĝu$_{10}$ kug dga-ša-an-ki-gal-la-ke$_4$ [87]mu dam-a-ni u$_3$-mu-un gud-gal-an-na ba-an-ug$_5$-ga [88]ki-sig$_{10}$-ga-na i-bi$_2$ du$_8$-u$_3$-de$_3$ [89]kaš ki-sig$_{10}$-ga-na gu-ul ba-ni-in-de$_2$ ur$_5$ ḫe$_2$-na-nam-ma
清らかなるイナンナは彼（ネティ）に答えた。「わたしの姉清らかなるエレシュキガル、その夫である主グガルアンナが身罷りましたので、彼の葬儀に参列するために、その葬儀においてたくさんのビールを注ぐために。」と。しかしながら、この理由に呼応するような表現が前後に、あるいは神話全体を通して存在しない。この理由は、いわばその場しのぎの他のなにものでもないように思われる。イナンナが冥界を目指した本当のところはテキストにはかかれておらず、様々に思いを巡らすしかない。

2) イナンナがメをエンキから獲得した、あるいは奪ったいきさつについては、神話『イナンナとエンキ』に述べられている。http://etcsl.orinst.ox.ac.uk/section1/c131.htm.

3) http://etcsl.orinst.ox.ac.uk/

4) http://etcsl.orinst.ox.ac.uk/section1/c141.htm
5) http://www.schuleimberg.com/symposium.html
6) 実際に講座においては、シュメール語を初めて半年の間に、文法をある程度習得して辞書を用いながら楔形文字テキストを解読していくことが可能となる。同じくわたしが講座を担当するアッカド語や聖書ヘブライ語においては、そのようにはうまく事は運ばない。
7) http://www.ndc.co.jp/
8) http://saitokuji.tobiiro.jp/
9) 助成の詳細は https://www.artscouncil-tokyo.jp/ja/what-we-do/support/program/7886/ に詳しい。助成を受ける事業主体は「任意団体てんらい」である。
10) School of Advanced Study, University of London, Institute of Musical Research.

参考文献

Jeremy Black *et al.* 2004: *The Literature of Ancient Sumer*. Oxford: Oxford University Press.
Thorkild Jacobsen 1997: *The Harps that Once… Sumerian Poetry in Translation*. New Haven: Yale University Press.
杉勇／尾崎亨　2015:『シュメール神話集成』ちくま学芸文庫、筑摩書房。
安田登　2015:『イナンナの冥界下り』ミシマ社。

〈エッセイ〉

大人になるとは？

──『掟の門』から『スカイ・クロラ』へ──

福田　周

1．18歳選挙権

このところニュースでよく耳にする「18歳の選挙」。高校でいかに、政治に興味を持って選挙に行くことの大切さを教えるかが、大きな課題として取り上げられている。2015年6月の国会で公職選挙法が改正され、満18歳以上の日本国民に選挙権が与えられることとなった。日本でのこの法律の改正は1945年の女性の参政権を認める改正以来、実に70年ぶりの大きな変化である。なぜ選挙権の年齢がこれまでの20歳から引き下げられたかについては、現在世界の約190カ国・地域のうち、約9割が18歳以上を有権者としていることや、今後の日本の少子高齢化の加速に伴い、若者に日本の将来について主体的に関わる機会を増やす必要性があることなどがあげられている。ただし、なぜ今なのかという理由は別にあり、2014年に施行された改正国民投票法が憲法改正の是非を問う国民投票における投票年齢を、4年後に満20歳以上から満18歳以上に引き下げたことに由来する。国の根幹を定める憲法についての有権者が18歳なのに、通常の国政選挙では20歳以上でないと投票できないという矛盾を解消することが、この時期の改正の理由であることは周知の通りである。

一方、民法では「20歳をもって成年とする」(4条) となっており、この20歳を成年とするか、18歳を成年とするかという問題は、他の様々な法律に関わってくることになり、今後もいろいろな場面で「成人」をめぐる議論や課題が生じてくるであろう。ところで、世界でなぜ選挙の有権者を18歳以上とする国が多いのかという点については、その国々によって諸事情があるのであろうが、世界のほとんどの国が軍備を有し、その軍隊を支える兵士たちの多くが若者であるということ、兵役の義務と参政権との関係によって定められていることは想像に難くない。

ところで、精神的に未熟な若者に国の根幹に関わる大事な権利を与えてよいのか、そもそも満20歳以上であっても現在の若者の政治への無関心は当り前であるのに、18歳に引き下げても政治への関心は上がらない、といった意見もまたよく聞かれる。政治に関しての専門的知識のない自分がこれ以上あれこれいう資格はないと思うが、いずれにせよ、いったい大人と子どもの線引きはこれからどうなっていくのだろうか。そこに関心を向けると、少し考えてみたいことも出てくる。

2.『掟の門』

そもそも大人と子どもの線引きは、大人の側からなされる。子どもがある年齢になると生理的には大人になる。しかし、共同社会において「成年」となるにはそれだけでは不十分であり、大人の側から課せられた条件をクリアすることによって初めて「成人」する。現代以前はこれが通過儀礼として明確に規定されていた。儀式がその実を伴っていたわけであるが、現代の多様な世界では、儀式と実とが乖離し、儀式は形骸化してしまっている。昨今の日本における「成人式」なるものはその典型であろう。実を伴う儀式を大人から与えられない子どもたちは、個人個人で大人になる通過儀礼を作りださねばならない。それは極めて個人的問題になる。したがって、その大人への成り方も個別的多様的であろう。明確な基準が存在しないのであるから、本人自身大人になったという自覚もしづらいことの方が多い。つまり、「気がついたらいつの間にか大人になっていました」という感覚でしかないだろう。

しかし、それでは大人になることの通過儀礼がまったくなされないかというと、そうでもない。それは個人の内面の問題になっただけであり、身体的生理的な大人への変容と並行して、精神的心理的あるいは社会的な意味での変容は必ず経験していく。しかし、その時の体験に対する受け止めにそれぞれの世界あるいは時代の影響が大きく作用し、その在り方が時代を象徴するともいえる。

これに関連して「モラトリアム」や社会構造からの「人間疎外」といったことが叫ばれるようになったのは、産業革命を経て大量生産大量消費の経済中心世界に変わった20世紀以降であるが、実存主義の視点からこうした人間と社会との関係の在り方の変容を通して、人間の抱える新たな問題（社会における人間疎外と孤独）を取り上げた一人として、よく小説家のフランツ・カフカが取り上げられる。カフカの短篇の中に、『掟の門』という作品がある。「成人」になるということに関して、とても示唆的な作品なのでここでも取り上げてみたい。以下はその短篇の内容である。

> 掟の門の前に田舎から一人の男がやってきて、入れてくれと門番に頼むが、門番は「今はだめだ」という。男は門の中に入れてもらうためにあれこれ手を尽くして頼み込むが、一向に門番からの許しは得られない。たずさえてきた様々な品物を門番に贈るが、門番は「それでお前の気がすむなら」と、それらの贈り物は受け取るが、一方で門に入れてくれようとはしない。男は永い歳月そうして門の前で懇願し続けたが、ついに命が尽きてしまう。死ぬ直前に男はあることに気がつく。それはこの永い間、自分以外に誰もこの門にやってこなかったということであった。門番は命の尽きる男に向かって最後にこう言う。「ほかの誰ひとり、ここには入れない。この門はおまえひとりだけのものだった。さあ、もうおれは行く、門を閉めるぞ。」[1)]

男はなぜその門を通ろうとしているのか、その理由はまったく述べられていない。掟の門を通るのであるから、掟を求めていることは確かであろう。掟とは社会のルールであり、その掟に自身を参与させること、つまりは門をくぐってその先の社会へと参入することを求めてやってきたと解釈できるが、同時にそれは男にとって自明のことであるから、あえてその理由を自覚することもないとも受け取れる。門の前で命が尽きてしまうということは、門をくぐらない限り未来はないということでもあろう。

また、誰のものでもない自分だけの門であるということからも、新たな社会への参入を試みる成人への通過儀礼を示しているといえよう。そしてこの男は門を通れなかった。それはその門が一体何であるのか考えようとせず、ひたすら相手に入れてくれることを懇願し続けようとしたからである。自分で考えず、大人に頼って生きるというあり方は子どものそのものであろう。命が尽きる直前に自分だけの門であることに気づくことによって、はじめて男は他の誰でもない自分というものに出会う。この物語はこれまでの子どもの自分が死に、ひとつの自我を持った人になることを暗示しているのかもしれない。

ところでこの物語では、大人への参入について掟の門という明確な区分があり、その区分の意味を理解しない限り、次の社会には到達できない。と同時に、その意味は自分で見つけることが求められている。大人になることの意味を自分で発見することの難しさを語っているが、大人になること自体は必然として描かれているように思われる。

もう10年以上前のことだが、学生たちにこの物語を読んでもらって感想を求めたことがあった。多くの若者が、掟の門をくぐるということ自体を否定しなかったが、その中である学生がこのような感想を述べた。「自分がその男だったら、門なんかはくぐらない。その先になんか行かないで、ずっと今のところで好きなことをして過ごす。そのほうが楽しいし、楽だから。」それを聞いて当時は少なからずショックを受けた。世代間ギャップを感じたのかもしれないが、ある意味自分にはない発想であった。どうしてその学生はそう思ったのかはわからないが、ある意味、門の向こうにある世界に対して、興味がない、あるいは魅力を感じないということだったのだろうと思われる。大人になることそのものに興味がない、希望もないということなのだろう。

それはある意味現代の日本の社会をよく表しているのかもしれない。今さえよければ充実した生を生きられているような気がする。将来のことを考えても、この先どうなるかまったく予想がつかない。就職してもそれがはたして生涯働き続ける価値のある仕事なのか、そもそも会社そのものがこの先もずっとあるとは限らないではないか、などなど。大人になることの魅力は一体何か？　大人になることの意義は何か？　改めて考えると、誰もが納得するはっきりした答えを言える大人は一体いるのだろうか？

3．『スカイ・クロラ』

『スカイ・クロラ』は2001年に発表された森博嗣の小説である。現代の日本のアニメ映画監督の第一人者押井守が、2008年に映画化したことで広く知られるようになった。物語は架空の世界における戦闘機パイロットの数奇な人生を描いたものである。その世界では、戦争は民間の戦争請負会社によって行われ、一般の市民（大人たち）は、それによって戦争体験から隔絶され守られている。その社員である主人公たちは、一人を除いてみな子どもである。それも「キルドレ」という遺伝子上の問題で突然現れた新しいタイプの人間であり、彼らは肉体的にも精神的にも歳をとらず、永遠に子どものまま生き続けることができ、また子どもも産むことができる。彼らが死ぬのは戦闘によって肉体が損傷した場合に限る。彼らにとって大人になることはすでに必然ではない。そうした彼らにとっての生きる意味は、戦闘機で空を舞い、命をかけたドッグファイトつまりは戦闘「ゲーム」をすることである。

彼らにとっては戦闘での肉体的死すら死とならない。彼らの戦闘技量は会社にとっての貴重な資源であるため、死後に再生（コピー）され、新たな戦闘員となって復活する。しかし、彼らには記憶というものがほとんどない。過去の記憶が失われ、以前の自分の記憶はほぼ失われている。こうして彼らは永遠に「今」を生き続ける。今しかない生は過去のみならず、未来をも失われている。刹那的な生の在り様は、やがて精神に破綻を来たし、自滅的な結末を繰り返し迎えることとなる。

何もかも断片的な生は、自分が生きている経験を蓄積できない。それゆえにその時その時の自分はあっても、「自分の人生」というものは存在しない。「誰のものでもない人生」あるいは「誰のものでもいい人生」として自分を規定せざるを得ない。自分だけの掟の門はもはや存在せず、誰のものでもいい門をくぐるしかない。

> 昔のことは覚えていない。未来のことも知らない。今は、たしかにここにある。僕は僕を触ることができる。きっとできるはず。飛行機だって僕の身体のように動く。でも……。僕は誰だ？[2)]

この小説を元にした先述のアニメ映画について、若者のリアクションは賛否両論あるようだ。どちらかというと戦闘場面のリアルさ、飛行場面のゲーム的疑似体験についての関心が高い。「キルドレ」の存在については、架空の話としてあまりリアルに受け取られていない。しかし、監督の押井はこの作品を作った動機を以下のように述べている。

> 人生の可能性を留保したくて何も踏み出さなければ、傷つくことはない。でも自分の経験から言えば、不幸になるのも人生の醍醐(だいごみ)味。その覚悟と意志があれば、人生は情熱の対象になる。[3)]

また、森のスカイ・クロラシリーズのうちのひとつ『クレィドゥ・ザ・スカイ』の解説文の中で、押井は「キルドレ」を、大人になれない子どもではなく、大人にならない存在として自らの意思で生きていると解釈し、「自己否定した大人」あるいは「成熟した子ども」と呼ぶべき存在ではないかと問いかけている。さらにそこに「自由」とは何かという問題をからめ、「モラトリアム」が何者かに自分を規定しないという意味での自由、つまりすべてのものから自分を保留するという、「状態」としての自由を示すことであるのに対し、何者になるか、あるいは何を為すかという「行為」としての自由こそが本来の「自由」であると述べている。

「キルドレ」の物語もまた、モラトリアムとしての自由を生きているのではなく、これまでの世界には存在しなかった新たな生き方を自らが選択したことの苦しさとその戦いを描いていると捉え、こうした「キルドレ」的若者に対して大人になれない子どもであると嘆くことにはすでに何も意味がなく、そもそも「キルドレ」が誕生したのは、本来的な「自由」を失った大人の側の問題であると述べている。

最初の選挙権の話に戻せば、われわれ大人ははたして「行為」としての自由をしっかりと行使しているであろうか？　若者たちに未熟であるという前に、若者たちの将来に対して、希望を持てるような「自由」を用意することができているだろうか？　やはりこれは大人の側の問題なのであろう。自戒の念をこめて。

注

1）フランツ・カフカ「掟の門」『カフカ短篇集』池内紀編訳、岩波文庫、岩波書店、1987年、9–12頁（原著：Franz Kafka, “Vor dem Gesetz,” 1914.）。

2）森博嗣『クレィドゥ・ザ・スカイ』中公文庫、中央公論新社、2005年、12–13頁。

3）押井守「鬼才・押井守、次回作を熱く語る」朝日新聞、2007年6月20日掲載。http://www.asahi.com/komimi/TKY200706200291.html（2016年2月10日閲覧）

引用参考文献

森博嗣　2004年：『スカイ・クロラ』中公文庫、中央公論新社。

押井守　2005年：「解説　クレィドゥ・ザ・スカイ」森博嗣『クレィドゥ・ザ・スカイ』中公文庫、中央公論新社、340–342頁。

押井守監督　2008：『スカイ・クロラ The Sky Crawlers』「スカイ・クロラ」製作委員会製作、プロダクション I.G 制作、ワーナー・ブラザース映画配給。

東洋英和女学院大学　死生学研究所報告（2015年度）

§役員

所長：渡辺和子　　人間科学部人間科学科教授

幹事：西　洋子　　人間科学部保育子ども学科教授

幹事：福田　周　　人間科学部人間科学科教授

幹事：ミリアム・T. ブラック　　人間科学部保育子ども学科准教授

幹事：前川美行　　人間科学部人間科学科准教授

§〈公開〉連続講座「生と死に寄り添う」（本学大学院201教室で開催）

第1回　2015年4月18日（土）14:40～16:10
北沢　裕（本学非常勤講師）「「臨死体験の語り」とその語り」

第2回　2015年4月18日（土）16:20～17:50
津曲真一（東京理科大学等非常勤講師）「『チベットの死者の書』と六道輪廻図」

第3回　2015年5月9日（土）14:40～16:10
前川美行（本学人間科学部准教授）「昔話『蛇婿入』にみる心の変容―蛇を殺した針を抜く」

第4回　2015年5月9日（土）16:20～17:50
近藤二郎（早稲田大学文学学術院教授）「エジプトの死後世界」

第5回　2015年10月24日（土）14:40～16:10
石井香世子（本学国際社会学部准教授）「いのちと国家とお金―東南アジアから考える」

第6回　2015年10月24日（土）16:20～17:50
渡辺和子（本学人間科学部教授）「生死をかける誓約の伝統―古代メソポタミアから現代まで」

第7回　2016年1月16日（土）14:40～16:10
大林雅之（本学人間科学部教授）「「小さな死」によせて」

第8回　2016年1月16日（土）16:20～17:50
森岡正博（早稲田大学人間科学部教授）「人間のいのちの尊厳はどこにあるか？」

第9回　2016年2月13日（土）14:40～16:10
長尾敦子（本学人間科学部准教授）「臓器移植の事前指示書をめぐる問題」

第10回　2016年2月13日（土）16:20～17:50
福田　周（本学人間科学部教授）「石川啄木―短歌にみる生と死の表現」

§〈公開〉シンポジウム

2015年7月25日（土）14:40～17:50（本学大学院205教室）

テーマ：「現場が育む—被災地での共創と若い力」

発題(1)　弓削田綾乃（早稲田大学スポーツ科学研究センター招聘研究員）「わたしがそこに通う理由—TEAWASE参加者の意識から考える」

発題(2)　板井志郎（早稲田大学理工学術院助教）「被災地での研究から見えてきたもの」

発題(3)　木津石生（みんなのダンスフィールドコーディネーター、工学院大学3年生）「想い共有—被災地の人々との作品作りを通じて」

発題(4)　TEAWASE参加の大学生・卒業生「被災地で活動する大学生・卒業生からのメッセージ」

§〈公開〉シンポジウム「生と死」研究会　第14回例会

（公益財団法人国際宗教研究所との共催、本学大学院201教室）

2015年11月21日（土）14:40～17:50

テーマ：「生と死に寄り添う—臨床と宗教」

発題(1)　奥野滋子（順天堂大学医学部客員准教授）「死から学ぶ生きる力」

発題(2)　津曲真一（東京理科大学等非常勤講師）「チベット仏教と終末医療」

発題(3)　谷山洋三（東北大学大学院実践宗教学寄附講座准教授）「臨床宗教師の展望と課題」

§大学図書館のリポジトリに『死生学年報』掲載稿公開

本学図書館からの要請を受け、『死生学年報』掲載稿の図書館リポジトリへのPDF公開を順次行っている。今年度は次の論稿を公開した。https://toyoeiwa.repo.nii.ac.jp/

・藤原達也（本学非常勤講師）「ブッダの帰還—ガンダーラにおける仏像の起源について—」『死生学年報2012　生者と死者の交流』（第8巻）、109-144頁。

§刊行物

『死生学年報2016　生と死に寄り添う』リトン、2016年3月31日発行。

§会議

幹事会（メール会議）10回。

死生学年報編集会議（メール会議）5回。

§ウェブサイト更新

本研究所のホームページについて、今年度の情報を更新した。
http://www.toyoeiwa.ac.jp/daigakuin/shiseigaku/

§役員の業績

2015年1月から2016年3月までの業績(著書、論文、学会発表、公開講座講師など)を種類別に列記する。ただし、『死生学年報2015』の「役員の業績」に記載済のものは除く。名前のあとの（　）内は学位と専門領域。

＊渡辺和子（Dr. phil. in Assyriologie, 宗教学／死生学／アッシリア学）

[監修]

・『オールカラーでわかりやすい！世界の宗教』西東社、2015年7月。

[論文]

・「『エサルハドン王位継承誓約文書』にみる生と死」『死生学年報2015　死後世界と死生観』リトン、2015年3月、105-144頁。
・Kazuko Watanabe, “Innovations in Esarhaddon’s Succession Oath Documents Considered from Their Structure,” *State Archives of Assyria Bulletin* 21, 2015, pp.1-43.

[学会発表要旨]

・『エサルハドン王位継承誓約文書』にみる「普遍的」倫理と呪詛」オンラインジャーナル『宗教研究』89巻別冊、2016年3月公開。
・「『エサルハドン王位継承誓約文書』にみる編集作業とその意図」『オリエント』58-2、2016年3月。

[学会・研究会発表]

・ワークショップ：「『ギルガメシュ叙事詩』を読む」、「『エサルハドン王位継承誓約文書』を読む」第10回アッシリア学研究会、東洋英和女学院大学大学院、2014年3月27日。
・“What are ‘Esarhaddon’s Succession Oath Documents’?” Rencontre Assyriologique Internationale 61（第61回国際アッシリア学会）、ジュネーヴ、スイス、2015年6月23日。
・「『エサルハドン王位継承誓約文書』にみる「普遍的」倫理と呪詛」日本宗教学会第74回学術大会、創価大学、2015年9月6日。
・ワークショップ：「『エサルハドン王位継承誓約文書』」第11回アッシリア学研究会、東洋英和女学院大学大学院、2015年9月8日。
・「『エサルハドン王位継承誓約文書』にみる編集作業とその意図」日本オリエント学

会第 57 回大会、北海道大学、2015 年 10 月 18 日。

[招待講演]

・「『エサルハドン王位継承誓約文書』の宗教史的意義」東京大学宗教学科同窓会　嘲風会フォーラム、山上会館、東京大学本郷キャンパス、2015 年 12 月 23 日。

[研究活動]

・「古代西アジアの「契約」「誓約」「条約」概念の再考」科学研究費、基盤研究（B）研究代表者。
・「アッシリアの誓約文書と契約宗教としての一神教」三菱財団、研究代表者。

[公開講座講師]

・「『エサルハドン王位継承誓約文書』を読む」本学生涯学習センター、大学院校舎、2015 年度前期 5 回。
・「生死をかける誓約の伝統―古代メソポタミアから現代まで」死生学研究所 2015 年度公開連続講座「生と死に寄り添う」第 6 回、大学院校舎、2015 年 10 月 18 日。
・「『ギルガメシュ叙事詩』を読む」本学生涯学習センター、大学院校舎、2015 年度後期 6 回。

＊西　洋子（博士（学術）、舞踏学／身体表現論）

[シンポジウム記録]

・シンポジスト：三輪敬之（早稲田大学）、西洋子、河合俊雄（京都大学こころの未来研究センター）司会：小坂和子（東洋英和女学院大学）「場への信頼―共に在ること・創ること」『箱庭療法学研究』第 28 巻第 1 号、2015 年 9 月、99-130 頁。

[インタビュー掲載]

・「「被災地での共創表現」あの人にこの質問を」『舞踊学会ニューズレター』第 9 号、2015 年 11 月、8-14 頁。

[エッセイ]

・「光の束－実践と研究のこと」『保育子ども研究所ニューズレター』2015 年 1 月、1 頁。
・「被災地での身体表現ワークショップ―何もできない自分を知る」東洋英和女学院学院報『楓園』No.79、2016 年 1 月、8 頁。

[学会発表]

・西洋子、長谷部（国府田）はるか（茨城女子短期大学）「身体表現の授業での体験的理解と気づき」日本保育学会第 68 回大会、椙山女学園大学、2015 年 5 月 10 日。
・自主シンポジウム、企画：西洋子、本山益子（京都文教短期大学）、司会：西洋子、話題提供：平岩ふみよ（竹の子幼稚園）、渡辺友子（綾東幼児園）、岡本雅子（豊橋創造大学短期大学部）、本山益子（京都文教短期大学）「保育の場での身体と表現①―そのあり方を現場から考える」日本保育学会第 68 回大会、椙山女学園大学、

2015年5月10日。

・前川美行（東洋英和女学院大学）、西洋子、三輪敬之(早稲田大学)「身体表現活動が生み出す自己感の変容と交流の広がり―インタビュー分析から」日本ユング心理学会第4回大会、京都文教大学、2015年6月7日。
・林龍太郎（早稲田大学）、三輪敬之（早稲田大学）、西洋子、岩成大河（早稲田大学）、高橋卓人（早稲田大学）「場のファシリテーション技術に関する研究　一人手合わせによる表現深化過程の計測と卓上型デバイスの開発」ヒューマンインタフェースシンポジウム2015、公立はこだて未来大学、2015年9月4日。
・高橋卓人(早稲田大学)、梶田祐介(早稲田大学)、板井志郎(早稲田大学)、三輪敬之(早稲田大学)、西洋子「骨格情報と影の統合による身体表現メディアのデザイン」日本機械学会2015年度年次大会、北海道大学、2015年9月16日。
・三輪敬之（早稲田大学）、林正男（穴水こころのクリニック）、前川美行（東洋英和女学院大学）、西洋子、板井志郎（早稲田大学）「身体での共創表現は、臨床の場の何を変えるのか―「てあわせ」表現の実践から、その可能性を探る」アートミーツケア学会2015年度大会、分科会（トークセッション）企画・発表、大分県立総合文化センター、2015年11月8日。
・林龍太郎（早稲田大学）、岩成大河（早稲田大学）、三輪敬之（早稲田大学）、西洋子、板井志郎(早稲田大学)「卓上型手合わせシステムによる共創表現活動の社会的支援」第16回計測自動制御学会システムインテグレーション部門講演会SI2015、名古屋国際会議場、2015年12月15日。
・山口恭平（早稲田大学）、森裕司（早稲田大学）、板井志郎（早稲田大学）、三輪敬之（早稲田大学）、西洋子「共創表現メディアに関する研究―霧の空間性を活用した表現の場の創出支援」第16回計測自動制御学会システムインテグレーション部門講演会SI2015、名古屋国際会議場、2015年12月15日、SI優秀講演賞受賞。

[研究会発表]

・「私はどのように私たちの表現を語るのか」表現未来の会第4回研究会『共創表現：実践の深化』、早稲田大学、2015年1月12日。
・「共創表現を耕すファシリテータのはたらき」早稲田大学複雑系高等学術研究所主催、複雑系研究会『世界に偏在する意識』、早稲田大学、2015年4月26日。

[招待講演]

・「子どもの発達とインクルーシブ教育」平成27年度就学前から学齢期にかかわる関係諸機関との連携のための第2回特別支援ネットワーク会議、石巻支援学校、2016年2月18日。

[講演]

・「共創表現―野原が生まれる」、『創造的な身体表現活動での共振創出に関する研究―身体的共創から社会的共創へ』成果報告シンポジウム、早稲田大学小野記念講堂、

2016年3月13日。

[研修会講師]

・「保育者としての柔らかなからだと表現」綾東幼児園園内研修講師、2015年1月22日。
・身体での共創表現「てあわせ」、第1回ファシリテータ養成講座講師、石巻遊楽館、2015年6月14日。
・身体での共創表現「てあわせ」、第2回ファシリテータ養成講座講師、赤井市民センター、2015年10月18日。
・平成27年度特別支援学校機能強化モデル事業特別支援学校のセンター的機能充実事業「てあわせ」実践指導研修会講師、宮城県立石巻支援学校。2016年2月19日。
・「子どもと創り合う表現活動」、原町田幼稚園園内研修講師、2016年3月23日。

[研究活動など]

・「創造的な身体表現活動での共振創出に関する研究―身体的共創から社会的共創へ」科学研究費、基盤研究（B）研究代表者。
・「身体性メディアによる場の統合と離れた集団間における共創表現の支援」科学研究費、基盤研究（B）研究分担者。
・「身体での共創表現におけるファシリテータのはたらき」科学研究費、挑戦的萌芽研究、研究代表者。
・NPO法人「みんなのダンスフィールド」でのインクルーシブな身体表現ワークショップ：年間40回。
・宮城県石巻市・東松島市での「てあわせ」表現ワークショップの企画・運営：年間10回。
・石川県野々市市あおぞら福祉会「フォルムのシティ」での共創表現ワークショップの企画・運営：年間5回。
・綾東幼児園での身体表現ワークショップ、2015年1月23日。
・みんなのダンスフィールド第11回ライブパフォーマンス「てあわせバとル・おどる・どるどる」企画制作、アサヒ・アートスクエア、2015年5月17日。
・公開表現ワークショップ「てあわせでしあわせ」企画運営、仙台メディアテークオープンスクエア、2015年8月22日。
・岡崎女子短期大学付属嫩幼稚園での身体表現ワークショップ、2016年2月23日。
・綾東幼児園での身体表現ワークショップ、2016年3月3日。

＊福田　周（教育学修士、臨床心理学）

[論文]

・「身体の傷と心の傷―フリーダ・カーロの絵画にみる生と死の語り」『死生学年報2015　死後世界と死生観』リトン、2015年3月、145-172頁。

・「境界性としての発達障害－軽度発達障害の子をもつ親の障害受容の在り様を通して－」『東洋英和女学院大学心理相談室紀要』第 17 号、2015 年 3 月、14-27 頁。
・「統合失調症圏クライエントの心理療法（描画と夢）」『臨床ユング心理学研究』第 1 巻 1 号、2015 年 9 月、63-76 頁。

［公開講座講師］

・港区民大学（東洋英和生涯学習センター・東洋英和こころの相談室共催）講座「『こころの相談室』から」コーディネーターおよび講師、2015 年 6 月 6 日。
・死生学研究所第 10 回連続講座「石川啄木―短歌にみる生と死の表現」2016 年 2 月 13 日、六本木校舎。

［研修会講師］

・「風景構成法」明治安田こころの健康財団「こころの臨床・専門講座 4　パーソナリティ・アセスメント入門」講師、2015 年 12 月 6 日。

＊ミリアム・T. ブラック（M. A. in TESOL, 英語／英語教育）

・『死生学年報 2016』の英文編集。

＊前川美行（博士（教育学）臨床心理学／夢分析）

［論文］

・「『踊る身体』と『庭』に関する考察―盆踊りと箱庭療法の象徴性」東洋英和女学院大学『心理相談室紀要』第 18 号、2015 年 4 月、46-55 頁。

［大学院紀要・誌上コメント］

・「孫悟空 A 君とのプレイセラピー―門真論文へのコメント」学習院大学大学院『心理相談室紀要』第 10 巻、2015 年 3 月、33-36 頁。

［コラム］

・「〈コラム：震災と言葉〉生まれる言葉」『死生学年報 2015　死後世界と死生観』リトン、2015 年 3 月、270 頁。

［学会発表］

・前川美行／西洋子（東洋英和女学院大学）／三輪敬之（早稲田大学）「身体表現が生み出す自己感の変容と交流の広がり―インタビュー分析から」"Change in sense of self and expansion of relations with others brought by workshop of bodily expression - From interview analysis"（日本語）第 4 回日本ユング心理学会、京都文京大学、2015 年 6 月 7 日。
・「ADHD 成人女性のイメージ表現と変容過程－こぼれ落ちる体験がイメージにより析出するまで」第 34 回日本心理臨床学会、兵庫教育大学（神戸国際会議場）、2015 年 9 月 20 日。
・「発達障害のイメージ表現と内的体験―常同的な繰り返しによる遊び―」第 29 回

日本箱庭療法学会、東北福祉大学、2015年10月11日。

・三輪敬之（早稲田大学）／林正男（穴水こころのクリニック）前川美行／西洋子（東洋英和女学院大学）／板井志郎（早稲田大学）「身体での共創表現は、臨床の場の何を変えるのか―「てあわせ」表現の実践から、その可能性を探る」アートミーツケア学会2015年度大会、分科会（トークセッション）、大分県立総合文化センター、2015年11月8日。

［研究会発表］

・「身体表現が生み出す自己感の中核化と交流の広がり―インタビューより」表現未来の会第4回研究会、早稲田大学、2015年1月12日。

・「心理療法で語られる自己感―幻覚を中心に」早稲田大学複雑系高等学術研究所主催、複雑系研究会『世界に偏在する意識』、早稲田大学、2015年4月26日。

・「現代心理療法場面にみられる象徴化機能の現代的問題」京都大学こころの未来研究センター研究報告会2015『からだ・こころ・きずな』、ポスター発表、京都大学、2015年12月20日。

［研究活動］

・「心理療法場面にみられる象徴化機能の現代的問題」平成26年度京都大学こころの未来研究センター、一般公募型連携プロジェクト、代表研究者。

・「創造的な身体表現活動での共振創出に関する研究―身体的共創から社会的共創へ」科学研究費、基盤研究（B）、連携研究者。

［シンポジスト・研修会講師等］

・「昔話『蛇婿入』にみる心の変容―蛇を殺した針を抜く」死生学研究所2015年度第3回連続講座、大学院校舎、2015年5月9日。

・講師「『治療の場』を支える心理士の役割」公益財団法人日本臨床心理士資格認定協会、第79回臨床心理士研修会（医療領域）、朱鷺メッセ：新潟コンベンションセンター、2015年10月4日。

・シンポジスト「臨床の場を支える」公益財団法人日本臨床心理士資格認定協会第79回臨床心理士研修会、朱鷺メッセ：新潟コンベンションセンター、2015年10月4日。

・講師「児童養護施設の心理士の役割と遊戯療法」福田会東京本院（児童養護施設）広尾フレンズ、グループスーパービジョン研修会、2015年1月26日、2月23日、8月3日。

［その他］

・宮城県東松島市・石巻市での身体表現ワークショップ（科研費研究プロジェクト）【4/11-12、5/30-31、7/11-12、8/22-23、10/17-18、11/21-22、12/19-20】

執筆者紹介

津曲真一　（つまがり　しんいち）　東京理科大学非常勤講師

谷山洋三　（たにやま　ようぞう）　東北大学大学院文学研究科
実践宗教学寄附講座准教授

松岡秀明　（まつおか　ひであき）　大阪大学コミュニケーションデザイン・センター招聘教授

渡部麻美　（わたなべ　あさみ）　本学人間科学部講師

鈴木桂子　（すずき　けいこ）　東京家政学院大学非常勤講師
本学生涯学習センター講師

前川美行　（まえかわ　みゆき）　本学人間科学部准教授

高橋美樹　（たかはし　みき）　本学人間科学部 2015 年度卒業生

齋藤百合香　（さいとう　ゆりか）　本学国際社会学部 2014 年度卒業生

渡辺和子　（わたなべ　かずこ）　本学人間科学部教授

西　洋子　（にし　ひろこ）　本学人間科学部教授

弓削田綾乃　（ゆげた　あやの）　早稲田大学スポーツ科学研究センター
招聘研究員

板井志郎　（いたい　しろう）　早稲田大学理工学術院助教

村中亜弥　（むらなか　あや）　NPO 法人みんなのダンスフィールド
教育スタッフ

木津石生　（きづ　いっせい）　NPO 法人みんなのダンスフィールド
コーディネーター

吉田明子　（よしだ　あきこ）　日本大学文理学部助教

北沢　裕　（きたざわ　ゆたか）　本学非常勤講師／本学生涯学習センター講師

森岡正博　（もりおか　まさひろ）　早稲田大学人間科学部教授

片岡朝子　（かたおか　あさこ）　本学大学院人間科学研究科 2015 年度修了生

大林雅之　（おおばやし　まさゆき）　本学人間科学部教授

髙井啓介　（たかい　けいすけ）　慶應義塾大学／明治学院大学非常勤講師
本学生涯学習センター講師

福田　周　（ふくだ　あまね）　本学人間科学部教授

編集後記

2015年度は「生と死に寄り添う」という全体テーマを掲げて公開講座とシンポジウムを行ったこともあり、実践や体験と結びついた論考が多く集まりました。また基礎研究の成果も含めて多方面から力作を寄せてくださった執筆者のみなさんに感謝いたします。「広範囲にわたる」がこの年報の特徴といえるかもしれません。このようにして常に興味を広げて学んでゆく場を与えられていることも大変ありがたいことと思います。

昨年度に引き続き、この巻にも２本の卒業論文を掲載することができました。若い人ならではの視点も刺激的であり、勉強になります。

大震災から５年経ち、本研究所の公開講座を見ても、被災地に出かける活動、被災地とその周辺から講師を迎えて討論する活動などが根付いていることがわかります。今後も新たな問題提起や取り組みを視野に入れて学びながら進んでまいります。

死生学研究所事務担当の菅直子さんが、事務と公開講座の仕事だけでなく、本巻掲載の森岡正博先生の講演を書き起す迅速な作業にも感謝いたします。幹事のミリアム・ブラック先生はいつもながら丁寧な英文編集をしてくださいました。リトンの大石昌孝さんは、きめ細かい編集と出版によって本研究所を支えてくださっています。本年度も多くの方々から応援をいただいたことに感謝しつつ、これからも私たちの課題に取り組んでまいりますのでご指導、ご協力をどうぞよろしくお願いいたします。

渡 辺 和 子

Annual of the Institute of Thanatology, Toyo Eiwa University

Vol. XII, 2016

Standing Close to Life and Death

CONTENTS

死生学年報　2016　生と死に寄り添う

発行日　2016 年 3 月 31 日

編　者　東洋英和女学院大学 死生学研究所

発行者　大石昌孝

発行所　有限会社リトン
101-0061　東京都千代田区三崎町 2 -9-5-402
FAX 03-3238-7638

印刷所　互恵印刷株式会社

ISBN978-4-86376-049-3